LA RAISON
D'ÊTRE

JACQUES ELLUL

LA RAISON
D'ÊTRE

MÉDITATION
SUR L'ECCLÉSIASTE

ÉDITIONS DU SEUIL
27, rue Jacob, Paris VIᵉ

ISBN 2-02-009445-2

© ÉDITIONS DU SEUIL, JANVIER 1987

*Ces paroles ultimes
pour celle qui fut
toute ma vie
l'exigence
et l'espérance
de la Raison d'être,
ma femme.*

Post-scriptum liminaire,
polémique et contingent

I

Il faut une singulière vanité ou une rare inconscience pour écrire encore de nos jours un texte sur l'Ecclésiaste ! En présence d'une bibliographie qui couvre des pages — et des dizaines de commentaires aussi savants les uns que les autres[1]. Je ne suis ni savant, ni exégète, ni herméneute, ni théologien. Mon seul titre ici est que ce texte je l'ai lu, médité, prié, pendant plus d'un demi-siècle. Il n'y a probablement pas de texte de la Bible que j'aie autant fouillé, dont j'aie autant reçu — qui m'ait autant rejoint et parlé. Mettons que j'exprime ce dialogue. Et je dois alors avertir le lecteur sur le chemin que j'ai suivi pour ce livre, car il est l'inverse de la méthode universitaire (que j'ai par ailleurs souvent pratiquée !).

Dans la méthode universitaire, on commence par faire la bibliographie du sujet. On lit tout ce qui est accessible. On met sur fiches. On établit un plan. On rédige en fonction des autres auteurs, soit pour prolonger leur recherche, soit pour les contredire. Ici, j'ai fait tout le contraire. Je n'ai rien voulu lire et savoir avant. Je voulais poursuivre ma confrontation avec ce texte seul à seul. J'ai pris le texte hébreu, me débrouillant assez mal. Et neuf traductions pour m'aider et me contrôler. Et j'ai écrit le texte qui suit. Bien entendu, je ne dis pas qu'il soit indemne de toute influence ! C'est *moi,* et pas une abstraction, qui ai écrit, donc avec mon acquis culturel, mes connaissances, et très anciennement j'avais déjà lu quelques articles sur Qohelet. Bien sûr, Visscher, « L'Ecclésiaste et Montaigne », dans *Foi et Vie,* j'avais lu Peder-

---

1. Quelque deux cents cités par Lauha.

sen, Lüthi, von Rad... Et, je l'expliquerai plus loin, j'avais depuis plus d'un demi-siècle l'intention d'écrire sur l'Ecclésiaste. Voilà trente ans, j'avais résumé Delitszch[1].

Donc, je sais bien que je ne suis pas neutre et que je ne pars pas de rien. Mais, au fur et à mesure que le temps venait d'écrire, je m'astreignais à ne rien lire sur ce livre. C'est après avoir achevé le texte de ma réflexion que je me suis mis à lire tout ce que j'ai pu trouver. Dans cette confrontation, si Podechard, Steinmann, Barucq, Lauha, etc. m'ont laissé assez froid, en revanche deux livres ont failli me faire tout abandonner : D. Lys et Maillot. Ils me paraissaient, chacun dans son genre, parfaits. D. Lys modèle de science, de rigueur exégétique, de complétude, de sérieux — examinant toutes les hypothèses dans son ample introduction — et ensuite établissant le texte mot par mot, dans une avalanche érudite de tout ce qu'il était possible de dire sur chaque terme. Quant à Maillot, il me semblait un modèle de compréhension du texte en profondeur, avec une certaine fulgurance prophétique.

En face de ces deux œuvres, si dissemblables, mais qui se complétaient si parfaitement, j'avais le sentiment de n'avoir, moi, plus rien à dire. Et pourtant, j'ai maintenu mon texte. Cette lecture d'une douzaine de commentaires ne m'a finalement pas fait changer une ligne à ce que j'ai écrit. Et je crois cette démarche conforme au livre même de Qohelet : ayant un certain acquis et un certain savoir, il faut marcher seul et ne pas répéter ce que d'autres ont dit[2].

Lorsqu'il m'arrive au cours du texte de faire allusion à l'opinion « des historiens et exégètes », il s'agit en général de lieux communs et d'idées reçues qui traînent partout. Mais j'ai alors ajouté d'abondantes notes en fonction de ces savants livres que j'ai lus après. J'en ai tenu compte dans les notes en exprimant mon opinion. Voilà ce que j'ai fait. Voilà pourquoi j'appelle ce qui

1. Delitszch, *Biblische Kommentar über die poetischen Büchern*, Hohes Lied und Koheleth, 1875.
2. Premières indications bibliographiques : A. Barucq, *Ecclésiaste*, Paris, Beauchesne, 1968 ; Aare L. Lauha, *Kohelet*, Munich, Neukirchener Verlag, 1978 ; D. Lys, *L'Ecclésiaste, ou que vaut la vie*, Paris, Letouzey, 1977 ; A. Maillot, « La contestation. Commentaire de l'Ecclésiaste », in *Cahiers du Réveil*, Lyon, 1971 ; E. Podechard, *L'Ecclésiaste*, Paris, Gabalda, 1912 ; J. Steinmann, *Ainsi parlait Qohelet*, Paris, Éditions du Cerf, 1955.

devrait être un préambule un « post-scriptum » ! Et voilà aussi pourquoi je le dis « polémique », car déjà j'énonce des critiques envers certains auteurs... a posteriori. Mais ceci marque également les limites de ce travail : je ne prétends pas apporter un nouveau « commentaire », ni une « clé » de ce livre, ni une exhortation religieuse qui en serait tirée.

Que signifie alors ce que j'ai fait ici ? Voici peut-être quarante ans, j'ai songé qu'une méditation actuelle sur ce livre pourrait être une conclusion adéquate à l'œuvre que je commençais à entrevoir. Il me semblait toutefois que cela ne pouvait venir qu'à la fin de mon chemin, intellectuel et vital. Le livre de l'Ecclésiaste est une conclusion, non un point de départ possible. Je crois que ceci est conforme au texte lui-même : toutes les affirmations (ou contestations) de l'Ecclésiaste arrivent, expérience faite, comme une espèce de point final. Non pas une conséquence, mais une conclusion, car je crois qu'il n'y a pas grand-chose à dire, possible à partir de, ou après l'Ecclésiaste.

Autrement dit, si *Présence au monde moderne* était l'introduction générale de l'ensemble que j'avais voulu écrire, l'Ecclésiaste en sera le dernier mot. En effet, je ne pense pas que je puisse encore écrire beaucoup. Certes pas achever le programme que je m'étais tracé. Il est possible que j'aie encore le temps d'écrire un ou deux livres, si Dieu me l'accorde, mais ils ne seront jamais que le complément de ce qui est déjà fait.

II

Me voici donc en présence, une fois de plus, du même paradoxe : entreprendre une réflexion sous forme d'un livre, sur un Livre qui met en garde contre l'Écriture des livres. Il me faut pourtant commencer par là. « Les paroles des sages sont comme des aiguillons, et comme des clous plantés les auteurs de recueils ; ils sont donnés par un pasteur unique. Quant à faire plus que cela, mon fils, garde-t'en : faire des livres en grand nombre serait sans fin, et beaucoup d'étude est une fatigue pour la chair... » (XII, 11-12.) Et voilà. Il fallait le dire en ce début, et pour moi l'entendre comme clôture de ce que je peux appeler « mon œuvre ».

L'opposition entre l'existentiel et l'intellectuel — la parole du sage est un aiguillon : l'aiguillon entre dans la peau du bœuf et le fait avancer, la parole du sage fait avancer l'homme et ne se borne pas à susciter des pensées vaines et brillantes. Il n'est pas nécessaire d'une grande prolixité pour que se manifeste cette réaction de vie. Les prophètes le montrent. Et ce sont des clous plantés : l'autre aspect du chemin de la vie — clous de certitude entre lesquels nous avons la responsabilité de tendre nos cordes — clous repères qui permettent de discerner une direction — clous de fixation qui arrêtent aussi durement une vie pour la fixer à une vérité. Oui, certes, pour cette révélation il n'est pas besoin de grands discours ni de démonstrations intellectuelles, et l'Ecclésiaste a raison, à la fin, de nous mettre en garde contre la tentation intellectualisante, « faire plus que cela, garde-t'en ».

C'est pourtant exactement ce que je suis en train d'entreprendre, en sachant que ce dernier livre, mais comme tous les autres, et je le savais dès le premier, se trouve sous le jugement : « Tout est vanité. » Faire plus que dire la fine pointe du « message » de la Révélation est vanité. Jésus n'a rien écrit — et ses paroles furent peu nombreuses. On peut tout en retenir. Chacune est un aiguillon et un clou. Ce serait être sage que de ne rien vouloir y ajouter. Mais je ne suis pas un sage. Je redirai que toute mon « œuvre », je l'ai dès le début placée sous le signe de l'Ecclésiaste, c'est-à-dire sous son jugement. Et je sais bien que « faire des livres en grand nombre serait sans fin ».

Il est d'ailleurs étonnant qu'à l'époque de l'Ecclésiaste, avec la rareté des livres, on ait pu porter un tel jugement. Une fois de plus, pourtant, la parole biblique se révèle vraie après deux mille ans de silence. Elle s'applique à notre temps, comme si elle avait été écrite hier et pour nous [1]. Vanité de faire paraître un livre dans le Niagara de papier et dix mille fois plus d' « information » encore provenant de dix autres médias... Quel sens ? « Ce serait sans fin », annonce l'Ecclésiaste, et il avait raison voici... deux mille cinq cents ans. Il

---

1. J'ai pu montrer, je crois de façon convaincante, dans *Sans feu ni lieu* que la Bible nous donne sur la ville une révélation cohérente qui ne trouve sa pleine justification que dans nos villes modernes, alors que les auteurs bibliques n'avaient aucun modèle de ce type sous leurs yeux. Il ne faut pas exagérer la grandeur de Ninive ou de Babylone !

avait vu que cette folie de « l'information-communication-dissertation-documentation-interprétation » est sans fin, et que l'homme engagé là se fatigue infiniment pour du vent. Exactement du vent. Devant cet avertissement, pourquoi le faire ? Pourquoi donc accepter d'écrire ces pages encore destinées à être noyées dans le magma confus de nos médias ? Pourquoi céder à cette vanité ? Pourquoi faire une dernière œuvre en sachant parfaitement qu'elle est vanité ?

Je n'ai ni explication ni justification. Cela est parce que cela est. Comme une chose. Avec peut-être en réserve l'appel d'un autre texte de l'Ecclésiaste : « Tout ce que ta main trouve à faire avec la force que tu as, fais-le — Mais cela aussi sache que c'est soumis au jugement de la vanité. » Je le sais. Je le fais en conséquence, sans prétendre plus haut, sans mépriser non plus ce que je suis en train de faire. Parfaitement conscient de l'ironie de ma situation, ironie qui m'avait envahi voici un demi-siècle, et paradoxe de se livrer à cette « fatigue pour la chair », en vue de rien. Seulement parce que j'ai aujourd'hui le ferme sentiment, mais rien de plus qu'un sentiment, qu'il faut le faire et que dans tant de pages, Dieu peut-être en retiendra une.

III

Après tout, pourquoi ne pas commencer une réflexion sur l'Ecclésiaste par un petit préambule polémique ? Le texte lui-même ne nous y invite-t-il pas, qui est bien polémique à l'égard de tout ce que l'on tenait (et je pense montrer : tout ce que l'on tient toujours !) pour le sérieux, l'important et l'utile [1] ? Dans certaines études scientifiques sur ce texte, je crois avoir observé des orientations fondamentalement fausses. Incidemment (d'une façon d'ailleurs plus aiguë que pour bien d'autres textes), ceci pose une

---

1. Neher, in *Notes sur Qohelet* — Paris, Éditions de Minuit, 1951 — donne une bonne description des lectures diverses, toutes destinées à édulcorer Qohelet, à le rendre acceptable ! Éclectisme, relativisme, esthétisme, etc., se disputent à l'envi l'effort d'assimilation de ce texte ! Il est inutile de reprendre ce travail ici.

question générale : lorsque le présupposé (inavoué) est faux, est-ce qu'une méthode rigoureuse, érudite, scientifique (indiscutable quant à la scientificité rationnelle de la démarche...) peut aboutir à des conclusions que l'on puisse scientifiquement considérer comme exactes[1] ? Dans *presque* (je dis bien presque !) toutes les exégèses consacrées à l'Ecclésiaste, il me semble discerner trois présupposés.

Tout d'abord, celui de la nécessité de la cohérence logique formelle d'un texte[2], autre aspect du principe de non-contradiction. Il n'est pas possible qu'un auteur écrive en même temps un précepte et son contraire, attribue une valeur à une certaine réalité et la nie, soutienne que « a » est « non-a » ! A partir du moment où cette conviction de cohérence logique et d'identité du même au même est acquise, on va commencer à procéder au jugement du texte. Et ici, un petit détour me paraît utile.

Juger le Texte ! Dans la mesure où on a affaire à des textes considérés comme saints, porteurs de la Révélation, il n'est pas tout à fait possible de les traiter avec la neutralité bienveillante convenant à un texte littéraire quelconque. Voici des phrases qui prétendaient porter la vérité de Dieu ? Qu'en est-il ? Après un traitement scientifique, qu'en reste-t-il ? J'ai ressenti cette pulsion un peu partout, cette volonté délibérée de prouver que ce texte est comme n'importe quel autre. Je ne dis pas qu'il y ait eu là un esprit de négation ou de destruction, mais, à partir de l'idée que tout texte biblique est un texte littéraire qu'il est loisible de traiter comme n'importe quel autre, apparaît une sorte d'agressivité

---

1. Je ne vais pas entrer ici dans un débat de méthode sur l'interprétation des textes bibliques. Il y en a tant... Cf. D. Lys, *Comprends-tu ce que tu lis ?* Paris, Éditions du Cerf, 1972. Et nos dernières décennies les ont multipliés. A titre de curiosité, je voudrais citer un texte juif, très ancien, rapporté par Gershom Scholem (*Le Nom et les Symboles de Dieu*, Paris, Éditions du Cerf, 1983). Ce texte tiré du Zohar nous dit qu'il y a quatre interprétations : un sens littéral, un sens allégorique, un sens homilétique (et jusqu'ici nous n'éprouvons aucune surprise, ceci est bien connu), et puis « la Semence de vie d'où ne cessent de sourdre de nouveaux mystères de signification ». Là est la vérité du texte dans lequel a été déposée cette semence de vie. Je crois que « notre » Qohelet est un texte vivant et qu'il en jaillit encore de nouveaux mystères de signification, avec ou sans nouvelles méthodes scientifiques...

2. Exemple : Barucq qui est choqué par l' « illogisme de sa pensée » ! Pour tous ces auteurs, l'usage du paradoxe est inacceptable et il s'agit de « procédés » !

contre le texte. Cette agressivité se comprend fort bien : nous voici en présence de livres tenus pendant des milliers d'années pour sacrés et religieux. Ils sont entourés d'une sorte d'aura, ils ont un privilège acquis et avant de pouvoir examiner simplement le texte, il faut détruire cette aura, ce privilège. D'où la combativité des exégètes et historiens. Malheureusement, cette combativité les conduit trop loin ! Elle envahit aussitôt leur rapport au texte, et leur science exégétique devient très vite un instrument de combat. Il s'agit pour eux de prouver que le texte n'est pas *vraiment* inspiré (bien entendu ceci reste inconscient !). De ce fait, on dénature l'appareil scientifique. On nourrit une sorte de préjugé contre le texte — on le rabaisse — on le rationalise.

Comment puis-je avancer cela, dès lors que je reconnais là une pulsion inconsciente ? En comparant les études d'exégèse du droit romain que j'ai pratiquées pendant de longues années avec celles-ci. Les premières ont une sorte de sérénité, d' « objectivité », de sympathie pour le texte, de soumission à celui-ci que j'ai bien rarement retrouvées dans les secondes, où l'analyse la plus froide prenait toujours à un moment une pointe polémique. Au tournant d'une phrase, on entendait : « Vous voyez donc bien qu'un texte ainsi construit ne peut pas venir de Dieu ! » Ce critère de cohérence logique formelle est un critère adéquat dans la perspective d'une désacralisation du texte, mais tout à fait inadéquat quand il s'agit de comprendre le texte lui-même. L'intelligence hébraïque n'obéissait pas à une logique de cet ordre.

Or, ce principe a conduit à tirer des conclusions très radicales. J'en retiendrai deux — la première, c'est que, de toute évidence, l'Ecclésiaste contient des contradictions formelles. Nous en trouverons bon nombre sur notre chemin. Un seul exemple : d'un côté l'Ecclésiaste dit sans nuance que la sagesse, c'est du vent — de l'autre, nous avons de nombreux textes où il vante fort la sagesse, où il soutient l'importance de l'homme sage, de la recherche de sagesse, etc.

Conclusion d'un homme raisonnable de notre temps : un même homme ne peut pas avoir écrit deux choses aussi contradictoires, et dont la contradiction ne peut même pas être résolue par le procès dialectique. Il n'est pas possible de « penser » en même temps les deux. Donc, il y a sûrement deux auteurs, pour ce texte, ce qui semble confirmé par des différences de style, de vocabulaire, etc.

Cette rigueur conduit à diviser et répartir le texte en groupes cohérents (du point de vue de la non-contradiction)[1]. Mais, faisant cela, elle ne tient pas compte de certaines questions qui ne sont même pas posées.

Admettons d'abord qu'un même homme ne puisse écrire des choses si contradictoires, mais alors comment se fait-il qu'un homme (le dernier rédacteur) ait « piqué » ainsi des fragments parfaitement incohérents et les ait mélangés de cette façon ? Il faudrait alors lui reconnaître le même défaut de logique et de cohérence mentale. Le pire, c'est qu'il a fait ce mélange en brisant l'unité de textes antérieurs. Il les a cousus si maladroitement que les contradictions paraissent comme des montagnes. Il fallait vraiment que ce rabbin soit absurde ! Mais le pire encore, c'est qu'un texte ainsi retrafiqué ait pu être considéré par le peuple élu comme inspiré par Dieu, qu'il ait été inséré dans le « Canon » ! Celui-là et non un autre, plus pur, plus authentique ! Quelle étrange conception !

En second lieu, on ne se pose pas la question de savoir si, dans une méditation aussi fondamentale, dans une grande angoisse, il n'est pas possible qu'on puisse écrire des choses contradictoires ? N'est-il pas possible chez Pascal, chez Kierkegaard, chez Nietzsche d'aligner des textes contradictoires et d'affirmer qu'il est inacceptable que le même ait écrit le *Journal d'un séducteur* et l'*École du christianisme* ?

Autre conséquence de ce principe de non-contradiction : l'apparente distorsion dans le texte entre des parties qui expriment très ouvertement une attitude sceptique, désabusée ; une fermeture de l'homme dans un monde absurde, et des parties où il y a des affirmations concernant Dieu. A première lecture, c'est vrai, on est saisi par l'opposition entre les deux. Les invocations à Dieu arrivent un peu comme des ruptures dans le développement, ou comme des parenthèses, mettons, du superflu, d'autant plus

1. Dans son souci de positivisme rationaliste, l'introduction de la Bible du Centenaire, suivant Podechard, établit quatre auteurs très précis : un écrivain premier radical et pessimiste ; un disciple, ou épiloguiste, grand admirateur de son maître et qui en fait l'éloge (XII, 9-11) ; un « sage » qui prend la défense de la sagesse ; et enfin un « pieux » (car il va de soi que le sage et le pieux ne peuvent être le même personnage) qui a produit tous les textes sauvant la justice de Dieu, etc.

apparent que le reste est si fort, si poignant que tout ce qui est « religieux » semble inodore et sans saveur ! Que faut-il dire alors de la conclusion, apparemment un « rajout » pour que le texte « finisse bien » ?

L'explication habituelle est la suivante : en réalité le texte premier de l'Ecclésiaste est purement humain, il n'y a aucune référence à Dieu ; le texte est sceptique et nihiliste. Et le commentateur (Podechard par exemple) de considérer qu'il est impossible que quelqu'un qui écrit « Tout est vanité » puisse aussi parler de Dieu. Il y a contradiction dans les termes mêmes et bien plus dans la pensée — l'auteur est un négateur de la foi traditionnelle d'Israël. Il rejette forcément toute référence à Dieu. Dès lors, tous les textes qui s'y rapportent sont interpolés [1]. C'est seulement un pieux éditeur ou commentateur, pas très fin, qui a, de-ci de-là, ajouté des invocations à Dieu [2]. En même temps d'ailleurs qu'il édulcorait le texte. Il adoucissait son âpreté, sa rigueur, en y mêlant des considérations pieuses qui ne sont pas du tout dans le ton. Mais évidemment cette teinture religieuse était indispensable pour faire entrer ce texte dans le Canon.

Me voici alors plongé dans la perplexité ! Pourquoi était-il nécessaire de faire entrer ce texte dans le Canon [3] ? Pourquoi a-t-on

1. C'est le même genre de « logique cohérente » qui fait écrire à plusieurs savants qu'il est impossible que ce soit Salomon l'auteur parce qu'il y a une âpre critique du pouvoir royal. Comment donc un roi pourrait-il faire la critique du pouvoir royal ? C'est évidemment impossible ! Ces savants manifestent seulement leur profonde ignorance de si nombreux écrits historiques de ceux qui ont exercé le pouvoir et l'ont passé au laminoir !

2. C'est encore l'hypothèse retenue par A. Lauha, in *Kohelet,* Munich, Neukirchener Verlag, 1981.

3. Quant à la canonisation, il y a une très bonne explication de Robert Laurin : « La Tradition et le Canon », in *Tradition et Théologie dans l'Ancien Testament,* Paris, Éditions du Cerf, 1982. Il faut distinguer la canonisation dynamique fondée sur la foi dans l'activité de l'Esprit et la canonisation statique, clôture de la tradition par besoin de sécurité, de défense contre les menaces. L'ouverture à Qohelet est un exemple de canonisation dynamique. Or, dit Laurin, « ce qui comptait ici ce n'était pas *le contenu* mais la conviction qu'avait la communauté de l'autorité de certains ouvrages à un moment ». Ce n'était pas une affaire de spécialistes, de scribes ou de prêtres, mais de la conviction de la communauté entière, car à chaque génération le peuple de Dieu doit entendre l'Esprit qui le convainc de la parole de Dieu adressée *hic et nunc.* La réception de Qohelet se serait donc faite non par édulcoration mais parce que, dans cette situation précise (par exemple l'affrontement à la pensée

été amené à y voir une parole de Dieu à son peuple ? Si vraiment ce texte était scandaleux, athée, sceptique, etc., il y avait une solution bien évidente ! Le laisser de côté ; ne pas le prendre en considération, ne pas vouloir à tout prix en faire un texte religieux ! Personne ne répond à cette question-là. Il apparaît tout simple que, *puisque le texte devait entrer dans le Canon, il fallait* le rendre religieux. Remarquons d'ailleurs que ceci est faux. Prenons le Cantique des Cantiques, une lecture « neutre » n'y discernera strictement rien de « religieux ». Dans ce texte, qui, à d'autres points de vue que l'Ecclésiaste, peut paraître aussi passablement scandaleux, on n'a inséré aucune invocation ou référence à Dieu. Donc ce n'était pas non plus utile pour notre livre.

A cette première prise de position de base (principe de non-contradiction), on peut en ajouter deux autres tout aussi contestables. Tout d'abord, et cela paraissait déjà dans ce que nous avons écrit plus haut, on se borne à une « lecture au premier degré ». On prend le texte dans sa signification la plus immédiate, la plus évidente et on s'arrête là. C'est même une attitude bien curieuse de la part des exégètes : d'un côté, ils refusent de considérer, a priori, que le texte soit original, on suspecte le texte, on ne veut pas le lire comme il est — on y cherche des strates, on le découpe, etc., mais tout ceci d'un point de vue purement formel. De l'autre, quant au sens, on reste donc à la superficie. On ne pense pas que ce texte puisse avoir une signification plus fondamentale, laquelle devrait être *déterminante* pour la recherche, même au point de vue des structures et des formes. Mais, en agissant ainsi, que ne pourrait-on faire dire, même à Descartes ! Et que penser de tous les auteurs qui utilisent le mode rhétorique bien connu qui consiste à exposer comme étant de soi-même l'opinion de ses adversaires pour conduire peu à peu le lecteur à son impossibilité ! Cela suppose une lecture au second degré. Or, jamais l'historien ni l'exégète ne s'aventurent sur ce terrain, à la vérité mouvant ! Mais précisément, je pense que tout l'Ecclésiaste suppose une lecture au second

---

grecque), la communauté des croyants y a reconnu la vérité révélée. D'ailleurs, Qohelet ne semble pas avoir à l'origine rencontré d'opposition (Lauha) : celle-ci paraît dans le judaïsme postérieur. En tout cas, Qohelet a été admis dès le début dans les milieux chrétiens : et Lauha donne une liste très intéressante des parallèles entre des textes de Qohelet et des textes du Nouveau Testament.

degré. Et ce qui m'a le plus surpris chez presque tous ces savants, c'est l'extraordinaire science qu'ils ont en hébreu (au point que certains connaissent mieux l'hébreu que Qohelet lui-même), langues anciennes, cultures égyptienne, babylonienne, leur érudition, l'ampleur de leur bibliographie, et puis la maigreur de leur pensée, l'inconsistance de leur réflexion, le vide de leur théologie, pour tout dire l'incompréhension totale du texte répondant à une absence totale d'intérêt et de recherche dans ces domaines.

IV

Quant au troisième présupposé des exégètes, nous le rencontrons dans la certitude que ce texte n'est pas un texte de pensée hébraïque originale, mais qu'il s'enracine dans l'une ou l'autre des cultures environnantes. On plonge alors dans de grandes incertitudes à partir du moment où l'on fait passer cette recherche au premier plan, avec une présomption d'explication par l'origine étrangère. Nous sommes ici en présence d'une prodigieuse diversité. Si l'on s'en tient à l'analyse formelle, textuelle, toutes les hypothèses sont possibles : pour Ginsberg, c'est un écrit araméen, pour Dahood, c'est un écrit phénicien, pour Rainey, c'est un écrit dont la langue correspond au langage des traditions commerciales mésopotamiennes de l'époque achéménide (cf. Mgr Lusseau). Une fois de plus, l'analyse formelle permet autant de choix que d'auteurs.

Si l'on procède à une analyse de fond, nous rencontrons deux thèses principales et une secondaire. Les deux thèses principales : le texte est d'origine grecque, ce qui était l'interprétation ancienne, classique. Actuellement, on préfère admettre une origine égyptienne. Mais il existe une thèse moins fréquemment soutenue, celle de l'origine babylonienne.

En ce qui concerne l'origine et l'influence grecques, elles semblent les plus immédiatement accessibles et beaucoup de textes de Qohelet évoquent des réminiscences grecques. Il faut tenir compte de ce qu'il se situe dans une zone d'influence culturelle grecque, depuis le IVe siècle au moins, et que, bien avant, la « Grèce d'Asie » était proche ! On tiendra donc pour vraisemblable qu'il ait été rédigé dans un climat culturel de mode grec, sans que cela soit exclusif. Il y a eu tant d'influences culturelles diverses et croisées dans cette Palestine ! Mais ceci ne me semble pas autoriser à conclure en rattachant ce livre pour l'essentiel à tel ou tel courant de la pensée grecque, cyniques, sophistes, etc. [1] ... Il peut faire écho au « Panta Rhei » d'Héraclite, mais aussi à l'inverse. En tout cas, je ne crois pas qu'il faille chercher une influence directe d'un écrivain ou d'une école.

On a beaucoup insisté sur Theognis de Mégare (poète du ve siècle dont les écrits complétés datent du ive siècle). Duesberg *(Valeurs chrétiennes de l'Ancien Testament[2])* estime que cet auteur, très répandu et utilisé pour la jeunesse grecque dans les écoles, pouvait être connu en Israël avant l'invasion d'Alexandre (332 av. J.-C.). Il est vrai que ses vers sont assez proches de ce que l'on trouve dans Qohelet. Mais Duesberg souligne que Theognis d'une part ne s'élève jamais à l'universel, et en reste à son expérience personnelle, et d'autre part qu'il n'a aucune « théologie », il en veut au destin, aux dieux, qu'il prend à partie. Ceci me paraît intéressant, car c'est précisément là que Qohelet donne sa mesure ! Il reprend peut-être Theognis, mais il montre comment l'insertion de ce désespoir et cette colère dans la foi d'Israël change tout !

Par ailleurs, il me paraît bien certain que la pensée grecque s'était répandue en Palestine bien avant le contact militaire. Dès lors, Qohelet n'est-il pas plutôt modèle de la façon dont cette pensée juive comprenait et absorbait telle sagesse humaine en l'intégrant dans un ensemble autre (celui de la Révélation du Sinaï) qui en change *radicalement* (je dis bien dans les racines) le sens et la valeur ? Et bien loin d'être un reflet médiocre d'une haute philosophie grecque, cet Ecclésiaste ne serait-il pas le retournement, le détournement, l'inversion intérieure de cette même pensée : l'expression de son inanité fondamentale — poursuivant, dans la « sagesse », ce qu'avaient fait l'Elohiste ou les Prophètes dans le « religieux »...

1. Selon Pedersen, il y a une influence grecque purement négative. Cette philosophie grecque était un élément dissolvant de la pensée hébraïque. Mais l'Ecclésiaste ne s'en est rien approprié, quoique la connaissant, car il est pénétré d'un « esprit international ».
2. Paris, Casterman, 1960.

18

Actuellement, comme je le disais, les spécialistes inclinent vers l'origine égyptienne. Mais les motivations ne sont pas les mêmes. Il s'agit moins d'un « climat » général que de comparaisons avec des textes égyptiens précis qui ressembleraient à Qohelet, ou encore de quelques idées forces. Qohelet aurait reflété des concepts (temps cyclique, la mort comme remède, l'emploi du terme « dieu » avec un article...) [1] nettement égyptiens. On retrouverait des coutumes, des poèmes, des sentences. Je dois dire que je reste assez sceptique. J'ai lu certains des textes présentés comme apparentés (les plaintes d'Ippuwer, le chant du Harpiste), et j'y ai surtout trouvé des lieux communs que l'on peut entendre en Chine ou chez les Aztèques — lieux communs qui sont aussi dans l'Ecclésiaste mais qui ne suffisent pas à le caractériser. Quant aux idées communes, je crains que l'on ait fait dire à Qohelet ce qu'il ne dit pas. Je suis donc très réservé au sujet de cette influence égyptienne. Mais il faut tenir compte aussi de l'opinion de A. Lauha, selon qui l'influence dominante est orientale et babylonienne, par exemple la doctrine de la Sagesse comme attribut et testament du roi, la relation des thèmes avec ceux des écrits de sagesse babyloniens, la comparaison assez claire avec Gilgamesh. Lauha conclut malgré tout que la problématique principale de Qohelet ne peut être éclairée par ces comparaisons, mais par la pensée israélite elle-même. Autrement dit, dans Qohelet nous trouvons un peu de tout. Et je crois que la recherche d'une influence dominante est vaine. Il est écrit dans un lieu qui est un carrefour de civilisations, et des

---

1. L'un de ceux qui a le mieux montré l'influence égyptienne dans l'Ecclésiaste est Humbert (« Recherches sur les sources égyptiennes de la littérature sapientale d'Israël », mémoire de l'université de Neuchâtel, 1929). Il note en particulier : alors que dans tout l'Ancien Testament il y a un attachement réaliste à la vie, l'Ecclésiaste remet en question la valeur de cette vie. Comme en Égypte où la mort est un remède, où le retour à la mort est le seul bonheur sûr (« Buvez, la mort vient », etc.), les textes sur la mort dans l'Ecclésiaste sont une exception en Israël ; or, dit Humbert (et c'est très caractéristique), il faut bien une origine, une tradition : donc, on a puisé dans le fonds égyptien. De même, le retour permanent de tout serait d'origine égyptienne. Quant au terme Dieu dans l'Ecclésiaste, il désigne souvent le roi (VIII, 2) comme en Égypte. Et quand l'auteur emploie le mot dieu avec l'article, ce qui est fréquent (et nous le retrouverons), cela vient de la notion déiste de la divinité qui correspond à celle de l'Égypte... En définitive, pour Humbert, l'Ecclésiaste a seulement transmis la littérature morale et didactique de l'Égypte qui lui donne le contenu et la morale de son œuvre.

opinions ou idées multiples devaient y être répandues. Qohelet est un livre, à ce point de vue certainement syncrétique, mais c'est justement en cela qu'il me paraît le plus étonnant. Car il est bien juif avant tout ! La pensée hellénistique pouvait bien présenter une sorte d'alternative à la crise que traversait la société juive. Et c'est en face de cette philosophie, pratique et théorique, que l'Ecclésiaste se dresse pour attester la spécificité de la Révélation en Israël.

V

Quant aux questions que l'on trouve dans presque toutes les introductions à l'Ecclésiaste ou encore dans les histoires de la littérature hébraïque, ce n'est pas mon propos d'en discuter. Je me bornerai à rappeler sommairement quelques points. Parmi beaucoup d'incertitudes, il existe au moins quatre points sur lesquels les historiens et exégètes hébraïsants sont d'accord. D'abord la date. Après avoir varié à l'intérieur d'une large « fourchette » (entre le VIIᵉ siècle avant J.-C. et la fin du IIIᵉ siècle), notre texte est daté aujourd'hui entre 350 et 250, avec une préférence pour la période de la conquête d'Alexandre, un peu avant ou un peu après, c'est-à-dire vers 320. Un second point d'accord, est, de ce fait, que de toute évidence Salomon ne peut pas être l'auteur de cet ensemble. Mais nous y reviendrons. Un troisième, c'est évidemment l'étymologie de Qohelet désigné comme l'auteur. Cela, nous allons le voir, ne soulève guère de difficultés de traduction. Enfin l'unanimité considère que l'hébreu de Qohelet est très mauvais, qu'il s'agit d'une langue de basse époque, adultérée, avec un style emphatique, et peu poétique. D'autres reconnaissent que c'est une langue baroque, ayant subi des influences étrangères, certes brillante, mais attestant des changements graves dans le texte massorétique. De toute façon, c'est un message non originaire et peu sûr. Nous allons ici fouiller un peu plus les deux auteurs supposés de notre Écrit, Qohelet et Salomon.

Sans conteste, Qohelet vient de *qahal* qui veut dire assemblée, mais il semble que son dérivé soit une création particulière à notre livre. Et que peut-il signifier ? Ici, toutes les divergences. Cela pourrait être celui qui convoque l'Assemblée, le convocateur ou encore le président de l'assemblée (laquelle ?), mais aussi l'orateur. Pour Luther, c'est le prédicateur de l'assemblée. Pour d'autres, le rhéteur, pour Lods, c'est un « titre d'honneur » attribué à un maître par ses disciples. Et Qohelet devient une sorte de professeur de philosophie. Mais peut-on encore, dans ce cas, parler d'« assemblée », qui fut bien traduit par *ecclesia* ? C'est Daniel Lys qui paraît le plus astucieux en décrochant Qohelet du sens institutionnel de *qahal*. Il est bien celui qui rassemble, mais pas forcément des personnes. Cela peut désigner celui qui rassemble des sentences, des idées, des *mashall,* qui fait une collection ?... de proverbes, ce que pourrait représenter ce livre, et qui correspond à ce qui est dit au chapitre XII. Mais cette traduction, comme les autres, se heurte à un problème ; il s'agit du participe *féminin* de *qahal* (et qui est en effet pris au féminin dans le texte même, par exemple, VII, 27). Dès lors, ce ne peut être *le* rassembleur, *le* président, d'une assemblée. D'autant plus qu'il ne semble pas que, dans les institutions hébraïques, il y ait eu un titre, une fonction de président ou d'orateur officiel d'une assemblée.

Il est vrai que Mgr Lusseau [1] parle du chef d'une assemblée de sages. Mais ici encore, nulle part ailleurs il n'est question d'une pareille institution.

A quelle occasion cette assemblée aurait-elle été réunie et dans quel but ? Il serait étonnant que nulle trace ne nous en soit laissée. Et puis reste ce féminin. Alors peut-être s'agit-il de la Sagesse personnifiée ? Mais le discours de la Sagesse sur la Sagesse dans ce livre n'est pas très encourageant ! Le plus séduisant serait l'interprétation de Maillot. Il s'agirait de la Mort, qui nous convoque tous et nous rassemble. Certes ! Mais ici encore, comment prêter à la Mort le discours de Qohelet, cet appel à l'œuvre, à l'agir, à la joie, à l'adoration envers Dieu. La Mort ne peut correspondre qu'à une toute petite partie du message de Qohelet, et devient radicalement impossible pour tout le reste ! (En outre, Maillot fait un jeu de mots passionnant : sans que ce soit exact grammaticalement, ne peut-on faire dériver Qohelet aussi de *qalal,* dénigrer, critiquer, contester.

---

1. Cazelles, *Introduction à l'Ancien Testament : Qohelet,* Paris, Desclée de Brouwer, 1973.

Ainsi, dit-il, avec un nom bénin (rassembleur) il fait passer une *qelalah,* une moquerie virulente ?)

Je dois dire que je ne suis très satisfait par rien de ce que j'ai lu. Qohelet ne me paraît ni un titre ni une fonction, mais une dénomination gratuite qui vient probablement de l'auteur dernier, et qui se situe dans le contexte d'ironie et de mise en question exprimé dans tout le livre. Autrement dit, la désignation doit être comprise en fonction du contenu du livre et non de l'étymologie. Qohelet est typiquement un livre de méditation solitaire, un livre de repliement sur soi. Un livre composé de pensées impossibles précisément à déclamer dans une assemblée. Combien de prédicateurs osent prêcher sur Qohelet? (Sauf deux ou trois versets, toujours les mêmes!) Quels sont les grands théologiens qui se fondent sur lui? Au hasard, je prends Thomas a Kempis, Kierkegaard... deux solitaires par excellence.

C'est un livre solitaire pour des solitaires. Et je pense que cela fait partie du caractère même du livre que de désigner un auteur par antiphrase. Le Rassembleur, nommé tel parce qu'il est le solitaire. Il s'agit donc d'un pseudonyme que l'on ne saisit que si l'on se situe dans le paradoxe permanent de l'œuvre. Et de même le féminin pour un livre singulièrement dur pour la femme! Il faut donc garder le mot Qohelet sans traduction pour mettre en valeur le jeu du pseudonyme. En tout cas, ne traduisons pas en grec et, encore moins, ne gardons le titre devenu français d'Ecclésiaste! D'abord livre d'*ecclesia,* donc d'Église, ce qui est bien remarquable, avec tout ce que cela comporte d'institutionnel! Et puis maintenant que ce sens a disparu, qu'est-ce qu'évoque le mot Ecclésiaste? Le vain et le banal, « Tout est vanité ». L'usage a fait subir à Qohelet le même avilissement qu'à « Apocalypse », dont on a fait le livre des catastrophes et non celui de la Révélation. De même, du profond et paradoxal Qohelet n'est resté que le « Vanité... ». Pseudonyme, antonyme, paradoxe, ironie, voilà ce qu'il faut retenir.

Essayons maintenant de réfléchir sur le second éponyme, Salomon. Nous avons dit qu'il ne peut pas être l'auteur de ce livre, étant donné la date. Inutile dès lors d'avoir recours aux médiocres arguments suivants (que je cite par polémique). Barucq estime que le livre est si violemment antiroyal que c'est un vrai manifeste politique contre Salomon. De même, Ginsberg considère que le livre parle de l'oppression, or, de toute évidence, ce n'est pas un roi qui va dénoncer l'oppression : il y aurait mis fin ! Bien plus, il y a le titre de Convoqueur d'assemblée qui interdit l'identification au roi ! Laissons ces bavardages.

Salomon n'est pas expressément nommé dans le texte. Mais il ne peut guère y avoir de doute sur l'intention de l'auteur : il est fils de David, roi d'Israël et roi de Jérusalem : c'est-à-dire qu'il se situe avant la rupture des deux royaumes (Judas et Israël) et par conséquent il ne peut être que Salomon, et non pas un quelconque descendant de David. Nous aurons à voir d'ailleurs à quel point ce texte vise Salomon et reprend les caractères de son règne.

D. Lys écrit fort justement : « L'Ecclésiaste se place sous le patronage de l'homme de l'ouverture au monde qui voulait recevoir de Dieu la Sagesse et qui est censé avoir dit : "c'est la gloire de Dieu de cacher les choses et la gloire des rois de scruter ces choses" (Prov XXV, 2 »). Bien entendu, j'ai déjà rappelé que tout le monde est d'accord... d'accord pour estimer qu'il n'en est pas l'auteur. Et on donne l'explication traditionnelle : les anciens plaçaient sous le nom d'un modèle archétypal d'une œuvre tout ce qui se rapporte à ce genre. Ainsi, toutes les lois seront sous le nom de Moïse, le législateur idéal, éponyme, et tout ce qui est de l'ordre de la Sagesse, sous le nom de Salomon, le modèle idéal de l'énonciateur de Sagesse. Soit. Ce n'est sans doute pas faux. Cela me paraît seulement un peu simpliste pour un texte aussi fort !

En réalité, le choix du roi Salomon comme auteur éponyme est d'une importance extrême ! Bien entendu, il y a la Sagesse. Qui pourrait en parler comme lui, que l'on dit auteur de mille cinq cents sentences de Sagesse, qui est présenté comme modèle de la justice ? Qui, enfin, sinon le Sage, pouvait conclure à la vanité de la Sagesse ? Il fallait en outre se présenter comme ayant eu l'expérience du pouvoir pour en faire la critique, non de l'extérieur, mais apparemment de l'intérieur. Bien plus : il est question du culte et du service religieux, et qui mieux que Salomon, le constructeur du Temple, aurait pu en parler ? Salomon, le grand roi, qui construit et inaugure le Temple, qui centralise le culte sacrificiel à Jérusalem, qui installe Jérusalem dans son rôle central, et dont le nom porte, comme celui de Jérusalem, la racine verbale de Chalom, la paix. C'est lui très précisément qui va être mis en question ! Alors qu'il a uni la Sagesse à la paix et qu'on a pu dire : « Avant Salomon et avant Jérusalem, le Chalom manquait à l'être d'Israël. » Mais il a eu aussi une expérience exceptionnelle des femmes avec un millier d'entre elles dans son harem... ce qui autorise le jugement violemment antiféminin de Qohelet (en apparence).

Nous verrons enfin que le mot « vanité », *hevel,* connote les idoles, et peut même être directement traduit par idoles (idoles de néant). Or... n'oublions pas qu'à la fin de son règne Salomon devient un roi idolâtre. La proclamation de Tout est fumée

vanité

idole

correspond à l'expérience même de Salomon...

Tout converge ainsi dans le texte même pour le placer sous l'autorité de Salomon, dont le nom n'a pas été choisi au hasard[1]. Il faudrait creuser cette idée de dénomination et ne pas se contenter de l'interprétation moderne. Qohelet écrit comme s'il était le roi. Il se met à sa place. Il donne son livre comme s'il pouvait provenir de Salomon. Mais il est un roi sans royaume. Il *n'est pas* le grand roi, mais il *se situe comme* roi. Son livre est l'expression d'une relation au roi (qui pourrait aller jusqu'à justifier la monarchie et appeler le peuple à l'aide du roi !). Qohelet est la désignation de la relation du sujet au roi (et peut-être du roi à Dieu, et de moi à moi-même !).

L'auteur est désigné comme Qohelet *et* comme Salomon. Pourquoi deux pseudonymes ? Et pourquoi deux pseudonymes contradictoires : l'un en apparence le parleur dans l'assemblée, le rhéteur — l'autre le roi de la Sagesse, le méditatif ? Cela ne va pas du tout ensemble ! Me voici immanquablement renvoyé à Kierkegaard et à son *Climacus Anticlimacus.* Pourquoi ne pas citer ce qu'il a dit à ce sujet ? « La série des premiers pseudonymes se situe sur un plan inférieur à l'auteur édifiant — le nouveau pseudonyme est d'un ordre plus élevé. Or, c'est bien ainsi que s'opère un arrêt : l'apparition d'une donnée transcendante m'oblige à regagner, à me retrancher derrière mon ancienne frontière et me juge en m'apprenant que ma vie ne répond pas à une exigence si haute et que, par

---

1. Nous retrouverons ce problème de la désignation de Salomon au chapitre II.

suite, ma communication relève du domaine poétique [1] » ; les pseudonymes de Kierkegaard expriment « le mouvement de l'esthétique ou du philosophe, du spéculatif, vers une ébauche plus profonde des déterminations chrétiennes... C'est le mouvement, entrecroisé, de la réflexion et de l'Unique de la Foi — le religieux y est totalement absorbé dans la réflexion, de telle sorte que pourtant il se dépouille par la suite entièrement de cette dernière pour retourner à la simplicité — le lecteur comprendra ainsi que le chemin parcouru permet d'atteindre, de venir à la simplicité ».

Il me semble que tout ceci s'applique à Qohelet : la contradiction des deux pseudonymes exprime à mon sens la contradiction même de l'œuvre. L'opposition entre le philosophe, le sceptique, le poète, avec tous ses détails et ses cheminements multiples, et puis l'affirmation de la foi. Irréductible, radicale — l'apparition d'une donnée transcendante met fin aussi bien à la sagesse courante qu'à l'évasion lyrique. Mais celles-ci ont constitué aussi, chaque fois, un cheminement pour retourner à la simplicité de la proclamation du Dieu unique et transcendant dont la présence est le sens, le but, l'origine et la fin de toute l'œuvre.

VI

Abordons maintenant un thème encore plus délicat. Finalement, qu'est ce livre ? Il fait partie des « Écrits », ce qui est vite dit. Des livres de Sagesse, qui, nous le savons, sont dans la hiérarchie des textes révélés les moins importants. Pour simplifier, on pourrait dire que la Torah, les « Cinq Livres », est directement et tout entière Parole de Dieu en soi. C'est donc le livre fondamental par rapport auquel tout le reste doit être compris. Puis, moins importants, les Prophètes, qui ont parlé sous l'inspiration de Dieu, mais il y a là un vecteur humain qui peut venir troubler la pure Parole de Dieu. Enfin, les Écrits présenteraient un caractère tout différent : c'est un homme qui parle, et Dieu vient attester sa

---

1. Kierkegaard, *Œuvres complètes*, XVII, Paris, Éditions de l'Orante, 1982, p. 264.

parole, il l'adopte, il lui donne valeur de Révélation. Mais cela reste parole d'homme qui donc doit bien être comprise grâce à la Torah.

Knight[1] souligne qu' « il est courant dans les travaux sur la révélation vétéro-testamentaire de passer la sagesse complètement sous silence ». « De toute façon, les Écrits étaient considérés comme la partie la moins importante. » Gehse[2] souligne que l'on admet couramment que l'enseignement des Écrits est un corps étranger dans l'univers vétéro-testamentaire. Le yahvisme fonctionne comme norme pour apprécier la Sagesse. Quoi qu'il en soit, il s'agit donc d'un livre de Sagesse. Et nous voici plongés dans l'embarras. La Sagesse n'est pas une notion bien claire. Cette Sagesse de Qohelet est totalement différente de ce que nous entendons par Sagesse dans le livre de Job, elle-même différente de la Sagesse des Proverbes. Expression subtile, chatoyante, polymorphe, difficile à saisir.

Au niveau le plus élémentaire, on dira que cette Sagesse est un thème d'enseignement, avec des proverbes pour mémoriser. Il y aurait aussi des poèmes didactiques, ainsi le poème sur les mouvements circulaires des éléments (I, 4-7), sur les temps et les occasions favorables (III, 1-11) (poèmes que d'ailleurs von Rad estime très anciens et utilisés par l'auteur dans un autre contexte)[3]. Pour d'autres, il s'agirait d'une banale collection d'aphorismes, comme les Proverbes. Sans rapport les uns avec les autres. Ce sont des « pensées » jetées au hasard, au fil de la plume. Comme les *Pensées* de Pascal, pour lesquelles il n'y a ni plan ni cohérence.

Certains ont trouvé des formules sublimes pour qualifier ceci : « Menus propos divers » (menus propos où est soulevé tout le problème de la Rétribution!) ou encore « Réflexions diverses », « Sentences diverses » (Barucq), ce qui manifeste bien l'embarras des exégètes. On a également suggéré l'idée remarquable que l'on serait en présence d'un « journal intime » tenu au jour le jour par l'auteur! Je ne suis pas du tout convaincu par ces explications. Les poèmes didactiques me paraissent bien brefs et non spécifiques,

---

1. Douglas A. Knight, « La Révélation par la Tradition », in *Tradition et Théologie dans l'Ancien Testament*, Paris, Éditions du Cerf, 1982.
2. *Ibid.*
3. Von Rad, *Israël et la Sagesse*, Genève, Labor et Fides, 1970.

quant à la collection incohérente, je crois trouver une cohérence profonde, interne, avec un point de départ et un point d'arrivée. Et Lauha insiste très judicieusement sur l'unité, la cohérence du texte. Quant à moi, je retiendrai deux données : il s'agit d'un poème, et d'un poème de Sagesse. Un poème : nous avons dit que la plupart des exégètes trouvaient la langue de Qohelet fort mauvaise. Or, ce qui me paraît étrange, c'est que, dans les traductions, nous nous trouvions en présence d'un texte prodigieusement poétique, évocateur, riche, émouvant. Et je suis bien convaincu que cela ne vient pas de la vertu poétique des traducteurs ! Quoi de plus grand que le poème : « Il y a un temps pour toute chose sous le soleil » ou celui : « Souviens-toi de ton créateur durant ta jeunesse [...] avant que ne s'obscurcisse le soleil... » Ces pages sont peut-être les plus belles de toute la Bible. Mais, pour les spécialistes, ce n'est pas une poésie hébraïque de premier plan. Il y a, pour moi, une sorte de mystère. Et je crois qu'il tient au mystère de la création poétique elle-même. Le poète créateur, vrai créateur, forge sa langue en même temps que sa proclamation. Il ne peut y avoir de séparation entre la forme et le fond. Il n'y a pas une idée à communiquer, qu'il s'agirait ensuite de mettre en vers ! Certes non ! Nous sommes bien en présence du jaillissement d'une source profonde, et il n'y a pas de distinction entre les propriétés de l'eau et le cheminement souterrain qu'elle s'est frayé jusqu'au jour, sa voie, son expression.

Ainsi le poète n'est pas un homme qui pense *et* qui a un beau style. Il a la parole de sa pensée, celle-ci ne pourrait être exprimée autrement. Il pense au fur et à mesure que les mots eux-mêmes viennent comme évocateurs de cette pensée. Ce double mouvement commence à être bien connu. Et je crois que là réside la grandeur poétique de Qohelet. Il n'y a pas une pensée philosophique, sceptique ou pragmatique et puis une sorte de style lourd ou baroque... Il y a une impulsion de génie, bouleversant toutes les normes, se créant un langage en même temps que jaillit une mise en question rugueuse, âpre, totale, un questionnement impitoyable. Il y a vraiment un *poiein* — une création. Nulle part ailleurs au monde il n'y a l'équivalent de Qohelet. Une poésie qui est ressentie par le lecteur, au-delà des appréciations des linguistes. Et c'est pourquoi tous les traducteurs ont finalement livré un texte beau et harmonieux... faisant apparaître la poésie parce qu'elle y est... et que la langue est belle, malgré le laxisme et la grammaire, parce qu'elle est directement modelée sur la dureté de la question. *Un poème — de Sagesse.* Et presque tous les auteurs, parce qu'il est placé parmi les Écrits, n'ont voulu y voir qu'une réflexion inscrite dans la ligne de la Sagesse. Mais si la Sagesse y joue un grand rôle en effet, elle n'est ni l'origine ni l'objectif ni le sens du livre, nous le retrouverons dans le corps de notre étude. D'ailleurs, cette Sagesse a posé d'insondables problèmes aux historiens et exégètes. Qu'est-ce qu'elle est en définitive ? Une Sagesse qui vient nier toute la sagesse hébraïque traditionnelle ? Ou bien une Sagesse qui, avec son originalité, retrouve et approfondit la pensée juive ? Les opinions les plus diverses se font jour. Pour Grenshaw, le caractère insolite du Qohelet manifeste qu'il est païen dans son esprit et son contenu. Knight estime que la « Sagesse » dérive des idées partagées par la totalité du Proche-Orient ancien. Et la Sagesse alors est « dissidente ». Elle s'enracine dans des traditions multiples sur la « théologie du grand Dieu ». Ce qui implique que l'essentiel d'Israël est négligé : l'élection, l'Alliance, la Loi, le dialogue Dieu-homme avec pardon et promesse. Il n'y a pas de révélation pour relier le Créateur et la créature. La connaissance ne peut venir que de l'expérience (mais nous verrons au fur et à mesure combien ce point de vue des historiens est inexact). Le seul moyen de découvrir la vérité réside dans l'esprit humain. Dieu n'a pas élu Israël, tous les hommes sont égaux devant Dieu et toutes leurs idées sont respectables...

C'est ce « point de vue », original, de la Sagesse qui s'exprime par la contestation... Mais je reste quelque peu surpris par la façon désinvolte avec laquelle des critiques (par exemple Grenshaw) expriment cette opposition. Tandis que le prophète dit : « Cherchez le Seigneur et vous vivrez », le sage déclare : « Abandonnez la niaiserie [y compris religieuse ?] et vous vivrez... » Et Grenshaw donne un exemple qu'il croit probant : « Tandis que Genèse I parle de la création comme étant bonne, Qohelet concède que Dieu a fait toutes choses appropriées selon leur temps, mais il poursuit en affectant ce jugement d'un gros soupçon de négligence ou de malice de la part de Dieu. » (L'homme ne peut pas découvrir tout ce que Dieu a fait.) C'est une pure invention de Grenshaw. Quand nous étudierons ce texte nous verrons le parti pris de cet auteur qui ne songe qu'à opposer le scepticisme de Qohelet à toutes les valeurs traditionnelles du yahvisme, ce qui est bien banal ! Et il simplifie tout, de ce fait. Il déclare que Qohelet méprise la vie, qu'il a une haine pour la vie qui lui vient de sa recherche du profit (?). Selon lui, ce livre est une récusation des promesses de Dieu, de l'œuvre glorieuse à venir promise par les prophètes, puisque « personne ne se souviendra des choses à venir »... Tout cela me paraît extraordinairement superficiel. Je crois beaucoup plus profonde et solide la pensée de Von Rad qui souligne que si l'Ecclésiaste est tout à fait dans la ligne de la Sagesse traditionnelle quant aux problèmes qu'il pose, il en est profondément différent en ce qu'il ne fixe pas son attention sur des expériences isolées, mais sur l'ensemble de la vie. Et il montre qu'il y a une structure interne profonde et une « unité intérieure du texte ».

Poème de Sagesse. Il nous faut encore écarter deux interprétations fréquentes. Qohelet serait un livre de métaphysique, ou pour certains de morale. Ou bien il s'agirait d'un réaliste concret qui se borne à décrire le réel sans plus, « la condition humaine vue sous l'angle de ce qui se passe », et ce serait alors une pensée pragmatique... Tout d'abord, cette Sagesse n'est pas métaphysique. Il y a une dangereuse équivoque dans ce terme. C'est la confusion fréquente entre un certain aspect de la philosophie et la théologie elle-même, ou bien la pensée fondée sur la parole de Dieu qui est Révélation.

Bien entendu, pour celui qui ne croit ni en Dieu ni en un Dieu qui puisse se révéler, ni que la Bible puisse être parole de Dieu, alors tout discours sur Dieu, qu'il soit celui de Descartes ou celui d'Aristote, est de l'ordre de la métaphysique. Mais, précisément, toute la Bible est là pour récuser ce terme. Ce qui concerne Dieu n'est pas un « après la physique » ; la Révélation sur Dieu n'est pas une dissertation philosophique. Les questions, les perturbations, les désordres provoqués par l'insertion d'une parole de Dieu dans le cours des choses ne relèvent pas d'une analyse comparable à celle que l'on tire maintenant de la physique des fluides pour les tourbillons ou des désordres créateurs de l'ordre. Il n'y a pas un au-delà philosophique du constat physique, et qui accéderait à la Révélation. La méditation sur cette révélation n'a pas à se prendre pour une philosophie : il n'y a en effet aucune « Sagesse » dans cette parole de Dieu. Il n'y a rien à tirer sur le plan métaphysique de cette mise en question tragique dans l'Ecclésiaste. Ce n'est pas une métaphysique parce qu'il n'y a ni avant ni après — et aucune référence à un possible intellectuel humain qui rejoindrait ou exprimerait l'inexprimable, l'imprononçable, l'ultime, l'inconditionné...

A la rigueur, nous pouvons admettre que les « sujets traités » par l'Ecclésiaste sont aussi des sujets favoris des philosophes, et ont pu faire l'objet de métaphysique. Mais c'est tout. Les astres aussi peuvent être l'objet d'astrologie ou d'astronomie ! Ce n'est pas parce que la vie, la mort, Dieu, le bonheur, etc., ont été traités par des métaphysiciens que tous ceux qui en parlent le sont. Et que Qohelet le serait ! Donc, laissons la métaphysique aux métaphysiciens, écoutons Qohelet parler sans interposer leur discours, et nous saurons qu'il parle autrement.

Assurément, il est encore moins moraliste ! Il n'est pas question de morale dans ce livre. Quand on veut le ramener à ce niveau, alors il est vrai que la morale qu'il annonce (comme celle des Proverbes !) nous paraît bien simpliste, bien élémentaire ! « Ça ne sert à rien de travailler. » « On n'est pas maître de son avenir. » « Pourquoi accumuler des richesses, vous ne les emporterez pas avec vous », etc. Vraiment, si c'est tout ce que la Parole de Dieu a à nous dire sur notre vie, nous sommes capables tout seuls de faire mieux. Il ne faut surtout pas lire ceci comme des maximes de morale ! C'est peut-être justement une antimorale : tous ces pieux lieux communs se brisent sur le : « Tout est vanité. » Mais oui ! La morale aussi est vanité ! C'est tout ce que nous pouvons tirer de ces perles si nous en faisons une collection incohérente, au lieu de les suivre selon le fil conducteur qui nous est pourtant clairement indiqué, fil dont un bout est la vanité ; l'autre bout Dieu présent. Ainsi, dans Qohelet, ni métaphysique ni morale !

Mais certains interprètes ont voulu y voir, au contraire, un réalisme concret. Qohelet ne dit pas ce qui devrait être, ni ce qui est souhaitable, mais ce qui est. La vie humaine, nous dirait-il, la voilà. Ce n'est pas une leçon, c'est un fait. Parce qu'on nous renvoie à la réalité crue, sans fard, sans illusion, alors il faut en tirer des conséquences, nous sommes au pied du mur. Ne partons pas dans des rêves. Et l'on peut qualifier Qohelet de « sceptique » puisqu'il démolit allégrement les valeurs et les illusions. J'en serai d'accord à condition, une fois de plus, de ne pas vouloir le rattacher à une « école » de philosophes sceptiques ou sophistes — grecs bien sûr — et de ne pas l'inscrire après Pyrrhon, ou Protagoras. Nous verrons l'incroyable distance qu'il y a entre eux. Mais d'ailleurs, il n'est pas du tout un sceptique puisque après avoir dit que le bonheur est absurde, il conseille vivement de prendre sur terre tout le bonheur que l'on peut.

C'est le jeu des contradictions que nous avons déjà soulignées. Il n'est certes pas sceptique, puisqu'il ne met pas en question un instant la présence et l'acte de Dieu. Tout est mis en jeu. Mais tout est aussi don de Dieu. Aucun sceptique n'a jamais accédé à cette confession. Un pragmatique ? Certes oui, aussi, puisqu'il conçoit la vie comme une action sans cesse à mener, et qu'en effet cela ne peut être que dans la perspective de cette connaissance radicale du réel. Mais tout ne se joue pas dans l'action. Cette action est elle-même limitée par l'implacable « Tout est vanité », avers de cette référence seconde : Dieu.

Certes, il est bien réaliste et pragmatique mais pas au sens où nous l'entendons en général. S'il décrit le réel, ce n'est pas, ce n'est jamais, ce ne peut pas être comme l'homme est capable de le décrire. L'homme quand il rencontre le réel réagit toujours de deux façons, je dirais stéréotypées, ou bien il le recouvre, le voile, l'enjolive, l'illumine de façon à ce qu'il ne soit pas aussi dur qu'il l'est — ou bien au contraire, il le rend tellement terrifiant, tellement excessif, que du coup on cesse d'être pris à la gorge, parce que « non, ce n'est pas " vrai ", ce n'est pas comme ça ». Et nous avons dans le premier cas, traditionnel, des mythes, des fausses espérances, des lendemains qui chantent, des religions, de l'éloge de la vertu, des mœurs bourgeoises... toutes transfigurations qui permettent d'échapper à la dure question du réel[1].

Mais ce à quoi nous assistons aujourd'hui est tout autre chose : notre société occidentale est tellement terrifiée par ce qui est que, pour ne pas le voir, elle plonge dans l'atroce et l'excès de l'image et

---

1. La rencontre du réel est si pénible que j'ai pu dans mon étude *Propagandes* montrer que précisément la propagande réussit exactement dans la mesure où elle donne à l'homme un moyen d'y échapper !

de la représentation. Ainsi le cinéma, la TV, les romans nous fournissent un monde plus noir pour éviter de voir la noirceur du monde où nous vivons. Les hommes y sont tous sans exception d'immondes salauds. La désintégration atomique traverse intégralement la Terre. La cité est un monde d'automates inconscients et mécanisés. Les robots sont maîtres de l'univers. L'Océan recèle des monstres qui surgissent pour anéantir tout le vivant. La perversion des mœurs dépasse tout ce que l'histoire humaine a jamais connu, etc. Chacun peut mettre le nom d'une « œuvre » sous chacune de ces formules ! Et cela permet de se dire en sortant du spectacle : « Ouf ! ce n'est pas comme ça — le temps est beau pour la saison — les femmes bien sympas — mes enfants sont gentils, etc. » Évasion dans l'immonde.

L'Ecclésiaste ne tombe ni dans l'une ni dans l'autre de ces évasions. Il nous parle de la réalité vraie de la vie de l'homme. Il nous en parle, non pas avec sa sagesse personnelle, non pas en homme d'expérience qui « regarde la réalité, et puis voilà », mais à partir de Dieu, et ce qu'il nous délivre, c'est une Révélation de Dieu. Mais oui ! Ici, pourtant, il faut bien se garder d'un contresens ! Ce n'est ni le point de vue de Sirius ni le point de vue de Dieu. Ce n'est pas parce qu'il se met loin qu'il peut considérer avec détachement et avec un jugement serein les activités corpusculaires de ces humains examinés comme des insectes. Non pas le point de vue d'une étoile lointaine, d'un observateur scientifique, scrupuleux ou amusé : sans cesse l'Ecclésiaste nous dit : j'ai fait — j'ai vécu — j'ai expérimenté — j'ai exercé le pouvoir — j'ai cherché la Sagesse... Ce n'est pas de l'homme abstrait vu de loin qu'il parle. C'est de lui. Il n'a pas pris le point de vue de Sirius, il s'est plongé dans toute la possibilité humaine, et il a vu ce qui était possible — et il a parlé avec sérénité, acuité, rigueur, de son expérience. Il se met, lui, Qohelet, totalement en question. Karl Marx aurait pris, paraît-il, comme devise : « Doute de tout. » Il n'est pas le premier. On connaît le : « *De omnibus dubitandum est.* » Mais il n'a pas douté de tout : il n'a douté ni de lui-même (la morgue et la haine contre Proudhon ou Bakounine !), ni du progrès, ni du travail.

Qohelet a été dans tous les domaines beaucoup plus loin que Marx. En commençant par se mettre lui-même en scène, pour montrer tout ce qu'il avait fait. Et apprendre que cela était rien.

Qohelet est le contestataire absolu[1,2]. Mais ce n'est pas non plus le point de vue de Dieu ! Tout simplement parce que Qohelet ne le sait que trop : il n'est pas Dieu. Il nous le dit sans fin : Dieu est l'inconnaissable. Nul ne peut se mettre à sa place, ne peut penser ce qu'il pense, ne peut porter le jugement sur l'homme (même pas sur soi) tel que Dieu le porte.

Alors ? Au nom de quoi parle-t-il ? Comment peut-il avoir ce réalisme implacable sans faille, sans fuite mais aussi sans désespoir et sans excès ? Je crois qu'il nous donne le modèle de ce que l'homme saisi par Dieu peut comprendre et connaître de l'homme et de la société. Dieu est bien le Mystère. Mais ce Dieu vivant agit sur cet homme, le place dans une situation neuve, et de là, de cette situation, cet homme-là peut voir, soi-même, l'autre, ce monde. Il peut voir à la fois la *réalité* de ce qui est (d'où le réalisme) mais aussi sa *vérité*[3] (c'est-à-dire sa profonde existence devant Dieu et pour

1. Le premier qui a mis l'accent sur la contestation chez Qohelet est à ma connaissance A. Maillot, mais il y a une très bonne analyse du caractère contestataire de Qohelet dans Grenshaw, « Le dilemme humain et la littérature contestataire », in *Tradition et Théologie dans l'Ancien Testament, op. cit.* Il envisage la contestation à six points de vue :
— comme motif littéraire,
— comme trait structural du changement social,
— comme phénomène organique de l'histoire d'Israël (en somme permanente !),
— comme conflit entre contemporains,
— comme facteur de désintégration de la société,
— et comme attaque prométhéenne contre la dépendance.
Grenshaw insiste sur ce dernier aspect, qui lui paraît synthétiser tous les autres. Cette contestation est autant le fait des prophètes que des sages, qui formulent une « littérature d'opposition ». Les sources de cette contestation sont multiples : l'armature des institutions — la nature (?) de l'homme — l'ambiguïté de l'existence. Et il situe l'œuvre des sages de la façon suivante : les prêtres sont les gardiens de l'ethos, et conservent les traditions sacrées. Les prophètes sont les porteurs du pathos, et expriment la part qu'ils prennent aux souffrances de Dieu. Les sages expriment le logos, et recourent à des arguments fondés dans l'expérience pour ramener Israël à un ordre voulu par Dieu et reconnaître les limites de toute connaissance.
2. Qohelet est la pierre sur laquelle se brisent toutes les mystiques, tous les « effusionnistes » qui arrivent à se prendre pour Dieu ! (Le cheminement inouï de Maître Eckart, et la proclamation de sa disciple, sœur Catherine : « Seigneur, réjouissez-vous avec moi : je suis devenue Dieu. »)
3. Sur l'opposition et le rapport entre réalité et vérité, voir : J. Ellul, *La Parole humiliée*, Paris, Éditions du Seuil, 1981.

Dieu). Et la réalité empêche la vérité d'être une évasion dans les nuages ou le rêve (intellectuel ou esthétique aussi bien). Et la vérité empêche la réalité d'être désespérante, de conduire l'homme précisément au scepticisme, et de là au nihilisme, et de là immanquablement au suicide.

La réalité, c'est que tout est vanité. La vérité, c'est que tout est don de Dieu. Tel est Qohelet, comme je l'ai entendu.

Poème de Sagesse donc. Mais, pour essayer d'épuiser tous les efforts de compréhension de ce texte énigmatique, je retiendrai pour finir un dernier point de vue qui tient compte de ce que Qohelet est un grand discours interpellateur. Une lecture ethno-psycho-sociologique permet une interprétation assez différente du texte, et permet de formuler une hypothèse assez suggestive. Ce livre peut être lu comme incantatoire et destiné à être récité ou chanté (et non pas lu ou proposé comme un texte liturgique). La répétition des périodes et l'alternance des constats de désespoir avec l'affirmation des raisons d'espérer, l'évidence de la vie donnent une valeur vivifiante rituelle. Il y a en réalité quatre protagonistes dans le texte : le roi (identifié à Salomon). Le récitant (l'auteur, l'officiant rituel). Le peuple (l'assemblée) et le quatrième qui est invoqué : le souffle/la buée/l'Esprit. C'est un discours finalement adressé au roi, au moment d'une crise, pour provoquer une transformation, un passage d'un état antérieur à la récitation, à l'état postérieur. Donc un texte tourné vers l'avenir. Il n'énonce pas la réalité objective mais ce qu'elle est « pour le roi », afin d'amener le roi à la concevoir autrement. Dès lors, ce texte pourrait avoir un objet historique (sauver l'unité de la société, sauver le règne...) par une incantation rituelle. Un texte de salut royal ! (Ce qui d'ailleurs légitimerait ensuite l'impératif ressenti de le faire « entrer dans le Canon ».)

En approfondissant, on dira que Qohelet dans ses contradictions adopte le point de vue de quelqu'un pour qui les oppositions ont disparu, il n'y a plus ni vrai ni faux, ni bien ni mal. C'est l'effondrement des orientations, la « perte des différences », en psychologie, l'anomie dans la société. Tout revient au même. Il faut soigner cette perte des différences en la mimant par la répétition des contradictions, il s'agirait alors d'une « logo-sociothérapie » ! Il s'agit de faire sortir le désespoir du roi, et le roi du désespoir ! Ce texte serait un texte maïeutique destiné à exorciser le mal. (Ramener la grâce sur le roi sans qu'il en soit évidemment question dans le texte !) L'officiant s'identifie au malade pour cheminer avec lui. Il entre dans sa perspective, puis en sort. A nouveau retourne dans l'univers du roi, puis l'amène à progresser : détachement provoqué par la satiété, ennui, inutilité... Tout est égal au roi. Il n'y a pas de différence.

C'est pourquoi la survenue de Dieu dans le texte est bien nodale. C'est une reprise en main du réel. Mais si l'on peut retenir cette hypothèse, alors ce texte, tel que nous l'avons ici, remonte peut-être beaucoup plus haut. Ce n'est pas un livre écrit comme les nôtres par un auteur avec une idée centrale et un « message », mais un texte peut-être rituel, lié à cette situation de « perte des différences » qui n'a pas dû se produire qu'une fois. Un texte qui a progressé par accrétion, par sédimentation d'auteurs au fur et à mesure que tel facteur nouveau paraissait, à partir d'une première expérience faite peut-être, pourquoi pas, par Salomon dans l'amertume de la fin de son règne.

On a pu écrire en effet : « *Si* un texte avait été créé pour être récité, incanté rituellement en présence d'une assemblée et du roi (Salomon ?) pour remédier à un problème (personnel, politique, de relation entre le roi et le peuple), pour médiatiser une opposition, pour résoudre ou dénouer une difficulté pour l'avenir, ce texte-là n'aurait pas été différent de l'Ecclésiaste [1]. » Si tout ceci est exact, on peut être tenté de dire que notre texte n'a rien à nous dire. Il n'y a pas à généraliser, etc. Mais il ne faut pas oublier que ce texte est devenu Écriture sainte, sortant de son contexte historique pour prendre une valeur universelle parce que reconnu comme inspiré de Dieu. Il comporte alors une vérité sur Dieu qui s'y révèle, et une révélation du Tout de l'homme, à partir de la singularité de Salomon.

---

1. Bien entendu, l'énorme distance dans le temps entre le règne de Salomon et notre Qohelet fait que l'on ne peut pas le référer directement, mais pourquoi ce texte ne serait-il pas aussi le résultat d'un rituel premier, en tenant compte de la prodigieuse capacité de transmission de textes mémorisés dans ce que l'on a pu appeler une véritable « Écriture mentale » ? Ceci expliquerait peut-être bien des lourdeurs et des ruptures stylistiques.

VII

Après avoir essayé de comprendre de quoi il s'agissait dans ce livre surprenant, et erré parmi tant d'éclairages divers, se pose forcément la question : Tous ces textes sont-ils jetés en « vrac », séries de poèmes ou de pensées, ou bien existe-t-il un « plan », une cohérence ? Beaucoup de traducteurs ont cherché à trouver un plan. Pour Chouraqui, il y a un prologue, trois parties : La vie et la mort — Le savoir et la Sagesse — Les sanctions et l'amour —, puis un épilogue. Mais si l'on voit bien en effet ce que l'on peut appeler prologue (I) et épilogue (XII), le reste est beaucoup moins clair et même pas du tout. Pour Pedersen, il y a une première partie, attestant que la vie ne vaut pas la peine d'être vécue (jusqu'à la fin de VI) et une seconde tirant les conséquences de cette démonstration, etc. Certains ont décidé de déplacer les fragments, avec des « sections interchangeables », d'autres (par exemple Glasser) ont cherché un développement rigoureux.

Mais, de très loin, le plus habile pour trouver un plan est D. Lys, qui a réussi à fournir une construction cohérente. Une première grande partie : une vue de la condition humaine, sur le plan théorique (de I, 4 à IV, 3) avec deux sous-parties : un Bilan (comprenant : exposé objectif, exposé subjectif, et : pourquoi exister ?) et le Destin (le temps, la justice de Dieu). Et à cela correspond une seconde grande partie : Revue de la condition humaine (sur le plan pratique) avec deux sous-parties : Paradoxes (travail, argent, etc.) et Éthique relative (la femme, la philosophie, etc.). C'est très bien fait, et je ne suis nullement convaincu ! Par exemple, comment ce qui fait partie du travail ou de l'argent n'est-il pas dans l'Éthique ? Comment l'injustice et le succès ne sont-ils pas dans les Paradoxes ?, etc. Et que dire des innombrables répétitions ? En réalité, des plans de cet ordre correspondent à une logique rationnelle occidentale moderne, et pas du tout au mode de pensée « traditionnel »[1]. Un ordonnancement rationnel, scientifi-

---

1. J'ai démontré, dans *La Technique ou l'Enjeu du siècle*, que le souci du plan dans les livres apparaît en réalité avec une pensée de type scientifique moderne, et principalement (mais pas seulement !) avec Descartes.

que ne préoccupait pas ces penseurs et ces prophètes. Non, décidément, j'en suis venu à la certitude qu'il n'y a pas de plan logique et cohérent, traitant en chaque partie une question donnée. Alors, des ensembles mis bout à bout ? Ce que présentent les traductions du xixe siècle ? Mais on s'aperçoit bien vite que les chapitres IV ou V ou VII ou IX ne peuvent absolument pas recevoir de titre et n'entrent dans aucune thématique. Peut-on alors au moins découvrir de grandes césures ? Bien entendu, il y a eu des tentatives en ce sens ; le plus évident consistait à prendre la formule « Vanité, poursuite du vent » comme conclusion de chaque section. Ainsi, on a pu définir huit sections. Mais il n'y a aucune cohérence à l'intérieur de chacune d'elles ! De mon côté, j'ai espéré trouver une autre césure : j'ai eu le sentiment pendant un temps que l'invocation rythmée à Dieu marquait chaque fois la césure, le passage à un autre plan. Ainsi III, 11 et 15, V, 17-19, IX, 7-10, etc., mais finalement je me suis rendu compte que cette hypothèse ne pouvait pas résister à une analyse minutieuse. Et je n'ai pas trouvé d'autre « argument de césure ».

La question restait entière : comment se fait-il que ce livre sans plan donne une telle apparence de solidité, de granit, de cohérence, de conduite pure d'une pensée ? Cela ne veut-il peut-être pas dire que Qohelet obéit à une logique interne beaucoup plus implacable et contient bien un « plan », mais infiniment plus subtil que celui de nos leçons d'agrégation ? Un « plan » qui peut-être serait un peu comme ceux de ces romans modernes où l'auteur s'ingénie à brouiller les pistes (J. Champion, A. Robbe-Grillet, etc.), ou ces films avec flash-back et tout l'appareillage de la symbolique filmique qui permet de rattacher une séquence à une autre, éloignée, parce que tel symbole apparu dans les deux mène le spectateur en ce point ? Un « plan » qui n'est pas « exposable », parce que ce n'est pas un Meccano, mais la subtilité même de l'ironie, de la métaphore, de la métonymie, de la prolepse et du clin d'œil !

A ce moment, on a comme une dispersion volontaire des quelque vingt thèmes centraux. On a tout au long du livre des réflexions qui se correspondent, qui s'enchevêtrent, des questions soulevées qui trouvent leur réponse quelques chapitres plus loin, un jeu de ce que j'appellerai des « échos »... un entremêlement subtil, non pour en tirer un effet de l'art mais pour faire progresser l'auditeur vers une fin inévitable. Tout est, à mon sens, exactement voulu pour obtenir un « effet ». Mais cela veut dire qu'il ne faut surtout pas survoler un tel texte et en tirer une vague leçon de morale ou de métaphysique. Chaque facteur, chaque pas compte. Il faut le faire avec lui. J'ai eu le sentiment que la cohérence de ce texte vient non d'un plan mais d'une trame.

Il me semble avoir aperçu dans Qohelet comme la trame complexe d'une étoffe chatoyante, dont on ne trouve ni le commencement, ni la fin, ni l'orientation, mais qui entremêle les composants du tissu d'une façon surprenante, non parce que les fils de la trame seraient emmêlés (auquel cas il n'y aurait pas d'étoffe possible) mais parce qu'ils apparaissent de loin en loin, ils affleurent, ils se font jour un instant au travers du reste, mais il faut savoir qu'ils sont constamment là, en profondeur, et que c'est parce qu'ils sont là que le tout forme bien un ensemble cohérent et non pas une collection de dictons, de proverbes et de conseils parfois bien banals. C'est ce qui explique ces résurgences de mêmes thèmes qui interdisent toute planification, toute idée de plan. Le *travail,* nous le rencontrons aux chapitres I, II, IV, VI, IX, X, XI ! Le *bonheur,* aux chapitres II, III, V, VII, VIII, IX, XI. Le *pouvoir,* aux chapitres I, III, IV, V, VIII, X... et je pourrais continuer cette énumération pour l'argent, pour la propriété, pour la mort, pour la parole.

Mais une autre remarque s'impose. Il existe dans cette trame des majeures et des mineures. S'il y a un seul texte sur la femme, il y en a près de vingt sur le travail. S'il y en a deux ou trois sur la justice, il y en a quinze sur le pouvoir... le nombre des textes ne fait pas l'importance de la question, mais peut quand même nous fournir une utile réflexion. Tout est passé en revue, selon l'ironie, mais il y a des constantes. Il m'apparaît que deux sont visibles tout de suite : la vanité, la Sagesse. Elles aussi contradictoires — la Sagesse est soumise à la vanité, certes ! Mais la seule arme contre la vanité, c'est la Sagesse. Il me paraît que nous assistons à ce débat entre Sagesse et vanité. La Sagesse, aussi bien, fait apparaître la vanité de tout, mais elle est elle-même vanité. Celle-ci pourtant perd sa justesse et son amertume, car le sage a dépassé toute vanité. Je crois que nous tenons ici un des possibles de Qohelet. Et pourtant il ne s'achève pas dans ce cercle immanent et incoercible. Car il y a la référence à Dieu.

J'ai déjà dit que, pour un exégète positiviste, c'est un rajout piétiste, pour édulcorer le plat trop épicé ! Mais si, au lieu de procéder à une lecture soit objectivante, soit rapide (en ayant considéré que l'on avait déjà très bien compris), on persévère dans une lecture méditation, voici que pénètre peu à peu la conviction que cette référence à Dieu est centrale, décisive, « nodale ». C'est elle qui noue les facteurs dispersés — qui certes fait apparaître une contradiction de plus. Mais on s'aperçoit en approfondissant que la survenue de Dieu dans le discours n'est en rien un supplément, une façade, un placage, mais, à chaque tournant, la reprise en main. D'ailleurs, j'ai été très surpris d'apprendre que cette idée de tissage était en réalité très ancienne : « Dans quel sens la Torah constitue-t-elle une explication du nom de Dieu ? La réponse de Gikatila est que la Torah est *tissée* du nom de Dieu. » Il semble qu'il ait été le premier à employer ce terme *('arîgâh)* dans le but de faire voir comment le nom de Dieu apparaît toujours à nouveau dans la *texture* de la Torah. « Connais la façon dont la Torah a été tissée dans la Sagesse de Dieu... Toute la Torah est un tissu des attributs de Dieu, et ceux-ci sont tissés à leur tour des différents noms de Dieu... » (Gershom Scholem). D'ailleurs, Mgr Lusseau a entrevu cette conception d'un tissage, lorsqu'il avance qu'il s'agit de deux séries de réflexions imbriquées les unes dans les autres. Les unes concernant la vanité de la vie, et qui s'apparentent à Job. Les autres (beaucoup plus brèves d'ailleurs, dit-il, ce qui me paraît inexact) sont des sentences s'apparentant aux Proverbes. Il distingue donc des « soliloques » et des « sentences ». Mais, d'une part, il ne s'agit pas de soliloques, plutôt d'une méthode d'exposition : il avance une thèse commune et il la critique ; d'autre part, l'opposition n'est pas dans la forme littéraire mais dans la substance. Or, nous pouvons faire une sorte de tableau de cet entretissage dans Qohelet (voir ci-après).

VIII

Nous voici revenus à l'une des principales difficultés de la lecture de ce livre secret. C'est la question des contradictions, qui ont amené bien des auteurs à le taxer d'incohérence ou bien à rompre

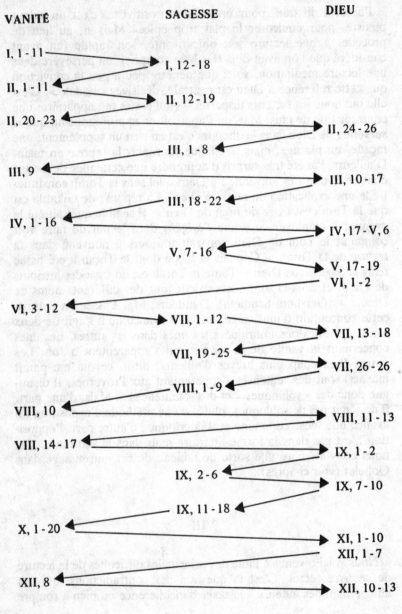

VANITÉ	SAGESSE	DIEU
I, 1 - 11	I, 12 - 18	
II, 1 - 11	II, 12 - 19	
II, 20 - 23		II, 24 - 26
	III, 1 - 8	
III, 9		III, 10 - 17
	III, 18 - 22	
IV, 1 - 16		IV, 17 - V, 6
	V, 7 - 16	
		V, 17 - 19
	VI, 1 - 2	
VI, 3 - 12	VII, 1 - 12	
	VII, 13 - 18	
	VII, 19 - 25	
		VII, 26 - 26
	VIII, 1 - 9	
VIII, 10		VIII, 11 - 13
VIII, 14 - 17		IX, 1 - 2
	IX, 2 - 6	
		IX, 7 - 10
	IX, 11 - 18	
X, 1 - 20		XI, 1 - 10
		XII, 1 - 7
XII, 8		XII, 10 - 13

40

et diviser le texte. Le plus remarquable, c'est que dans ces divers chapitres, ces multiples aspects de la vie humaine ne sont pas du tout traités de façon cohérente. Je ne puis pas faire la collecte de tous les textes sur l'argent, ou de tous les textes sur la Sagesse, car voici que les déclarations à leur sujet sont contradictoires. L'Ecclésiaste, nous l'avons vu, ne cesse de se contredire. Il affirme que le bonheur n'est rien, et ailleurs que la seule chose que l'homme puisse faire raisonnablement dans la vie, c'est de prendre de la joie, du plaisir, et vivre dans le meilleur bonheur. Il déclare que Sagesse et folie sont après tout identiques, et ailleurs que la Sagesse est plus précieuse que tout. Les contradictions, nous les retrouvons pour chacun de ces « sujets » !

Ces contradictions ne sont pas de grossiers oublis, mais peut-être, tout à l'inverse, une des clés du livre. Il y a parfois des cohérences étonnantes dans la Bible au travers des siècles (comme j'ai essayé de le montrer pour la ville), et parfois des contradictions qui sont là, non par incompétence ou négligence, mais pour nous mettre au pied du mur, et nous obliger à prendre conscience d'autre chose. Peu de livres sont aussi contradictoires que l'Ecclésiaste, et je pense que l'un des sens principaux de ce livre réside justement dans ces contradictions. Il nous conduit et nous oblige à voir le caractère vrai, pas seulement réel, de l'existence humaine, essentiellement contradictoire en elle-même.

Le Qohelet est plus subtil que ce à quoi nous nous arrêtons habituellement, à savoir la contradiction entre l'homme et Dieu, entre le péché et la sainteté, entre la Nature et la Révélation. Il ne le nie pas. Mais il pénètre plus à l'intérieur du vivant, de l'être et de la société, il fait surgir le terrible de l'irréductible et de l'incompréhensible contradiction de l'homme, en tout. Absolument en tout. Qohelet n'est pas cette espèce de penseur désolé qui baisse les bras et la tête en disant « vanité » que nous entendons au sens de « à quoi bon ». Il est un chirurgien habile qui débride les plaies, la plaie même de toute vie humaine, et fait apparaître l'incroyable magma de nos croyances, de nos prétentions, de nos absolus, de nos occupations. L'une des lignes directrices de ce livre, c'est précisément la contradiction irréductible. Il n'y a aucune séparation entre du bon et du mauvais, entre du « conforme à Dieu » et du « non conforme à Dieu ». Il y a l'être contradictoire de l'homme. C'est tout. Et c'est cette contradiction même qui, surgissant en toute chose, fait que globalement on peut alors dire « vanité ». Mais non pas abandon, ni découragement. Tout au contraire, Qohelet est un constant appel à vivre.

Dès lors, bien loin d'appliquer au texte le principe de non-contradiction, il faut lire et comprendre Qohelet grâce au principe de contradiction qui est la clé de son mode de pensée. Le sens du texte réside précisément *dans* la contradiction, et c'est à partir de là qu'il faut lire les deux données contraires. Ainsi la fameuse contradiction si souvent soulevée : l'homme qui écrit « Tout est vanité » ne peut pas en même temps écrire que « Dieu fait tout ». L'un donne sens à l'autre comme nous le verrons. La rudesse, l'âpreté des « vanités » trouve sa valeur, sa lumière, sa perspective *à partir* de la proclamation du Dieu d'Israël. Contrairement à une lecture superficielle, ce n'est pas du tout une édulcoration du texte, une réduction, « de l'huile pour lubrifier le tout », mais bien au contraire la pointe la plus aiguë, en ce qu'il s'agit d'une *autre* révélation du Dieu d'Israël [1].

Voir ces invocations comme des édulcorations, c'est à mon sens obéir à une idée toute faite, à savoir que toute invocation à Dieu, c'est du sentimentalisme piétiste et un peu primaire... Il faut arriver à accepter que seule la contradiction permet de progresser. Le principe de non-contradiction est un principe de mort. La contradiction est la condition d'une communication. Seule la contradiction permet la compréhension de l'être, et finalement l'union (non pas l'unité fusionnelle !). « L'union n'est impossible qu'entre les identiques. » « Entre les contraires *(hafakhim)* et entre eux seulement il y a une relation *(yahas)*, une activité *(péoula)*, une association *(schittouf)* [2]. »

Telle est la leçon de la contradiction en Qohelet ! Et finalement,

---

1. Grenshaw, in « Le dilemme humain... », *op. cit.*, reprend l'interprétation rationnelle : « Les responsables de la Tradition ont même trouvé le moyen d'intégrer un ouvrage qui rejette tout ce que eux soutenaient [...]. La Tradition a trouvé le moyen de baptiser le scepticisme radical par l'addition d'observations qui le neutralisaient. » *Mais il a le mérite d'avoir compris que la force de Qohelet est précisément dans cette contradiction :* « La juxtaposition d'affirmations confessionnelles et de démentis profonds a un effet électrisant [...]. L'aveu solennel que Dieu seul dans l'univers mérite la dévotion suprême se cache dans le cri d'angoisse de l'homme. C'est précisément ici que réside la puissance du dogme avec son contraire. En un mot, la vérité réside dans la confession de foi *et* dans le scepticisme. » Mais pourquoi aurait-il fallu plusieurs auteurs pour saisir cette vérité en un livre ?

2. A. Neher, *Le Puits de l'exil*, Paris, Albin Michel, 1966.

ceci correspond au « sentiment tragique de la vie » (Unamuno) qui est une expérience existentielle fondamentale, traduite par la contradiction : c'est l'*expérience* de la mort *dans* l'existence. « La vie est une tragédie et une tragédie est un combat permanent sans victoire, sans l'espérance d'une *victoire :* justement une *contradiction* » (Unamuno). Tel est bien le Tout de Qohelet ! « Tout ce qui vit se trouve dans cette contradiction, et n'est vivant qu'aussi longtemps qu'il demeure dans cette contradiction[1]. » Voilà pourquoi Qohelet avance de contradiction en contradiction. Ainsi, avec la structure de la contradiction nous tenons je pense une des données essentielles, et c'est pourquoi à plusieurs reprises, j'ai parlé d'*ironie* et de *paradoxe*.

Mais il nous faut aller plus loin. Un des grands défauts des commentaires que j'ai lus (pas tous, il y a heureusement Visscher, Maillot, Lüthi...), c'est de ramener toute cette réflexion à quelques idées générales simples : tout est absurde ; on cherche un sens à la vie ; et encore certains poussent un peu trop dans le sens favorable : « L'auteur déblaie le terrain, détruit les fausses Sagesses, etc., pour faire place à la grâce. » Cela peut nous satisfaire, mais c'est une extrapolation bien dangereuse ! Car il n'en est pas question dans le texte ! Qohelet ne se borne pas à des affirmations, ou à des idées générales. J'ai déjà dit que je ne tiens pas ce livre pour un recueil de maximes. Et, par conséquent, si on veut savoir ce qu'il dit, il ne faut surtout pas faire comme la plupart des lecteurs hâtifs, ou déclarant : « Eh oui, tout est vanité ! l'argent, la Sagesse, le pouvoir, la famille, le plaisir, la gloire, la jeunesse... » Cela reconnu, on passe à autre chose. Mais non, car tout au contraire, ici, l'important c'est la raison précise, c'est l'insertion de telle indication concernant l'amour ou l'avenir, à l'intérieur d'un ensemble, dans un contexte, en fonction d'une perspective qui fait que chaque fois on est convaincu. Autrement dit, ce n'est pas une idée générale ou l'affirmation brutale qu'il faut considérer — « il y a un juste qui périt avec sa justice » ou bien « la Sagesse rend le sage plus fort que dix hommes... » — mais bien cette espèce de monstration (et non pas dé-monstration) : « Regarde, voici ce qui est — je l'ai vu », et la façon dont elle est prise dans un ensemble qui la rend irrécusable, quoiqu'on ait, deux

---

1. Moltmann, *Trinité et Royaume de Dieu*, Paris, Éditions du Cerf, 1984.

chapitres plus tôt, lu le contraire ! Et si l'Ecclésiaste dit « Tout est vanité », ce n'est pas parce qu'il mesure ce que fait l'homme à l'aune de la mort (quoique cela y soit aussi). Et ce serait alors bien facile de porter ce jugement ! N'importe quel petit sophiste a trouvé cela. Il n'est pas besoin d'une grande Sagesse, et encore moins que ce constat se trouve dans la « parole de Dieu » ! L'important, c'est le contexte de chaque parole, cet ensemble charpenté, en fonction de, et en vue de mettre en lumière les contradictions de l'homme. Donc, ne retenons pas les « conclusions », méditons sur les enchaînements... Et ces enchaînements sont, me semble-t-il, une seconde composante de la trame de Qohelet.

IX

Il me reste, pour terminer ce bref rappel de questions fondamentales, à redire que Qohelet était une des lectures principales des jours de la fête des Souccoth. Fête des Tentes, des Tabernacles, ou plus exactement des huttes de branchages. Cette fête est multiple. Célébrée en automne, fête agraire des récoltes (avec allusion aux huttes de branchages des vendangeurs), elle est devenue au fur et à mesure du développement théologique tout autre chose et constitue un ensemble très complexe : fête de la dédicace du Temple de Salomon. Fête de la dédicace du sanctuaire de Béthel par Jéroboam après le schisme. Fête de la reprise du culte jérusalémite après le rétablissement de l'Autel. Donc trois fêtes cultuelles, et beaucoup d'auteurs modernes y verront essentiellement la fête de la dédicace du Temple et de l'Autel. Ce qui atteste que Qohelet est aussi un livre rituel. Mais elle a encore une autre dimension : fête de la relecture de la Loi divine (par Esdras) et fête présentée par Zacharie comme celle des Temps messianiques : proclamation de la royauté universelle de Yahvé, manifestation de la lumière, présence de l'eau vive au sein de la Cité. Dès lors, s'appuyant sur cet ensemble, nombreux (Alt, Mowinckel, Von Rad) sont ceux qui y ont vu finalement la fête de l'Alliance, où le peuple est placé devant les exigences divines. Mais comment oublier qu'il s'agit aussi d'une fête royale destinée à affirmer l'acceptation par Dieu de cette royauté ? Fête qui finalement portera le titre de fête du Seigneur. Le tout est désigné par le nom : « les cabanes » ? devenues « les tentes » ? Alors, la tradition établit le lien avec le périple d'Israël au désert, le moment où Israël vivait sous la Tente. Confrontation d'Israël avec le désert. Mémorial de la marche dans le désert, lieu d'épreuves, de tentations et de dépouillement, lieu où l'on entre dans le danger de la liberté et du « Tout est possible », désert qui représente le moment qui sépare ce qui a déjà été donné (la libération) et ce qui n'est pas encore réalisé (la terre promise).

Je pense qu'il faut lire la totalité de Qohelet en relation avec la totalité des significations de cette fête. Livre royal de Salomon. Livre de la dédicace du Temple. Livre d'une alliance étonnante. Livre de la fragilité de l'abri humain (la hutte de branchages), livre de la vanité de ce que l'homme possède (le désert). Livre de la royauté absolue de Dieu. Mais en même temps livre de la fin de la période productive (automne), de l'entrée de l'hiver. Malgré quoi, c'est une période de joie pour le peuple, une semaine de festivités : livre alors qui rappelle au peuple la vanité de ces festivités en tant que telles, et qui lui rappelle, du fait même de la complexité des symboles, le mystère de l'œuvre divine dont le sens échappe à la créature.

Et dans cette proclamation centrale du Seigneur lors des Souccoth, comment pourrait-on dire que ce qui concerne Dieu a été « surajouté » dans un livre sceptique primitif ? Cette présence de Qohelet lors des Souccoth atteste donc à la fois l'alliance et l'errance, l'instabilité de la condition errante et la polarisation sur Jérusalem et le Temple. Découverte que c'est seulement au travers de cette vanité que l'on peut entrer dans l'alliance d'un Dieu qui donne tout, les récoltes, les vendanges, comme aussi le Temple et la Loi, mais qui contient une orientation, sibylline par à contrario, pour la proclamation d'un temps messianique qui couvre tous les temps énumérés par Qohelet. Nous avons ici toute la première série des thèmes de ce livre, mais voici la seconde.

La « cabane » dure sept jours. Il faut lire alors l'admirable méditation de A. Hazan sur les sept nuits de Souccoth [1], où, lors de

---

1. A. Hazan, *Yom Kippour, Guerre et prière*, Jérusalem, Koumi, 1975.

chaque nuit, le Juif accueille un des « hôtes sacrés des antériorités de mon histoire », Abraham, Isaac, Jacob, Joseph, Moïse, Aaron, David. Abraham porteur de la vertu d'amour. Isaac incarnant la rigueur (la vertu dure), Jacob, l'homme qui embrassa et pleura, en face de l'incessante provocation. Joseph, l'Exil et le Royaume. Moïse, Sceau de l'Éternité d'Israël. Aaron, le grand prêtre qui peut prononcer le Nom ineffable, unissant l'homme, l'espace et le temps, en qui « même sous le règne de la guerre tu ne peux éliminer le Chalom, te soustraire à l'impératif de la paix... Et David enfin, le grand Hochaana, le grand Salut, qui marque le début de la proclamation du Salut ». Voilà les sept lumières qu'il ne faut jamais oublier en lisant Qohelet, car elles aussi l'éclairent.

Ce n'est pas un hasard ni un accident historique si Qohelet fut choisi comme lecture de cette semaine décisive dans la vie d'Israël. Le Rien et le Tout. La Pesanteur et la Grâce. Le Zéro et l'Infini. Qohelet qui est *dit,* proclamé (et non pas *lu* de façon individuelle !) pour l'ensemble du peuple dans la fête de l'inquiétude et de la dualité. Or, le plus extraordinaire, c'est que cette fête des Souccoth débouche, après sept jours, sur un huitième et dernier jour, ou plutôt nuit, qui est une fête particulière, appelée « Joie dans la Torah », comme si cette lecture de Qohelet devait conduire à célébrer la joie[1].

Souccoth, fête des Cabanes, des Huttes, des abris provisoires et fragiles. Chacun doit « édifier sous les étoiles la dérisoire Souccah, pour y abriter la vie et la joie de vivre car la Torah recommande pendant la semaine de Souccoth de m'abandonner, de me livrer à la joie ». Fête de la fragilité, fête de la précarité des abris humains pour n'être plus protégé que par Dieu. Remise en question une fois par an de toutes les sécurités, de tous les fondements solides. « Les civilisations périclitent et meurent non parce qu'en vieillissant elles ne sont plus capables de relever les défis lancés par l'histoire, non parce qu'elles ont cessé d'innover, mais parce qu'elles ont entièrement livré leur devenir au granit de *leurs* propres fondements, ont misé exclusivement sur les fermetés solidifiées des sens premiers de leurs mythes : la faute de l'Égypte et des Nations, c'est *de ne point déménager,* une fois l'an, et pour une semaine, *le tout de leurs*

---

1. Ce qui a été souligné par D. Lys : « Cette fête des Souccoth est la saison de noces, de réjouissance, et le livre de Qohelet loue la joie. »

acquis sous une simple hutte » (Hazan). Alors, comme on aperçoit le lien essentiel entre Qohelet et les Souccoth ! Quel livre mieux que le nôtre dit cette fragilité, procède à cette mise en question, exige l'examen de conscience, balaie tous les granits pour nous laisser, seuls, dans la précarité de notre destin, nus sous l'exclusive assurance du Souverain maître de l'Histoire ?

Il faut placer toute étude de la vanité sous le frontispice de G. Bernanos : « Pour être prêt à espérer en ce qui ne trompe pas, il faut d'abord désespérer de tout ce qui trompe. » Tout Qohelet est là.

1

La buée, la fumée, l'inconsistance, la fragilité, l'évanescence, la vanité

> « Et voici ce que j'ai vu : le sens de la vie, c'est
> d'avoir un gagne-pain, et surtout de devenir
> conseiller à la Cour ; les délices de l'amour, c'est
> de trouver une jeune fille munie d'une jolie dot ;
> le bonheur de l'amitié, c'est le secours mutuel
> dans les embarras d'argent ; la sagesse, c'est
> l'opinion de la majorité. J'ai vu que l'enthou-
> siasme consiste à prononcer des discours et le
> courage à s'exposer à une amende de dix
> rixdales ; j'ai vu que la cordialité, c'est adresser
> le sacramentel remerciement à la maîtresse de
> maison et que la piété, c'est de communier une
> fois par an. Voilà ce que j'ai vu et j'ai ri. »
>
> S. Kierkegaard, *l'Alternative, Diapsalmata,*
> *Œuvres complètes,* III.

1. Le premier mot

Nous voici dès le premier mot arrêtés ! Comment traduire *hevel ?*
Traditionnellement et depuis des siècles, on a donc traduit
« vanité ». Mais, depuis une vingtaine d'années, on s'est avisé que
ce mot signifie au sens premier, littéral : buée. Et c'est le même
mot que le nom que nous donnons à Abel. Buée, vapeur ; or, on a
insisté sur cette signification dans l'optique générale d'une « maté-
rialisation » de la lecture de la Bible. Il y avait eu une lecture
« spiritualiste », dans le contexte d'une philosophie idéaliste
commune. Et les mots les plus concrets, parfois grossiers, de la
Bible, étaient transposés dans un vocabulaire chargé de sens
spirituel. L'exemple le plus classique était *ruach,* qui veut dire

51

souffle ou vent, et que l'on traduisait par esprit. Mais dans le contexte d'une pensée matérialiste comme la nôtre, voici que nous assistons au mouvement inverse ! Il s'agit de ramener au concret, au matériel, et souvent, dans des prophéties ou des Évangiles, de banaliser, pour rendre plus quotidien, plus immédiat. Or, ceci vulgarise et rabaisse certains textes sans aucune légitimité.

Il n'est pas plus juste de traduire aujourd'hui par souffle que, autrefois, par esprit. C'est dans ce contexte que *hevel* est traduit par buée. Mais est-ce plus exact ? Car enfin le mot a *aussi* en hébreu un sens figuré ; ce n'est pas nous qui l'avons inventé ; et c'est bien le sens de « vanité ». Pourquoi dès lors décider qu'on traduira par « buée des buées... ». Personnellement, je ne comprends pas la signification que peut avoir une pareille formule. Chouraqui (hélas, pour une fois je ne suis pas d'accord avec lui !) préfère fumée. « Fumée de fumée, tout est fumée. » Mais lui justifie son choix : « Vain, dit-il, c'est ce qui est dépourvu de valeur. Parler de vanité implique un jugement de valeur sur une réalité donnée. Le mot *hevel*, lui, est un mot concret... Qohelet ne porte pas un jugement de valeur sur le réel. Il dresse un constat : tout est fumée. Le mot doit être pris, en hébreu et en français, dans son double sens concret et figuré. Concrètement, tout émane de la fumée originelle et tout y retourne. D'où le sens figuré du mot qui désigne toute réalité fugitive, évanescente. Qohelet se situe dans l'ordre des constatations objectives... » Or, je ne suis pas d'accord avec cette interprétation. D'abord, je reviens à ma difficulté : je ne vois pas le sens de « fumée des fumées... ». C'est une redondance vaine. Ensuite parler de fumée originelle... c'est à la mode, l'ordre qui naît du désordre, entre le cristal et la fumée, etc., mais cela ne me semble nullement correspondre au contenu de Qohelet. Enfin, l'argument que l'on doit rejeter « vanité » parce que ce terme impliquerait un jugement, « en sorte que je pourrais ne pas amorcer un acte reconnu vain », me paraît sans objet : Qohelet ne cesse de porter des jugements !

Je crois qu'en effet *Hbl* implique un jugement et pas seulement un constat, du « c'est comme ça ». Dire que la richesse est *Hbl*, *hevel* est un jugement de valeur. Combien de fois revient la formule : « C'est un *mal* sous le soleil » ; ou encore « Ceci est une occupation, ou une œuvre, *mauvaise* »... Et ça se termine par « bon ou mauvais » ! Je pourrais multiplier les exemples. Et si l'on accepte l'interprétation donnée plus haut qu'il s'agit d'une vue de la réalité humaine telle que Dieu la révèle à l'homme et non pas le descriptif froid et objectif de ce qui existe concrètement, comment dire qu'il n'y a pas de « jugement », d'appréciation ? Bien entendu, ce n'est pas un jugement de valeur au sens où nous l'entendons habituellement, philosophique. Il n'y a pas une échelle des valeurs, il n'y a pas de dissertation sur ce qui peut nous être ici utile pour apprécier. Mais il y a plutôt une connotation attribuée à toute œuvre humaine, toute activité humaine, une liquidation des sens attribués fallacieusement au travail, à l'argent, etc. Une mesure dont on se sert pour chaque réalité.

Finalement, la meilleure étude au point de vue exégétique est celle de J. Chopineau, que je suivrai[1]. Jérôme sait déjà que *hevel* est couramment traduit par : vapeur, fumée, souffle léger vite dissipé. Mêmes termes dans le Talmud de Babylone, en araméen : souffle, néant..., et pourtant, c'est dans les Septante que l'on trouve la traduction : vanité. J. Chopineau pense que l'on ne peut trouver le sens que par comparaison avec l'ensemble des mots comparables et que « un climat linguistique n'a réellement de sens que dans un contexte et une situation donnés ». Il va donc, d'une part, étudier tous les textes où *hevel* se trouve et établir le tableau des relations avec les autres mots « concurrents ». De toute façon, c'est un mot qui a une diversité de sens et une grande richesse d'évocation.

Il faut se rappeler que, notre livre étant un livre récent, l'auteur connaît l'emploi de *hevel* dans Job, les Psaumes et aussi Genèse IV. Et qu'il lit ce dernier (le nom de Abel) sous l'éclairage des autres ! Or, le relevé des mots employés en association avec *hevel* est très éclairant : dans Isaïe, tout ce qui désigne effort infructueux, illusion, idoles et mort, mais aussi vent, souffle. Dans Jérémie, l'association est presque constamment faite avec les idoles, les pratiques idolâtres, tout ce qui est voué au néant[2]. Si bien que l'on

1. J. Chopineau, « *Hevel* en hébreu biblique. Contribution entre sémantique et exégèse de l'Ancien Testament », thèse de doctorat devant l'université de Strasbourg, 1971.
2. Lauha précise que ce mot *hevel* était presque un mot spécifique dans la polémique contre les dieux étrangers dans le Deutéronome, les Rois, et chez les Prophètes.

peut dire que *hevel* au pluriel désigne les idoles. Cela, Qohelet le sait. Après tout, ne pourrait-on traduire : vanité des idoles, ou : les idoles sont du vent ! En tout cas chez lui comme chez Isaïe, tout sert à connoter l'idée d'inutilité, au point que l'on pourrait ici conclure que *hevel* évoquerait l'idée de néant : du point de vue de la réalité (inconsistance), du point de vue de la vérité (mensonge), du point de vue de l'efficacité (inutilité) et du point de vue de la sécurité (tromperie).

Dans le livre de Job, *hevel* exprime essentiellement ce qui est illusoire parce qu'éphémère, trompeur et sans résultat. Ce que l'on retrouve régulièrement dans les Psaumes. Mais bien entendu, on retrouve aussi la relation avec *ruach* au sens de souffle léger, vent léger (buée, vapeur ?). Enfin on ne trouve pas chez Qohelet les termes employés habituellement comme synonymes. L'auteur veut mettre en valeur de façon éclatante le mot *hevel* lui-même, mais il est évident qu'il connaît tout l'emploi passé de ce mot. Et ici se produit le débat : pour les uns, le sens était primitivement abstrait (à traduire par vanité) et s'est progressivement concrétisé ; au temps de Qohelet, il voudrait dire seulement : buée, fumée, souffle. Ceci paraît tout à fait étonnant et va à l'encontre de l'évolution habituelle du sens des mots qui généralement vont du concret vers l'abstrait. Pour d'autres au contraire, le sens aurait été primitivement concret et serait devenu abstrait, symbolique. On traduira tantôt par vent, tantôt par inutile, vain. Mais je crois que D. Lys (qui traduit par fumée) a raison d'insister sur le fait que ce n'est pas : néant ou zéro. C'est fumée, buée, cela se dissipe, *cela n'a aucun résultat :* ce n'est pas le néant ! Par ailleurs, Chopineau étudie l'environnement, dans notre livre, de ce mot ; et il trouve : « le mal », le mal que l'on constate (la souffrance), que l'on dit, que l'on commet, dont on souffre — la peine que l'on prend (le travail) ou que l'on ressent (la douleur). Ces expressions suggèrent l'effort illusoire à quoi se résout toute activité humaine, ce qui en fait un mal ! Rien ne subsiste. Mais ce n'est pas le néant, car il y a une petite part qui vit : la joie (II, 10 ; III, 22 ; V, 17, etc.) ; l'existence est décrite comme opposée à la joie et pourtant la joie subsiste !

Un autre aspect très important montré par Chopineau, c'est que tout est *hevel*. Mais ce tout est Un. Il n'y a qu'un destin pour tout et tous, il n'y a qu'un souffle qui est vain, tout s'en va vers un même lieu. C'est la globalité comme unité. J'ai tout éprouvé... Tous les hommes, etc. Donc Tout c'est Un, et englobé dans *hevel*, qui réduit tout à l'Un. Autre remarque essentielle, *hevel* exprime aussi le destin. Il est très clair que tout notre livre est marqué par la présence de la mort (et Maillot intitulait, au début, son commentaire : « Frères, il faut mourir. »). Tout va vers la mort. Le sage meurt comme le fou, l'homme comme l'animal, etc. Le mot *hevel* apparaît comme le mot du destin en ce qu'il qualifie l'ensemble des activités humaines. Tout est soumis au destin unique de l'insignifiance. C'est pourquoi finalement Chopineau conserve la traduction traditionnelle de vanité [1] et ne suit pas le courant des versions les plus modernes. Je pense qu'il a raison. Il faut éviter, dit-il, les traductions par un terme concret — vapeur, buée, fumée, souffle — parce qu'une telle traduction valorise l'étymologie au détriment des emplois du mot dans le contexte, et aussi parce qu'une telle traduction ne donne absolument pas l'équivalent en français de *hevel*, puisque ces mots français n'ont pas du tout les mêmes connotations que le mot hébreu. D'autant plus que la valeur de *hevel* dans ce livre, c'est qu'il est plus qu'un mot : il est un thème de méditation.

Il faut tenir compte des emplois antérieurs, du contexte du livre, de la valeur de *hevel* dans la Genèse, puisque l'auteur a sans cesse la Genèse sous les yeux. *Hevel* a donc évolué du concret à l'abstrait, c'est une « métaphore lexicalisée ». Sa valeur concrète est bien attestée en syriaque, en araméen, mais ne suffit pas. Pas davantage les nombreux parallèles de langues diverses donnés par Lys où un mot de même racine veut dire vapeur, haleine, etc. Mais, sans leur donner une valeur unique, il est impossible d'exclure ces significations primitives. Dès lors, dans cette orientation, il faut maintenir les *deux sens*. Buée : tout s'efface comme une buée qui monte du sol au matin et qui disparaît dans le soleil. Ceci est le réel, à condition de limiter ce terme au réel lui-même. Mais un réel en transformation. Et puis aussi vanité. C'est-à-dire qu'il est vain de s'engager dans telle ou telle voie, de chercher tel ou tel profit. Il ne suffit pas de dire « dépourvu de valeur ».

Vanité, c'est plus fort que cela — la vanité, d'abord c'est l'illusion. On poursuit un mirage (et le rapport à la buée est

---

1. Signalons que Aare Lauha, *Kohelet, op. cit.*, conserve la traduction : vanité.

immédiat !). On se fait des illusions. On recouvre le réel d'illusions. Ensuite, c'est la « parade » (qui est liée à l'illusion !) : on se présente de telle façon que l'on puisse faire illusion aux autres, c'est la devanture, l'extérieur qui trompe — la femme maquillée — l'homme masqué. Ils se livrent à la vanité. Et l'Ecclésiaste tout au long va arracher des masques, va dénuder les illusions. Mais de là, vanité, c'est aussi se prendre soi-même au sérieux, se piéger à son propre masque, devenir vaniteux au milieu des autres. Et ici l'Ecclésiaste tend un miroir : regarde-toi dans ta réalité effective, que reste-t-il de ta satisfaction extrême de toi-même ?

Enfin, vanité, c'est ce qui est sans avenir, sans issue, parfaitement inutile et sans lendemain. Alors l'Ecclésiaste dit : A quoi bon ? vous travaillez, faites de la politique, gagnez de l'argent... et alors ? *finalement,* quel profit en tire-t-on ? Vain ou pas vain, utile *(en vérité)* ou inutile... Voilà pourquoi je maintiendrai vanité comme traduction de préférence, en gardant toujours en tête : buée, vapeur, fumée... Et je ne vois pas en quoi cela contredit l'idée (Neher) que ce *hevel* est une notion tragique. Dire ce que dit Qohelet est en effet une proclamation tragique de la vision que tout est à la fois passager et sans valeur. Mais non pas, répétons-le, rien ou néant. Et c'est bien ce que rend exactement « vanité ». Il nous dit qu'avant tout c'est un destin marqué par l'échec. Mais quand nous disons destin, cela n'implique nullement l'idée de l'*ananké,* du *fatum* ou de la *moïra,* le destin n'est pas Dieu. Il n'est pas au-dessus de Dieu : il est de l'homme, en l'homme. Il fait partie de sa condition. Donc, ce que nous dit Qohelet, il peut être non maîtrisé mais connu.

La diversité de ces points de vue est d'autant plus importante qu'il est au moins une question que Qohelet ne pose pas : « A quoi ça sert ? » Or, c'est toujours la question centrale, dans notre perspective utilitariste, c'est toujours cela que nous demandons. Mais, justement, Qohelet ne prend pas la position utilitaire, il ne dit pas : Le travail, ou l'argent, à quoi ça sert ? La vanité fondamentale des choses de la vie est beaucoup plus profonde que l'utilité ou la non-utilité concrète. Certes, il peut dire du travail : « Quel profit — ou quel avantage — celui qui travaille en tire-t-il ? » Mais rien de commun avec l'utilité du technique ou de l'économique.· Il ne pose pas cette question parce qu'elle est rigoureusement étrangère à sa société mais, bien plus, elle est rigoureusement étrangère à la Révélation de Dieu en Israël ! Il y a ici une distinction que je crois fondamentale. D'un côté, donc, je pense que Qohelet récuse notre question moderne : « A quoi ça sert ? », dans le sens de l'utilitarisme quotidien. Mais pourtant la question qu'il pose est bien celle de l' « A quoi bon ? » — « Quel profit pour l'homme dans tout son travail ? » (I, 3). Et cette même interrogation revient tout au long du livre. Quel avantage l'homme en a-t-il ? Mais ceci n'est nullement la même question. Qohelet ne pense pas à un profit d'argent (il a eu tout ce qu'il fallait, et a beaucoup dépensé), mais à la possibilité ou non de répondre à la question centrale du Sens.

Pour faire bien saisir l'opposition entre notre question moderne et la question de Qohelet, entre : « A quoi ça sert ? » et « Quel profit ? », il suffit de changer le « quoi » en « qui ». A qui cela sert-il ? Et c'est bien effectivement la leçon de nos textes. Le premier souci est celui du qui ? La personne, l'acteur, le vivant. Il ne s'intéresse en rien au « quoi », le neutre, l'objectif, l'institué, l'acquisition, le moyen, primat de l'objet, que nous connaissons justement au premier chef. Il décentre nos questions, parce que, tout au long de sa réflexion, c'est précisément ce déplacement qu'il effectue, et c'est l'une des œuvres de Qohelet qui nous déroute le plus.

« Quel profit pour l'homme » veut dire : comment devient-il plus homme, et comment peut-il répondre aux questions qui se posent inévitablement à lui ? Nous le retrouverons sans cesse. Et sans cesse, négativement : ça ne sert à rien pour joindre la sagesse ou dépasser la mort [1]...

---

1. Lys a raison de souligner le caractère réaliste et pragmatique quand il résume ce problème de Qohelet à la formule : Quel profit ? (Quel profit pour l'homme dans toute sa besogne ? I, 3.) « La racine *yttr* désigne ce qui reste en plus, le surplus, la différence entre la peine et le produit... » et l'on trouve cette racine dix-huit fois dans le livre, ce qui montre l'importance de la question. Il a encore raison quand il écarte l'idée de Dahood que cette notion de profit dénote que ce livre a été écrit dans un milieu commercial ! Quel simplisme ! Pourtant je ne suis pas du tout sûr que ce soit la question fondamentale, la raison d'être du livre. « La vie peut-elle être une bonne affaire ? » A mon sens, ce n'est pas le cœur du problème pour Qohelet, mais justement, me semble-t-il, il pose la question et va jusqu'au bout parce qu'elle est inévitablement *la question de tout homme* à un niveau très simple, une expérience immédiate, mais ce n'est pas la question de Qohelet : tout au long de ce cheminement on assiste à un déplacement sur un autre terrain, à un décentrement

Notre verset n'a pas fini de nous surprendre. D'abord, il y a : vanité des vanités. Émouvant à entendre. Mais quel sens ? En réalité, c'est la forme (Lys, etc.) sous laquelle s'exprime régulièrement en hébreu l'idée superlative — je dirais presque un superlatif absolu (ce qui est confirmé par « tout »). Absolument vanité. Vanité sans exception. Et ce superlatif absolu fait échapper justement à l'idée d'un jugement *de valeur* : il n'y a pas de plus ou de moins. Il n'y a pas une échelle des valeurs, plus ou moins « valables » ! Voici, chaque chose est une vanité, et lorsque j'en prends la gerbe, lorsque je rassemble le tout, le tout de l'homme et de ses activités, je peux dire que je forme un faisceau de vanités, qui conduit à dire Vanité de Vanités, la gerbe elle-même est une vanité. Et parmi toutes les choses, je ne trouve que vanité ; je parcours tout, et voici, c'est une vanité parmi des vanités.

Ainsi la formule s'explique doublement, en effet comme un superlatif absolu et aussi comme la construction d'un génitif, la vanité qualifie toutes les vanités. Et si l'on accepte qu'il puisse y avoir là un génitif, alors, ceci entraîne des conséquences remarquables, cela peut signifier que déclarer « Tout est vanité » est en soi encore une vanité. Mais cela peut aussi évoquer pour nous la négation des négations. La disparition des disparitions, la fin des fins, la mort de la mort ! et finalement l'évanouissement des/de la vanité(s).

Mais alors, cela interdit la recherche d'une limite à la vanité ! C'est bien d'ailleurs contenu dans le texte lui-même : *Tout* est vanité. Par conséquent, plus de distinguo ! Et ce n'est pas une des moindres rigueurs de Qohelet ! Ce qui est utile/ce qui est inutile ? Les besoins réels/les besoins artificiels ? Ce qui a valeur/ce qui n'a pas valeur ? Ce qui donne sens/ce qui n'en donne pas ? Ce qui est droit et ce qui ne l'est pas ? Le juste et l'injuste ? La guerre juste et la guerre injuste ? La classe porteuse d'histoire et la classe condamnée par l'histoire ? Tout est vanité. Il n'y a pas de discrimination. Mais *sous le soleil*[1]. Nous reviendrons sur cette

---

en quelque sorte, à partir de cette *première* interrogation, naturelle, vers un renouvellement de toute la problématique, non plus à partir du profit, mais à partir du « pour rien » (c'est pour rien que l'on sert Dieu).

1. D. Lys nous dit que cette expression : « sous le soleil » revient vingt-neuf fois dans l'Ecclésiaste et jamais ailleurs dans l'Ancien Testament. Cette formule est

limite-là. Pour le reste, aucune illusion à se faire. Il n'y a qu'une classe, qu'une catégorie. Il n'y a pas de concession et de frontière à tracer. On le reverra par exemple en constatant à quel point, pour Qohelet, le mal est concret, et non pas idéal ou théorique. Tout, sous le soleil, est englobé dans la catégorie de la vanité. Voilà.

Or, ce jugement de Qohelet n'est pas une vaine déclamation d'un pessimiste caractériel. Ce n'est pas un jugement sans référence. Il cherche à rendre intelligible le secret, qui devrait s'adresser à l'intelligence du sage de la part de Dieu, mais chaque fois il se heurte dans toutes ses expériences, ses recherches et sa réflexion, au même mur. Alors, ou bien il n'y a pas de Sagesse, et tout est du vent, et rechercher le secret de l'univers est poursuite du vent. Ou bien la Sagesse existe mais ne peut pas être communiquée, alors tout est vanité, puisque plus rien n'a de sens, sinon de savoir qu'il y a un sens qu'il est vain de chercher.

Je crois que l'on ne peut pas négliger, non plus, la parenté avec Abel. Ce que nous traduisons Abel, c'est *hevel*. Et quand Qohelet lit Genèse IV, forcément il connaît tous les sens de *hevel*. Abel était buée, souffle ou fumée qui se disperse, son nom annonçait tout de suite son drame. Il n'était pas fait pour survivre — ni pour vaincre — ni pour avoir une postérité. Il était innocent et juste (ne dit-on pas précisément : Abel le juste, dans l'Épître aux Hébreux XI, 4 et les études actuelles pour démontrer qu'Abel était injuste et avait bien mérité ce que le pauvre Caïn lui a fait me paraissent de tortueuses justifications de l'homme moderne, et se heurtent à ce jugement irrémédiable...) et il est mort. Il a été exécuté par son frère. C'était son nom. Je crois qu'en réalité il ne faut pas négliger cette désignation pour comprendre la proclamation de Qohelet.

Non seulement tout est vanité au sens où nous l'avons discerné.

---

proche de « sous le Ciel », ou bien « en ce monde-ci », ici-bas. C'est l'univers terrestre, et rien au-delà. C'est le domaine de l'homme qui ne prétend pas viser celui de Dieu. La « localisation » de Dieu au Ciel désigne non le lieu où on pourrait trouver Dieu, mais sa totale transcendance et son inaccessibilité. Certains ont voulu voir dans cette locution : « sous le soleil » une influence grecque. Il y a bien un parallélisme avec une formule grecque comparable. Mais il y a aussi bien une image égyptienne ! Cette image est aussi bien sémitique que grecque. Le lieu qu'éclaire le soleil est le lieu de l'investigation possible de l'homme. *Mais* le soleil ne peut pas éclairer ce qui donnerait un sens à la vie et au travail de l'homme et qui justement *ne peut venir que d'ailleurs !*

Mais encore tout est Abel : c'est-à-dire justement comme lui condamné d'avance : tout porte le nom d'Abel. Et ceci va être l'une des rigueurs extrêmes du Qohelet : tout ce qui est, aux yeux des hommes, puissance, grandeur, réussite, tout cela est d'avance dans la catégorie de vanité ; c'est-à-dire condamné à disparaître, à s'évanouir, sans postérité, sans rien. Mais Abel est aussi le juste, et le pieux : il offrait un sacrifice. Et cela non plus ne sert à rien. Le juste meurt, assassiné. Il n'avait rien fait pour cela, il s'évanouit — rien ne reste de lui. Le pieux, le religieux aussi. Là encore, Abel est le modèle. Vous n'éviterez ni la mort, ni la méchanceté des autres, ni l'assassinat. Vous n'éviterez même pas d'être, en définitive, la cause provocatrice de cet assassinat, avec vos religions et vos sacrifices. Nous sommes tous de la race d'Abel, non pas le faible et l'innocent, mais le condamné à mort et le disparu. Nous tous, y compris les Caïns, ceux qui acquièrent puissance et armes et domination. Qohelet a la force de nous montrer que Abel et Caïn forment un couple indissociable tous les deux à l'intérieur de la vanité. Et c'est pourquoi Abel est invoqué en ce début d'une marche implacable au travers de toute la réalité de l'homme.

Neher [1] montre en effet que *hevel* désigne *d'abord* non pas une chose mais un homme ! Choisir ce mot, c'est rattacher le destin au mythe d'un homme qui fut investi d'un rôle, dès l'origine. Abel est né « frère, en marge d'un autre. Quelque chose était, avant qu'il ne fût. Ce qui accueille Abel à sa naissance, c'est ce qui finalement le tuera. Et il est souffle, buée, dès sa naissance — destiné seulement à disparaître. Ce nom est sa personne même, la buée monte (comme le sacrifice) et disparaît ! Et sa disparition est complète : il n'a pas d'enfants. Abel n'a et n'est plus rien. Mais Dieu entend la voix du sang d'Abel ! » Et cela aussi est le livre de Qohelet. Mais l'étude de Neher va plus loin : Caïn est celui qui acquiert et possède. « Caïn est la permanence, là où Abel est la chute. D'Abel il ne reste rien, de Caïn il reste toujours plus. C'est l'homme de l'acquis. » Et, de façon remarquable, Neher montre que Caïn est aussi présent dans l'Ecclésiaste au chapitre II : quand il y a la description de toutes les œuvres, c'est avec le verbe *qanah* (v. 7), qu'elles sont désignées (verbe qui est la racine de Caïn !). « Désir faustien de jouissance et puissance » ; que l'on retrouve au

---

1. A. Neher, *Notes sur Qohelet*, Paris, Éditions de Minuit, 1951.

verset 11. Mais voilà, la grande œuvre de Caïn, d'acquisition, Qohelet la déclare *hevel*, Abel, vanité ! Et tous sont en réalité fils d'Abel ! Abel remplacé par Seth qui est l'humanité entière. « Tout est poursuite du vent » est interprété alors par Neher : « Sous le soleil tous les hommes sont compagnons d'Abel, substituts de ses enfants, ils marchent avec lui, dont ils sont les représentants. » Et ceci donne, d'après lui, la clé d'un verset difficile : IV, 15 : « J'ai vu tous les vivants qui marchent sous le soleil : avec le second enfant, celui qui se tient à sa place. » Ainsi tous les vivants marchent avec Abel, et celui qui se tient à sa place : Seth ! Ainsi c'est l'homme tout entier qui est vu par Qohelet dans la personne d'Abel... Et, dès lors, il n'y a plus aucune foi dans l'homme qui reste possible !

Première certitude

Il n'y a pas de progrès. Voilà la première grande certitude (I, 4-10). Et le terrible jugement, ici, c'est d'abord l'identification de l'Histoire à la Nature ! Nous sommes si habitués à penser le contraire. Le soleil se lève, le soleil se couche ; il halète vers sa demeure, puis là... il se lève. Il est le même. Le vent va vers le midi puis il tourne au nord pour revenir bientôt vers le midi. Les torrents vont à la mer, la mer n'en est pas comblée : au lieu où vont les torrents, de là ils reprennent leur cours [1]. Banale constatation.

Qui n'est pas banale pour Lys, qui y voit à juste titre une désacralisation du soleil : « Ce verset souligne : le caractère ridicule de ce soleil-esclave dont on ne peut faire un dieu, la répétition désespérée et non pas salutaire, comme dans les religions à mystère pour échapper au mystère, le fait qu'il s'agit du soleil, et non pas du feu : non pas d'un élément éternel, mais d'une créature fatiguée dans un monde fatigué et fatigant, et dont le travail est sans signification apparente et est apparemment absurde. »

Et Podechard de souligner très exactement qu'il n'est pas question en réalité d'un mouvement circulaire mais d'un constant recommencement. Mais alors c'est le non-sens de ce mouvement

---

1. Peut-on faire remarquer une singulière connaissance : le texte s'exprime comme si l'auteur savait que l'eau de mer s'évapore, et va arroser la terre pour redonner source à des torrents !

perpétuel. A quoi bon recommencer ce qui est inutile ? Enfin, Maillot ajoute que cette « nature est stable », en opposant la stabilité de la Nature à la fragilité de l'homme.

Mais la pointe extrême, à partir de ces éléments, c'est encore Lys qui la donne : « Qohelet se sert des mythes grecs sur l'homme (Sisyphe, Danaïdes) pour ridiculiser la spéculation grecque sur les éléments. La démystification qu'opère Qohelet se fait en deux temps : il est insuffisant d'expliquer le monde à partir de ce qui le constitue. L'univers est impassible devant les mouvements de l'homme et, ce qui, dans l'univers, se meut, manque autant de signification que l'homme, puisque cela ne fait que s'agiter de façon stérile, comme la succession des générations humaines. »

Il y a dans cette reconnaissance d'un rythme de la Nature autre chose qu'une banale constatation. C'est aussi la découverte que, du fait même de ce changement insignifiant, la Nature n'est pas une permanence immuable. Le vent tourne comme un fou. Peut-être cherchait-on un point de référence solide, en dehors des mythes religieux. Et Qohelet nous dit en passant que la Nature n'est pas ce point de référence. Peut-être cherchait-on une permanence, mais Qohelet nous dit que la Nature aussi est soumise à l'impermanence.

De cette « banale » constatation du circuit naturel (où il aurait pu ajouter l'hiver, l'été, etc.), Qohelet saute aussitôt à l'homme : les paroles se lassent. On ne pourra plus parler. Mais l'œil ne se rassasie pas de voir et l'oreille d'entendre. Premier pas : l'homme n'est pas indéfiniment créateur, producteur de parole (de vérité ? d'information ?), il doit s'arrêter, alors qu'il est indéfiniment récepteur, consommateur, il voit, il écoute... Mais là n'est pas le changement ni le progrès.

Il me semble qu'il y a ici le point de départ d'une réflexion fondamentale. Qohelet dans ce début donne l'image d'un ordre, l'ordre « naturel ». La Nature obéit à un rythme. Elle est elle-même un ordre. Et ceci étant donné, il me semble que tout le déroulement qui va suivre consiste à dévoiler que l'ordre (et la Sagesse !) auquel nous croyons (l'ordre de l'œuvre de l'homme) est en réalité un désordre. Il y a seulement une apparence d'ordre dans le monde social politique, humain, qui est dévoilé comme désordre effectif par la pensée *paradoxale* de Qohelet. Mais il y faut une pensée paradoxale ! Et qui finalement débouche et ne peut déboucher que sur : « Souviens-toi de ton créateur — Crains

Dieu. » Là est l'ordre vrai. Mais en cheminant je ne pouvais m'empêcher de penser au passage kierkegaardien du stade esthétique au stade éthique. Et tout particulièrement à la « culture alternée [1] » qui est une prodigieuse illustration de la plupart des thèmes de Qohelet (qui n'y est jamais cité !), et en particulier l'étonnante analyse de l'ennui qui correspond exactement à la vanité — et la récusation de toute espérance qui correspond exactement au « pessimisme pragmatique ». Rien ne vaut rien, surtout ni s'engager, ni avoir d'amis, ni se marier, ni se souvenir, ni exercer une fonction publique et jouir arbitrairement de n'importe quoi. En vain. « De l'accidentel, on fait l'absolu. » Tel est le désordre que Qohelet dévoile. Et ceci nous suivra. Jusqu'à la référence au seul absolu qui ne soit pas accidentel. Mais en attendant et finalement, ce seront toujours les mêmes choses. On entend et finalement ce seront toujours les mêmes paroles... Sagesse bien courte, banale et dépassée, sera-t-on aujourd'hui tenté de dire ! « Ce qui a été c'est ce qui sera, ce qui s'est fait c'est ce qui se fera : il n'y a rien de nouveau sous le soleil. Qu'il y ait quelque chose dont on dise : voici, ceci est du nouveau ! Cela a déjà été aux siècles qui furent avant nous... » C'est faux et archifaux, n'est-ce pas, en nos siècles précisément. Comment donc ? Mais tout est nouveau aujourd'hui. On n'a jamais rien vu qui soit l'équivalent de nos inventions ! Et l'électricité, et la désintégration de l'atome, et... pourquoi énumérer les découvertes de la science, les applications de la technique ! Tout aujourd'hui est nouveau. Les crises économiques sont sans précédent, le niveau de vie... la médecine, le peuplement du monde, les régimes politiques... Je pourrais m'en tirer sur le mode ironique, en rappelant, par exemple, le merveilleux *Colloque avec une momie* d'E. A. Poe. Les savants, ayant réveillé une momie, croient l'éblouir en lui montrant tout ce que l'on a découvert, mais chaque fois la momie explique d'un air dédaigneux qu'on connaissait très bien tout ça trois mille ans avant J.-C. Et tout à coup elle s'effondre parce que le Dr Ponnoner lui offre des pilules pour le foie : ça, on ne le connaissait pas !

Soyons sérieux ! Quand au ve ou au iiie siècle, Qohelet, qui n'est pas un imbécile, écrit cela, il voit très bien que depuis trois mille ans, il y a eu du nouveau dans ce Proche-Orient où il vit ! La roue,

1. *L'Alternative, Œuvres complètes, op. cit.*, III.

l'irrigation, l'agriculture, la navigation, la domestication des animaux... On n'a pas cessé de faire des progrès ! Bien sûr, il le sait. Des progrès pas aussi rapides que les nôtres, mais aussi fondamentaux pour l'avenir de l'homme. Et pourtant il dit ce qu'il dit. C'est qu'assurément il ne vise pas *ces* progrès. Il ne parle pas science et technique. Il ne parle pas d'instruments. Il parle de l'homme, comme il le montre au verset 8 du chapitre I. Et n'est-ce pas important de songer qu'au milieu du XIXᵉ siècle, en pleine explosion du progrès, au moment même où Marx construit tout, sur cette conviction du progrès, voici un homme, exprimant le sentiment de combien d'autres, qui clame : « Du nouveau, du nouveau, n'en fut-il plus au monde ! » Impossible de trouver ce nouveau. Nous voyageons, c'est admirable, les paysages changent, les merveilles du monde, la lumière et les coutumes, et les yeux des voyageurs (aujourd'hui leurs caméras) sont pleins de nouveautés. Et puis, et puis encore ? Alors, ici la réponse change. L'homme partout, toujours dur conquérant, impitoyable et cruel. La femme esclave vile. « Nous avons vu partout, et sans l'avoir cherché [...] le spectacle ennuyeux de l'immortel péché [...] — Tel est du globe entier l'éternel bulletin... » Seule la Mort... (Baudelaire, *le Voyage*).

Si aujourd'hui un prédicateur osait dire cela, il se ferait sérieusement remettre à sa place par les théologiens, mais c'est Baudelaire ! qui répète Qohelet. Car c'est de cela même qu'il s'agit. Le chatoiement des décors, Qohelet le connaît. Moi, Salomon ! Comme créateur de décors, il a sûrement fait aussi bien que les Pharaons ou Louis XIV. Mais derrière. Comme dans les décors du *Loup des steppes,* derrière, nous trouvons la même scène.

Voilà l'Ecclésiaste. Il n'y a pas de progrès de l'homme. Il peut avoir des instruments toujours plus perfectionnés. Il peut manipuler plus de choses. Il peut faire plus. Il *n'est* pas plus. Sa vie n'est pas autre. Il reste enfermé dans sa condition — dans son espace — dans son temps. L'homme d'aujourd'hui n'est pas plus intelligent que celui d'il y a cinq mille ans. Il n'est pas plus juste — il n'est pas meilleur. Il n'est même pas plus savant, car les connaissances qu'il acquiert massivement aujourd'hui (et qui ne s'intègrent ni dans une culture ni dans sa personnalité !) sont largement compensées par celles qu'il perd, de la nature, de l'instinct, de l'intuition, de la relation. Et cette mise en garde, à laquelle nous n'arrivons pas à croire, nous hommes du progrès foudroyant du XXe siècle, devrait nous conduire à prendre très au sérieux la question probablement la plus fondamentale de notre siècle : Qu'est-ce que coûte effectivement chaque progrès ? Qu'est-ce que l'on perd pour chaque gain ? Qu'est-ce qui disparaît dans chaque invention ? Quel nouveau danger dans chaque technique ? Quel est finalement le « profit » ? dirait Qohelet. Tant qu'on n'est pas capable de répondre à ces questions de façon complète, il faut rengainer l'exaltation du progrès[1].

Non, cet homme de 1980 n'est en rien supérieur. Il n'est même pas nouveau. Il vient. Il passe. C'est tout ce qu'on peut dire de lui, comme autrefois. Et il ne laisse, après lui, aucune trace. Il n'y a pas de souvenir des anciens. Certes, il laisse la trace des choses qu'il a utilisées. Mais lui ? Et notre génération ? Il n'y en aura aucun souvenir chez ceux qui viendront après (I, 11). Il faut prendre conscience de ce que cela veut dire par rapport à nos idéologies et à notre triomphalisme. En tant que chrétiens nous devons savoir fermement que nous n'avançons en rien vers le Royaume de Dieu. Que celui-ci ne se constitue pas au travers de l'Histoire, qu'il ne viendra pas lorsque peu à peu le monde aura été christianisé, converti, lorsque la société sera devenue plus juste, etc.

Il est absolument formidable (au sens étymologique !) de constater la permanence, la perpétuation de cette énorme hérésie (qui dans nos temps modernes culmine chez Teilhard de Chardin...) selon laquelle les progrès spirituels, religieux, culturels nous font avancer vers le Royaume de Dieu. Comme si celui-ci était la conclusion normale de notre histoire, comme si elle aboutissait normalement dans le Royaume, comme un fleuve dans la mer. Il y a pourtant assez d'avertissements à l'encontre de cela ! Toute l'Apocalypse, le chapitre XXIV de Matthieu et Pierre (II, III, 10) nous annoncent que nous allons vers une catastrophe finale qui anéantit le monde et l'Église, avant que le Royaume de Dieu n'apparaisse dans une nouvelle création. Le chaos d'abord où s'effondrent toutes nos religions, nos piétés, nos cultures, nos institutions. Il n'y a pas de passage continu selon les stades définis par le brave père Teilhard ! Et voici que l'Ecclésiaste remonte un

---

1. Jacques Ellul, « L'ambivalence du progrès technique », *Revue administrative*, 1964.

peu plus haut : non seulement il n'y a pas de passage de l'Histoire à ce Royaume, mais encore il n'y a au cours de l'Histoire aucun progrès. Il y a bien une histoire, certes. Mais au cours de laquelle l'homme ne passe nullement d'un stade inférieur à un stade supérieur dans sa réalité d'homme. Toute notre société occidentale se trouve ainsi remise en question. Non seulement l'interprétation des sociétés mais le marxisme lui-même qui est tout entier fondé sur cette croyance au progrès (incritiquée par Marx !)

Absence de progrès, je le répète, ne signifie pourtant pas identité ou stagnation. Ce qui a été est ce qui sera. Ce qui s'est fait est ce qui se fera. Nous sommes non pas en présence d'une appréciation *quantitative* ou encore de l'ordre du pratique, je le répète, mais de l'*être* (ce qui a été... ce qui sera) et du mode de l'action humaine. Non pas de ses moyens. Que Gengis Khan tue au sabre et que nous tuions à la bombe atomique, il y a un changement prodigieux dans la façon de faire, mais non pas dans le faire : tuer. Et le meurtre, la convoitise, la domination, cela ne change pas. Il n'y a vraiment rien de nouveau sous le soleil. Il peut y avoir, pour prendre une opposition qui devient classique, une *croissance* (quantitative), il n'y a pas de *développement* (qualitatif) de l'humain. En tenant compte de ce que nous avons déjà dit plus haut, à savoir que c'est une vue du réel à partir de ce que Dieu nous révèle. Nous pouvons vivre dans « l'illusion de ce progrès », jusqu'à ce que la vérité révélée par Dieu nous montre ce qu'il en est.

Nous nous heurtons alors à une autre objection : après tout, a-t-on dit, avec une grande sagesse et une certaine condescendance, nous sommes en présence d'une philosophie bien connue, générale dans l'Antiquité, celle de l'Histoire cyclique, correspondant à un temps cyclique. Et d'invoquer aussitôt bon nombre de philosophes grecs... Les empires, les sociétés naissent, se développent, atteignent leur maturité, déclinent et meurent. Et tout recommence. Cependant, ce n'est pas du tout ce que nous dit l'Ecclésiaste ! Il ne dit nullement qu'il y a chute et renouveau, il ne prend pas l'exemple classique de la végétation. Il ne donne pas de modèle cyclique. Même pour le soleil, même pour les torrents, il ne désigne pas le caractère cyclique, mais une continuité de l'identique. Il ne suit pas le soleil dans sa course et sa renaissance, non, du tout : c'est le fait brut : il se lève, il se couche. Rien de nouveau dans ce qui se passe !

Il parle ici d'une identité de l'homme à lui-même, et non pas de la répétition des événements ni des circonstances. Les événements changent. Les conditions de vie, les niveaux de vie aussi. Mais si c'est l'homme qui est fondamentalement le même, alors Qohelet ne désigne pas un cycle, un Éternel Retour, mais une ligne du temps ponctuée d'événements variables ou comparables, qui sont réduits à peu de chose par l'identité du vivant ! Et si nous croyons accéder à du nouveau, c'est que nous avons oublié ce qui s'est fait hier. Toutefois, s'il permet de récuser notre idéologie du progrès, l'Ecclésiaste ne tombe précisément pas dans celle, inverse, dominante dans tout un courant de pensée de son époque : le passé merveilleux, l'âge d'or d'autrefois, l'humanité engagée dans le déclin. Non pas ! « Ne dis pas : " Comment se fait-il que les jours anciens ont été meilleurs que ceux-ci ? " Ce n'est pas en effet par sagesse que tu poses cette question » (VII, 10). Simple récusation. Il est absurde de croire à un premier âge d'or, à un passé bienheureux : ce qui est maintenant, c'est ce qui a été autrefois ! Ni plus ni moins ! D'ailleurs ce passé est, dans sa réalité, sa vérité aussi, tombé dans l'oubli. Nous non plus n'avons pas à aspirer aux jours d'autrefois... ni sur le plan collectif ni sur le plan individuel.

La complexité de cette pensée n'est pas achevée. Voici maintenant que l'Ecclésiaste marque très fortement l'imprévisibilité ! Ce qui semble contradictoire. Si ce qui sera c'est ce qui a déjà été, on doit pouvoir le prévoir. Pas du tout ! D'abord il n'y a pas de souvenir (I, 11), de vrai souvenir, de la vérité de ce qui fut. Et quand Qohelet cherche à examiner tout ce qui se fait, il conclut que c'est une occupation mauvaise sous le soleil ! Vous ne pouvez tirer aucune conséquence, aucune leçon pour l'avenir de ce qui fut, car vous ne connaissez qu'une écorce des choses, que des témoignages fragmentaires, qui nous permettent de nous raconter des histoires mais non de connaître la vérité. Car tout est oublié[1]. Ce qui a été, c'est ce qui sera, oui. Mais ce qui a été a sombré irrémédiablement dans l'oubli, qu'il s'agisse de la vie du sage ou de la vie du fou, du

---

1. Le thème fondamental de l'oubli universel me fait penser à Kundera, dans *La Plaisanterie* (Paris, Gallimard, 1968), quand il énonce cette vérité terrible : « Les hommes commettent tous une double erreur : ils croient que rien de ce qu'ils font ne sera oublié, et en même temps que tout sera pardonné. La vérité, c'est que *tout sera oublié* mais que *rien jamais ne sera pardonné.* » Qohelet comme préface de l'Évangile.

2. Méditation

Après avoir rencontré la buée de *hevel*, et la lourdeur de l'absence de progrès, il s'agit déjà maintenant d'accéder à un autre niveau de réflexion.

Il n'y a rien de nouveau — ce qui a été hier, c'est ce qui sera demain.

Ce qui a été hier est complètement oublié. Ce passé est comme s'il n'avait jamais été.

Ce qui sera demain est impossible à connaître. Il n'y a aucune prévision concevable [1].

Nous n'avons donc à espérer aucune « leçon de l'Histoire ». Il n'y a pas de « sens de l'Histoire », car, pour établir ce sens, il faudrait des repères, sens du passé, qui permettent de fixer des points de visée pour l'avenir. L'Histoire ne se répète [2] pas. Jamais une situation n'est comparable à une autre. On ne peut jamais calculer ce qu'il faut faire aujourd'hui en prenant appui sur ce qui s'est passé hier.

Et pourtant, il n'y a rien de nouveau sous le soleil. Ce qui arrivera demain n'est pas nouveau : cela a déjà été hier.

Tout change comme le vent qui tourne et tourne. Une génération s'en va, une autre vient. C'est tout. Les torrents s'en vont, et de là ils reprennent leur cours.

Il y a dans l'instant un moment pour tout. Tout et n'importe quoi. Pour toute activité. Jamais semblable. Jamais renouvelable. Sans origine et sans avenir puisque son contraire est identique [3].

---

1. Nous étudierons l'impossibilité de la prévision au chapitre II.

2. Après avoir passé une période pendant laquelle on prétendait soit tirer les leçons de l'Histoire, soit trouver des comparaisons et des identités entre des périodes historiques et des évolutions (le modèle d'ailleurs passionnant était Toynbee, et la comparaison entre notre époque moderne et le déclin de l'Empire romain était traditionnelle...), on en est actuellement venu au contraire à l'impossibilité d'une pareille recherche : il y a beaucoup trop de facteurs en jeu, trop de « paramètres » incomparables, trop de diversités de mentalités : chaque culture est spécifique, chaque époque est unique, il n'y a aucune ressemblance entre ce que nous pouvons connaître du passé, d'un temps à un autre, sauf à rester dans des généralités insignifiantes.

3. Nous étudierons le poème sur le « Temps pour tout » au chapitre III.

Ces constats sont évidemment contradictoires les uns par rapport aux autres, mais irrécusables.

Et nous voici directement placés en présence du dilemme renouvelé par Kundera [1]. L'Éternel Retour est insensé. « Penser qu'un jour tout va se répéter comme on l'a déjà vécu, et que cette répétition va encore indéfiniment se répéter. » C'est fou. « Si chaque seconde de notre vie doit se répéter un nombre infini de fois, nous sommes cloués à l'éternité, comme Jésus-Christ sur sa croix. Quelle atroce idée ! Dans le monde de l'éternel retour, chaque geste porte le poids d'une insoutenable responsabilité. C'est ce qui faisait dire à Nietzsche que l'idée de l'éternel retour est le plus lourd fardeau. » Mais ce mythe nous dit, « par négation, que la vie qui va disparaître une fois pour toutes et ne reviendra pas est semblable à une ombre, qu'elle est sans poids, qu'elle est morte dès aujourd'hui, qu'aussi atroce, aussi belle, aussi splendide fût-elle, cette beauté, cette horreur n'ont aucun sens ». « Si l'événement se répète un nombre incalculable de fois, il devient un bloc qui se dresse [...] et sa sottise sera rémission [2]. » « Mais si l'éternel retour est le plus lourd fardeau, nos vies sur cette toile de fond peuvent apparaître dans toute leur splendide légèreté. Mais au vrai, la pesanteur est-elle atroce et belle la légèreté ? Le plus lourd fardeau nous écrase, nous fait ployer, sous lui, nous presse contre le sol... Mais il est en même temps l'image du plus intense accomplissement vital. Plus lourd est le fardeau, plus notre vie est proche de la terre, et plus elle est réelle et vraie. En revanche, l'absence totale de fardeau fait que l'être humain devient plus léger que l'air, qu'il s'envole [3], qu'il s'éloigne de la terre, qu'il n'est plus qu'à demi réel et que ses mouvements sont aussi libres qu'insignifiants. Alors que choisir ? la pesanteur ou la légèreté ? C'est la question que s'est posée Parménide [...] [qui partageait le monde en une série de couples, de pôles, l'un positif, l'autre négatif] : qu'est-ce qui est positif, la pesanteur ou la légèreté ? Parménide

---

1. Le texte qui suit est tiré de Milan Kundera, *L'Insoutenable Légèreté de l'être*, Paris, Gallimard, 1984.

2. Que l'on prenne n'importe quel événement de l'Histoire, quand nous en savons les suites : qui voudrait recommencer la guerre de 1914, étant donné ce qu'elle a produit ?

3. Comme le souffle, la buée, Abel...

répondait : le léger est positif, le lourd est négatif. Avait-il ou non raison ? C'est la question. Une seule chose est certaine. La contradiction lourd-léger est la plus mystérieuse et la plus ambiguë de toutes les contradictions. » C'est exactement en elle que nous place Qohelet, et c'est elle qu'il va, sans fin, retourner en reprenant tous les thèmes possibles, jusqu'à l'ultime découverte.

Mais reprenons Kundera : Si la vie ne se répète pas, s'il n'y a pas d'« éternel retour », alors chaque situation est nouvelle, et nous avons à prendre des décisions sans savoir. « Il n'existe aucun moyen de vérifier quelle décision est la bonne, car il n'existe aucune comparaison. Tout est vécu tout de suite pour la première fois et sans préparation. Comme si un acteur entrait en scène sans avoir jamais répété. Mais que peut valoir la vie, si la première répétition de la vie est déjà la vie même ? C'est ce qui fait que la vie ressemble toujours à une esquisse. Mais même " esquisse " n'est pas le mot juste, car une esquisse est toujours l'ébauche de quelque chose, la préparation d'un tableau, tandis que l'esquisse qu'est notre vie n'est l'esquisse de rien, une ébauche sans tableau [1] » (d'où la « vanité »). Le proverbe allemand : *einmal ist keinmal*. Une fois ne compte pas. Une fois, c'est jamais. « Ne pouvoir vivre qu'une vie, c'est comme ne pas vivre du tout... » A la différence de Parménide, Beethoven considérait la pesanteur comme quelque chose de positif... La décision gravement pesée est associée à la voix du Destin. *Es muss*. « La pesanteur, la nécessité et la valeur sont trois notions intimement et profondément liées : n'est grave que ce qui est nécessaire, n'a de valeur que ce qui pèse. »

« Mais au contraire, un événement n'est-il pas d'autant plus important et chargé de signification qu'il dépend d'un plus grand nombre de circonstances fortuites ? Seul le hasard peut être interprété comme un message. Ce qui arrive par nécessité, ce qui est attendu et se répète quotidiennement n'est que chose muette. Seul le hasard est parlant... Le hasard a des sortilèges, pas la nécessité. Pour qu'un amour soit inoubliable, il faut que les hasards

---

1. Et c'est pourquoi par exemple il ne peut pas y avoir de mariage à l'essai, contrairement aux sottes idées de Margaret Mead. Le mariage, c'est non le fait de coucher ensemble mais l'*engagement de toute une vie, pour toujours,* dans les bons et les mauvais jours. Tant que cet engagement n'est pas pris, il n'y a pas de mariage. Et quand il est pris, il n'y a plus d'essai !

s'y rejoignent dès le premier instant, comme les oiseaux sur les épaules de saint François d'Assise... » Mais quelle erreur ce serait de croire que le hasard serait comparable à la légèreté ! ou à l'unicité de la vie ou de l'événement. Et pas davantage le hasard n'est le contraire du destin ou de la nécessité. Nous savons maintenant, au contraire, que hasard et nécessité se combinent, sans grâce.

Qohelet ne parle pas de hasard, ni de destin. Et pourtant tout se passe, dans son implacable combat, comme s'il voulait détruire, à droite comme à gauche, à la fois le hasard et la nécessité. Leur enlevant toute prise sur l'être. « La vie humaine n'a lieu qu'une seule fois et nous ne pourrons jamais vérifier quelle était la bonne et quelle était la mauvaise décision, parce que, dans toute situation, nous ne pouvons décider qu'une seule fois. Il ne nous est pas donné une deuxième, une troisième, une quatrième vie pour que nous puissions comparer les différentes décisions ! » « Une fois, c'est jamais. L'histoire est tout aussi légère que la vie de l'individu, insupportablement légère, légère comme un duvet, comme une poussière qui s'envole, comme une chose qui va disparaître demain. » Tel est le fond du problème. Le seul qui vaille la peine d'être posé, et posé tel que Qohelet le pose.

En face, il y a deux types d'hommes. Celui qui accepte cette légèreté de la vie et de l'histoire. Mais alors, il faut qu'il accepte que une fois, c'est jamais. Et que tout est buée, ou vanité. Et celui qui ne l'accepte pas, qui veut avoir des fondements immuables, calculer la route de l'histoire. Répétant avec Beethoven : « *Muss es sein ? Es muss sein !* » Celui qui agit comme si l'histoire n'était pas une esquisse mais un tableau achevé. Qui agit comme si tout ce qu'il fait devait se répéter un nombre incalculable de fois. Un homme, qui, alors, est convaincu d'avoir raison et qui est certain de ne jamais douter de ses gestes. Mais qui est alors celui que Qohelet récuse aussi radicalement, parce que cet homme-là est le modèle de ce que nous appelons maintenant l'homme totalitaire. L'homme qui parle la langue de bois et que n'effleure jamais la moindre question. Il n'y a qu'une chose qu'il ignore, c'est qu'il est vanité ! Mais en face de lui, jamais effleuré d'aucun doute, celui qui lutte contre le régime totalitaire (et ceci me prépare à comprendre le prochain texte sur la vanité du pouvoir !) ne peut guère lutter qu'avec des interrogations et des doutes. Sinon, il représenterait lui aussi une vérité, une certitude simpliste et alors il rentrerait dans le même jeu.

Est-il bien certain que Abel, fumée, buée soient des désignations négatives ? Mais alors *hevel, hevelim ?*... Nous avons déjà dit que cela n'équivaut pas à : « Rien ne vaut rien... » Qui plus est, nous accédons avec Kundera à une dernière épreuve. La légèreté est la possibilité même de l'amour. Seul ce qui est unique, ce qui est transitoire, ce qui ne se verra pas deux fois peut provoquer l'amour dans l'instant miraculeux qui si souvent a été dit Éternité. « Aimez ce que jamais on ne verra deux fois. » Pourquoi aimer ce qui dure indéfiniment, ce qui se répète identique, pourquoi aimer l'immuable : il ne peut être transcendé. Jésus l'unique et le fragile. Il n'y a aucun amour possible dans le destin, dans l'immuable et le fatal. L'amour n'a de réalité, de vérité que dans l'instant et dans le fugace.

« Pleurant comme Diane au bord de ses fontaines/son amour taciturne et toujours menacé. » Il n'y a pas d'amour possible dans la circularité. Il n'y a pas d'amour possible sans le doute et la reprise. Il n'y a pas d'amour possible dans le destin, dans la fatalité. L'Éternel Retour est la négation de toute possibilité de l'amour.

Mais alors, la fragilité d'Abel ?

Tout ceci est au centre de Qohelet et revient tout au long de ses méandres. Si tout est vanité, si la légèreté ce n'est que du vent, et poursuite du vent, inutilité complète, Qohelet serait-il alors pour le lourd, le solide, l'immuable ? Mais précisément, la pesanteur du rien de nouveau manifeste que tout est vanité ! Autrement dit, il va s'attacher à montrer que tout ce que l'homme tient pour du stable, du concret, de l'installé, de l'acquis, c'est du vent, non pas la légèreté joyeuse de la poussière qui danse, mais une fumée qui s'évanouit dans la tempête du vent d'ouest... Rien. Il n'y a rien de solide. Et le seul stable, le fait qu'il n'y a « rien de nouveau », que l'essentiel est impossible à changer, le conduit à rejeter comme inutile le grand projet de l'homme. L'immuable montre que précisément tout est vanité. La vanité manifeste qu'il n'y a rien d'immuable. Mais si l'un exclut l'autre, l'homme est fait de l'un et de l'autre. Il est les deux en même temps. Il est le producteur de stabilité et le créateur de la foudre. Il est la buée et l'identité. Il est légèreté et pesanteur. Il ne peut échapper à cette essentielle dualité : voilà la leçon de Qohelet, jusqu'à ce que, dans l'acte final, tout change, quand la légèreté devient la grâce, et la pesanteur l'éternité. Selon que Dieu est toujours l'Éternel et le Nouveau... « Et Dieu lui-même jeune ensemble qu'éternel... » Voilà ce que vise Qohelet.

3. Le pouvoir

Qohelet proclame qu'il a été roi, roi à Jérusalem, et qu'il a recherché le pouvoir, il accumule les jugements sur les diverses formes de pouvoir. Il ne faut pas se laisser abuser par ce titre de « roi ». Ou bien c'est la désignation conventionnelle rattachée au nom de Salomon, ou bien cela veut simplement dire : propriétaire (mais grand propriétaire !) de biens à Jérusalem. Après tout, nous avons encore le souvenir des « rois de l'acier » ou des « rois des chemins de fer » des années 1900 ! Ce n'est pas sur ce mot qu'il faut se fonder. Je crois toutefois qu'il a un sens : Qohelet veut dire ici : « Si je parle du pouvoir, ce n'est pas d'une façon abstraite, théorique, extérieure : j'ai été roi, et par conséquent je sais par expérience de quoi je parle ! »

C'est à partir de là que se poursuit une analyse percutante de la réalité du pouvoir — le premier constat radical de ce roi, c'est que la puissance est toujours absolue. Cette certitude que le pouvoir ici est considéré comme absolu est confirmée par le mot employé en II, 19 (il sera maître de tout mon travail...), qui désigne bien le maître absolu, l'autorité illimitée, avec la possibilité de détruire ! Il est vain de contester ! Moi, l'interprète du roi, je te dis : « Observe l'ordre du roi et, à cause du serment fait devant Dieu[1], ne te hâte pas d'aller loin de son visage. Ne t'obstine pas dans une mauvaise cause, car il fera tout ce qui lui plaît. Parce que la parole du roi fait autorité, qui lui dira : " Que fais-tu ? " » (VIII, 2-4).

---

1. Ceci vise ou bien le serment de fidélité prêté au roi : alors être respectueux à cause du serment prêté devant Dieu — ou bien le serment prêté, au cours d'un procès, mais lui aussi devant Dieu : alors il y a motif de *bien* obéir.

Ces versets viennent en contrepoint de celui qui précède sur la sagesse : « Le sage *connaît* l'explication des choses, la sagesse d'un homme fait briller son visage... » Qohelet se situe alors comme un scribe au service du roi. Un scribe intelligent, qui sait interpréter les lois et qui sait aussi que devant le roi aucune Sagesse, aucune intelligence ne tient. Il doit veiller à saisir le moment favorable ! Il faut saisir l'occasion mais ceci est fragile !

Le sage n'a pas le pouvoir — le roi n'est pas sage. Et il ne sert à rien au sage de contester la décision du roi, car le roi fait ce qu'il veut ! Et personne n'a à lui demander les raisons de son acte ! Vision du dictateur ? du monarque absolu ? Allons donc ! Tout autant vision du conseil d'administration d'une multinationale, ou de l'administration et de la bureaucratie modernes, qui sont tout aussi autoritaires, arbitraires, absolus, sans explication, que le dictateur ou le roi. Inutile de contester ou de demander une explication. Le pouvoir est toujours le pouvoir ; quelle que soit sa forme constitutionnelle, il renaît toujours sous la forme d'un pouvoir absolu. Cependant, le pouvoir ne peut-il changer aussi selon la personne qui l'exerce ? Par deux fois, Qohelet semble nous le dire : Il vaut quand même mieux un roi expérimenté, assagi, entouré de princes vertueux, qui ne font pas d'orgie, qui ne passent pas leur temps en banquets, et qui travaillent. Il vaut mieux que le roi soit « fils d'hommes libres [1] ». Mais il ne faut pas trop y compter ! Car aussitôt la Sagesse de l'Ecclésiaste vient apporter la contradiction ! Et cette contradiction même est double.

Un roi expérimenté vaut mieux qu'un enfant ? Ce n'est pas évident. Et nous voici en présence de ce passage énigmatique (IV, 13-16) qui semble décrire l'opposition entre un roi vieux et stupide — en face de lui un enfant pauvre et sage — et même en prison — et puis (un coup d'État ?) cet enfant sort de prison, il était né misérable, mais pourtant il est porté au pouvoir. Cela peut aussi se référer soit à la succession de Salomon, soit au fait qu'à l'époque de l'auteur (mettons le IIIe siècle) la royauté n'avait plus aucune valeur et que des « criminels » avaient pris le pouvoir. Auquel cas il faut

---

1. Il est possible que cette allusion concerne moins Israël que ce qui se produisait en Grèce où les « ministres » commençaient à être des esclaves affranchis, pratique qui se développera prodigieusement à Rome sous le principat. Tout le pouvoir était en fait aux mains d'anciens esclaves.

prendre une autre traduction. Par exemple : celui qui est sorti de prison pour régner reste *vil* malgré son règne. Et tous, l'opinion publique, la foule, vont après lui, l'acclament, il était en prison (mais pourquoi le second ?) et il devient le roi, avec l'appui ou au moins le consentement de tous. Et c'est bien. Et le peuple est heureux et nombreux. « Il n'y avait pas de fin à tout le peuple, à tous ceux devant qui il était » (IV, 16).

Mesurons-nous bien la terrible démystification du pouvoir royal que cela représente ? Mais attendons la fin ! « Pourtant la postérité ne se réjouira pas de lui ! Et cela aussi est vanité, et poursuite du vent. » Voilà tout le jugement sur le roi sage et qui a remplacé le roi fou — sur l'enfant qui a réuni l'acclamation du peuple. Et combien d'aventures politiques cela ne nous rappelle-t-il pas ? Qu'est devenu, dans l'image de la postérité, Louis le Bien-aimé, monté enfant sur le trône au milieu des enthousiasmes du peuple enfin débarrassé de l'horrible vieillard qui se faisait appeler le Roi-Soleil ? Monté enfant sur le trône alors qu'il n'avait presque aucune chance d'y accéder, et qui semblait revêtu de toutes les vertus, et investi d'une intelligence exceptionnelle ? Et dont le cortège funèbre passera dans une indifférence générale. Vanité, poursuite du vent. Ainsi, finalement, l'un vaut l'autre ! Et cela d'autant plus qu'il faut penser à l'avenir ! On a un bon roi — oui, mais qui lui succédera (II, 12) ? Phrase énigmatique [1] qui rappelle peut-être le mauvais souvenir des successeurs de Salomon ! Ou bien qui peut dire que le pouvoir n'apportera rien de nouveau et qu'il n'y a rien à attendre de bon d'un nouveau roi ? Ou enfin qui peut dire que le successeur se bornera à gérer ce qu'a fait l'ancien ? De toute façon, ne rien en espérer...

---

1. D. Lys a fait une remarquable recension des possibilités de ce texte : il y a neuf traductions possibles ! Qui d'ailleurs me paraissent revenir à peu de chose près au même. Mais celle de Lys est très intéressante : « Le successeur sera ce que son prédécesseur l'aura fait. » Malheureusement, cela ne marche pas très bien avec la succession de Salomon. Et Lys s'en tire en disant que c'est une sorte de *mea culpa* salomonien ! A moins que l'on ne reprenne l'idée que ce livre est un pamphlet d'un « parti politique antisalomonien » ! En tout cas, c'est une preuve de plus que la sagesse ne garantit pas un successeur digne et que l'éducation ne suffit pas à préparer la succession.

Dans la sphère de la vanité du pouvoir, il faut aussi faire entrer ce que Qohelet dit de la renommée, de la réputation, de la gloire — qui se rattache à cette popularité du petit roi (IV, 13-16), dont on se lassera vite... « Mieux vaut renom qu'huile parfumée... » (VII, 1). Pour beaucoup, c'est un proverbe d'une banalité vide (on l'a comparé à : « Bonne renommée vaut mieux que ceinture dorée »). Et l'on accepte avec simplicité que cet Ecclésiaste ait rassemblé des textes de toutes sortes, y compris des dictons sans aucune valeur. Je dois dire que cela me surprend que l'on admette cette « évidence » aisément de la part d'un écrivain aussi dur et lucide. Je crains que, lorsque nous lisons cela comme banalité, ce ne soit nous qui soyons superficiels et banals ! Déjà le verset complet avec ses deux stiques devrait éveiller l'attention : « Mieux vaut renom qu'huile parfumée et le jour de la mort que le jour de sa naissance. » La renommée, la gloire, la réputation... mais pourquoi comparée au parfum ?

Je crois qu'il y a une terrible ironie, confirmée par d'autres textes. Quelle est donc la spécificité du parfum ? Il sent bon, il donne une impression agréable, mais... il s'évapore vite [1] ! Et si vous laissez le flacon ouvert, bientôt, il n'y a plus rien ! Or, voici la comparaison avec la renommée ! Elle aussi s'évapore vite, elle se dissipe. Moins vite peut-être que le parfum, mais elle est de même nature. Elle n'est pas durable. Et c'est ce que Qohelet ne cesse de nous répéter : les morts sont oubliés. Il ne reste aucun souvenir de ceux qui sont morts — et ceux qui viendront ensuite ne laisseront pas plus de trace (I, 11). Celui qui a fait le mal, on ne s'en souvient pas, et ensuite il est honoré — celui qui a fait le bien est effacé de la mémoire des hommes — et le grand politique sage et intègre qui a sauvé la ville, personne ne s'en souvient (IX, 15). Le peuple ainsi se détache du souverain que l'on avait acclamé. L'opinion publique est essentiellement instable. Qui plus est, sa sagesse, la sagesse populaire, ses convictions, ses opinions mourront avec leurs porteurs.

Il faut peut-être rapprocher cela d'une phrase incisive de Job, s'adressant à ses amis (XII, 2) : « Vous êtes le peuple, et avec vous mourra la Sagesse ! » Ainsi, se rappeler que la Sagesse, toute renommée, toute culture, sont essentiellement relatives, temporaires, fragiles, incertaines, ne durent pas plus qu'une génération

---

1. A moins que le parfum ne soit à base d'huile : mais alors l'huile devient rance.

78

du peuple, qui meurt vite. Le peuple n'est pas Dieu. Il ne dit jamais ni en politique ni en vérité le dernier mot. Et la renommée, la « gloire » auprès des foules n'est rien, n'a rien à voir avec la Révélation de Dieu. « *Vox populi, vox dei* » est un mensonge. C'est dans cette perspective-là, qui est constante, qu'il faut lire le : « Mieux vaut une bonne renommée... » Et, dans ces conditions, il est parfaitement ridicule de vouloir acquérir gloire et réputation mondiale [1].

Dès lors, la mort vaut mieux que la vie parce que cette vie se dissipe sans fin, et le pouvoir, y compris l'engouement du public et du peuple, n'est qu'un piège. Voilà ce que fait Qohelet avec le dicton banal! Et là encore il montre avec rigueur le réel : car enfin, parcourez les gloires de la renommée! Qui dure? Qui ne sombre pas dans l'oubli? Gloires politiques... qui se souvient de Poincaré ou d'Herriot? Gloires littéraires? Qui se souvient d'Anatole France? Un bon exercice, dans la ligne de Qohelet; je conseille vivement à tous ceux qui croient à la gloire des vedettes des médias de lire le Grand Larousse du XIXe siècle. Ils y verront des centaines de noms d'hommes éminents, ayant une considérable réputation en 1890 et *totalement* inconnus moins d'un siècle après. Qohelet a raison, pourquoi gaspiller sa vie à chercher la renommée! Qui fait partie du pouvoir!

Mais il y a plus. Un tout petit mot doit nous retenir maintenant : « Un roi est asservi à un champ » (V, 8). Voilà la limite de la grandeur royale! Et comme plus haut, le texte parle de « la terre », ce n'est pas pour rien qu'ici on la réduit avec ironie à la dimension d'un champ. Peut-être aussi cela évoquait-il des histoires anciennes... la vigne de Naboth? La terre, le champ — aussi bien plus tard, la patrie, puis la nation. Fondement et limite du pouvoir. Il peut tout mais il est asservi par la nécessité de garder la terre et

---

1. Je me sépare donc totalement de l'explication de Duesberg (cité par Maillot) qui dit que : la renommée dure après la mort, alors que l'huile parfumée était ce dont on lavait les nouveau-nés! Mais je me sépare aussi de Maillot qui change la renommée en nom. Et l'interprète : l'être vaut mieux que le paraître. Mais ça ne va pas avec le second stique! Comment l'être pourrait-il être mis en parallèle avec la mort?

d'en conquérir d'autres. *Asservi,* ce n'est pas rien ! D'un seul mot, Qohelet fait surgir la vanité d'une réalité que l'on cherche vainement à ennoblir. Il est bien indiscutable que le pouvoir politique est asservi à la défense, à la conquête, à l'assurance d'un territoire sans lequel il n'existerait pas. C'est la mesure de sa vanité. Le territoire fait partie de la définition même de l'État et de la nation — du pouvoir ! —, de sa démonstration (vanité) (la conquête coloniale française !) et de sa fragilité (vanité).

Malgré toute son infrastructure puissante et ses moyens terrifiants, le pouvoir est asservi à un champ. C'est toujours vrai.

Mais Qohelet va plus loin. Non seulement le pouvoir est dans l'univers de la vanité, mais il est en outre mauvais. Et nous avons les deux aspects du mal, l'injustice et l'oppression. Le lecteur pensera que ce n'est pas très nouveau ! Les prophètes l'ont bien dit et redit. Pourtant ici, nous avons un radicalisme plus extrême : « J'ai vu encore sous le soleil le lieu du jugement, *là* est la méchanceté — et le lieu de la justice, *là* est la méchanceté » (III, 16). Très exactement au lieu où devrait être rendue la justice, là où un pouvoir est institué pour rendre justice parmi les hommes, c'est là qu'est la « méchanceté ». Le mal installé comme juge. Mais ce qui rend cette décision plus grave, c'est qu'elle apparaît, ici, comme un constat sans nuance. Qohelet ne dit ni : « Si le roi est méchant, qu'il se repente ; s'il y a injustice, qu'il retrouve la voie de la justice », leçon habituelle des prophètes — ni : « Il y a des fois où le pouvoir est injuste ; parfois, on a un pouvoir politique bon et juste, et nous devons nous efforcer de rendre ce pouvoir ainsi, nous devons essayer de créer de bonnes institutions, etc. » Ce qui est l'espoir de tous les politologues et philosophes.

Pour Qohelet, il n'y a pas de distinction, pas de demi-mesure, pas d'alternative. C'est ainsi et pas autrement. Et de quelle façon implacable Qohelet poursuit cette dénonciation ! La méchanceté siège là où se rend la justice. Un hasard ? Non point, il redouble (V, 7) : « Si tu vois la violation de l'équité et de la justice dans la province, ne t'étonne pas de la chose car au-dessus d'un haut placé, un plus haut placé veille ! Et de plus hauts placés qu'eux, au-dessus de tous. » Ainsi ce n'est pas un vilain qui accidentellement fait des méchancetés quand il a le pouvoir. Non : il obéit à ceux qui sont au-dessus, et qui sont pires. Et eux-mêmes soumis à un haut placé, encore pire. Ainsi plus on monte dans l'échelle des pouvoirs, plus on a affaire à des hommes mauvais, de pire en pire! (Quelle illusion qu'une cour d'appel rende un meilleur jugement qu'un tribunal d'instance!) Barucq a ici une traduction et interprétation intéressante de (V, 7) : « Si tu vois l'oppression du pauvre, ne t'étonne pas. En effet un homme haut placé en couvre un autre, et au-dessus d'eux, il y a encore des autorités. » Autrement dit, un des facteurs de l'oppression, c'est le fait que « la classe politique et administrative » est solidaire, et qu'un administrateur injuste trouve toujours un supérieur pour le « couvrir » !

Voilà *l'expérience* du pouvoir pour Qohelet, voilà sa rigueur à dénoncer que s'il y a du mal dans le pouvoir, ce n'est pas dû à une mauvaise organisation ou à de mauvaises gens : « Plus c'est haut, plus c'est mauvais. » Cela éveille peut-être quelques échos, chez les uns pour l'orgueil, chez les autres pour l'esprit de puissance ! Et il ne peut même pas en être autrement, puisque ce qui suit ce jugement radical, c'est la référence à Dieu : le lieu humain de la justice, c'est très exactement là que règne le mal. Alors, « j'ai dit en mon cœur : le juste et le méchant, Dieu les jugera ». Autrement dit, il n'y a pas d'autre justice possible que celle de Dieu. Là seulement peut s'exprimer la justice. Mais cela nous conduit alors à penser que l'homme n'a pas l'idée même de ce que peut être la justice. L'homme est mauvais. Il est installé au siège du pouvoir. Comment donc pourrait-il juger de façon juste ? Voilà l'impasse.

L'autre face de ce pouvoir, c'est l'oppression (IV, 1 et V, 7). Là, il ne s'agit plus accessoirement du pouvoir politique et du roi, mais de tout pouvoir exercé par un homme sur un autre, quels qu'en soient la forme et le moyen [1]. Il a alors cette remarque étrange : le pouvoir de l'homme est limité quand il s'agit des choses (il n'y a pas d'homme qui ait pouvoir sur le vent — et personne n'a de pouvoir sur le jour de sa mort... et certes aujourd'hui nous pouvons constater autre chose ! Nous avons acquis un pouvoir presque illimité sur les choses — mais ce n'est pas mieux !), en revanche l'homme a acquis du pouvoir sur d'autres hommes : « Tout cela je

---

1. Maillot a une réflexion profonde sur ce texte : « L'homme est-il dénué de tout pouvoir comme de tout savoir ? Non — Qohelet découvre que l'homme dispose quand même d'une puissance — c'est contre son prochain. Il ne domine ni sa vie, ni son avenir, ni sa mort, mais il peut dominer son frère, et il ne s'en prive pas — le grand pouvoir de l'homme est celui de faire le mal » (*op. cit.*).

l'ai vu et j'ai appliqué mon cœur à toute l'œuvre qui se fait sous le soleil, au temps où l'homme a pouvoir sur un homme, pour lui faire du mal [1]. »

Bien d'autres textes le confirment : tout pouvoir de l'homme sur l'homme conduit à faire du mal. En définitive, il n'existe que deux catégories d'hommes — les oppresseurs et les opprimés —, pas de neutres ! Et l'oppression est telle qu'elle n'est pas caractérisée seulement par les larmes des pauvres et par la misère, mais encore plus : « L'oppression rend fou un sage » (VII, 7). Nous sommes ici au fond : la Sagesse ne résiste pas à l'oppression. Il ne faut pas s'étonner du délire des pauvres et des opprimés : Qohelet nous l'annonce, autant les massacres au cours des révoltes que l'acceptation sans discrimination d'idéologies absurdes, de croyances vaines : c'est un produit de l'oppression. Et n'ayons pas d'illusion : Qohelet fait aussi allusion à la Sagesse profonde, mettons à celle qui se rapporte à Dieu, l'oppression peut la pervertir.

Nous savons aujourd'hui que si c'était l'un des résultats spontanés de l'oppression, maintenant cette perversion de la Sagesse est expressément recherchée, voulue par nos moyens modernes d'oppression psychique. Rien n'échappe plus à ce mal illimité, puisque la Sagesse même ne peut lui résister. Sur la Terre il n'y a pas de compensation, celui qui a agi ainsi, qui a opprimé, qui a fait du mal par son pouvoir est finalement aussi honoré. « J'ai vu des méchants conduits au tombeau [avec un cortège honorifique] [...] et on oublie dans la ville qu'ils ont agi ainsi » (VIII, 10). Le mal qu'ils ont fait... on n'en parle plus après leur mort ! Hitler et Staline commencent à être réhabilités ! Alors, certes, Qohelet peut déclarer : Cela aussi est vanité ; espoir dans un jugement de l'Histoire ou dans un rétablissement de la justice à la mort du tyran, quelle illusion ! Quelle vanité ! Mais il s'agit de prendre conscience de *toutes* les oppressions (IV, 1) ; ce qui les caractérise c'est qu'il n'y a pas de *limite* (on passe de l'une à l'autre et il n'y a aucune raison que cela s'arrête à un moment) et puis il n'y a pas de *consolateur*.

La position de Qohelet est ici remarquable : il ne dit pas « absence de consolation », mais « de consolateur ». La consolation, ce serait encore de l'illusion, de la vanité. Il faudrait un

---

1. J'adopte ici la traduction de La Pléiade qui me paraît bien plus cohérente, mais qui suppose une modification de ponctuation du texte massorétique.

homme. Et puis, il ne dit pas : un justicier (nous avons vu que le pouvoir justicier est vain !) ni un homme qui rétablirait une situation meilleure (nous avons appris que l'on passe alors d'une oppression à une autre...) : non, il s'agit d'un consolateur. Celui qui va apporter à l'opprimé la réponse fondamentale à son oppression, non pas une vaine agitation ou un espoir non moins vain, mais celui qui, dans la souffrance, dans la violence, dans les larmes (IV, 1) est à la fois le protecteur et celui qui apporte non pas des condoléances mais une autre dimension, je voudrais dire l'espérance. Mais en prenant bien garde : il s'agit de l'espérance incarnée dans quelqu'un, en plénitude. Le consolateur n'offre pas des œuvres de charité, mais il est lui-même, pleinement, la consolation.

Puisque Qohelet ne connaît pas un tel consolateur, puisqu'il constate que ça n'existe pas, alors il conclut : « Il vaut mieux les morts qui sont déjà morts, plutôt que les vivants qui sont encore vivants. » C'est un des rares passages bibliques où la mort est affirmée comme préférable à la vie (mais nous verrons que Qohelet compense par la suite !). Et ceci est directement en relation avec l'oppression. Puisque l'homme opprime l'homme, que l'opprimé n'a aucun recours ; que personne ne s'occupe de ses larmes, puisque la violence est partout, puisqu'il n'y a pas de consolateur. Alors mieux vaut la mort que la vie.

Dans ces conditions, il n'y a pas de vie. Et le dernier trait qui vient accabler le pouvoir, après la vanité, après la méchanceté, c'est la sottise ! Nous avons déjà vu que le roi pouvait être idiot (III, 13). Et ce n'est pas une « vanité » : c'est un mal. « La sottise a été placée aux plus hauts sommets » (X, 6). Par qui ? Le texte est étrange et ambigu : il s'agirait d'une « erreur » qui serait commise par le « Souverain ». Et il semblerait que l'on vise Dieu même par ce mot. Ainsi ce serait Dieu qui laisserait à l'imbécile le pouvoir, ou l'attribuerait à la sottise. Après tout, pourquoi pas ? En tout cas, cette hypothèse renverse le bel édifice selon lequel le pouvoir politique repose sur une volonté de Dieu qui ne peut être que juste et qui légitime le roi. Eh bien non ! Dieu semblerait même commettre des erreurs (le texte cité est : « comme une erreur qui proviendrait du Souverain... »). Ainsi, nous avons le pouvoir, mais nous venons de constater que ce qui exerce le pouvoir, cela peut être la sottise.

Les trois cartes sont jouées : vanité, oppression, sottise. Voilà ce qui qualifie tout le pouvoir humain. Il faut remarquer en terminant qu'ici, contrairement à ce que nous verrons pour presque toutes les autres vanités, il n'y a aucune contrepartie, aucune réserve, aucune « dialectique ». *Tout le pouvoir* est ainsi qualifié — sans réserve et sans nuance !

Toutefois, il reste à faire une dernière remarque. Pris dans son ensemble, ce dernier texte peut paraître embarrassant parce qu'il dit : « La sottise a été placée aux plus hauts sommets — et des riches restent dans la bassesse — j'ai vu des esclaves sur des chevaux et des princes marchant à terre comme des esclaves. » Ceci, bien entendu, choque notre sentiment démocratique égalitaire. Pourquoi donc les riches seraient-ils placés sur des hauts sommets, et après tout l'esclave sur le cheval, le prince par terre, c'est assez satisfaisant ! Pour expliquer, on a dit par exemple que le riche était selon Qohelet celui qui a obtenu sa richesse par sa Sagesse (pour opposer Sagesse à sottise). Mais je crois qu'il y a là confusion. Le riche n'est nullement le sage. Il est aussi un puissant, la différence c'est qu'il a acquis sa richesse par son *intelligence* (ce qui n'est pas *Sagesse !*). Alors, ce que dit le texte, c'est qu'après tout il vaudrait mieux un intelligent au pouvoir (méchant, bien sûr !) qu'un imbécile ! Et, de même, l'esclave est certes celui qui n'a aucune sorte de compétence pour diriger, alors que le prince en aurait *apparemment* davantage. Surtout pour la conduite de la guerre (chevaux...). C'est tout. Et dans son réalisme et son radicalisme, il n'apprécie nullement celui qui mériterait le pouvoir et l'exercerait un jour... mais celui qui, comme oppresseur, serait probablement moins nocif. Il me semble que ceci cadre avec le pessimisme total de Qohelet sur le pouvoir.

Vanité, mais aussi échec du pouvoir, du pouvoir royal. Et le roi dont il s'agit c'est Salomon. Ce qui est donc constaté longuement, c'est l'échec du grand roi, du roi sage. Et l'on comprend pourquoi il fallait que ce fût Salomon. Or, il est possible d'avancer un peu plus.

Une étude récente [1] a montré que l'attribut de la Sagesse était un attribut spécifique du roi dans les sociétés qui ont entouré Israël. Le roi égyptien est inspiré par Rê, qui par son intelligence est le protecteur et le guide de l'univers, et premier roi d'Égypte. Le roi est à son tour sage, et manifeste son intelligence à son peuple afin qu'il soit uni et en paix. A Babylone, la Sagesse est une prérogative divine qui est révélée au roi seul. Ce roi « accomplit de grandes choses », c'est-à-dire traduit en actes ses sages pensées. Enfin à Ugarit, la justice et la Sagesse sont les vertus principales du roi. Mais ici, par-dessus tout, il prend soin des pauvres, protège les veuves et les orphelins.

Ainsi, lorsque le livre des Rois nous montre la Sagesse de Salomon, il l'inscrit dans tout le contexte historique des cultures avoisinantes. Mais cette Sagesse du roi, la voici contestée. Avec lucidité, déjà dans la fin de la vie de Salomon. Mais avec quelle âpreté dans notre livre ! Nous apercevons la différence : le pharaon, le roi de Babylone ou d'Ugarit est sage par présupposé. Il en est ainsi mythologiquement, par définition, il ne peut pas être autrement. Et ceci n'est pas passé au crible de l'expérience, de l'histoire, du jugement à la fois théologique et concret. Alors que pour les rois d'Israël, tout change. Deux seulement sont appelés « sages » (David et Salomon) et voici que l'on fait passer leur Sagesse à la sévère mesure de la réalité. David, combien de fautes. Salomon, combien d'idolâtries...

Comment ce roi qui est sage reconnaît-il que la méchanceté règne au siège de la justice ? Il reconnaît être lié à un bout de terre, il reconnaît que ses grandes œuvres ne sont rien. Et bien plus, ce qui était l'attribut de la Sagesse du roi, la protection des pauvres et des petits, ne semble pas avoir été une de ses préoccupations importantes ! Ainsi la Sagesse du roi consiste d'abord à reconnaître la vanité du pouvoir, et que finalement il n'y a pas de *wise king !* Le réalisme hébraïque est dur. Alors peut-être, suggère à juste titre Guilmin, assiste-t-on, avec la prophétie biblique, à « *un transfert du mandat* que les rois n'ont pas su honorer ». Puisque le roi n'est pas le sage, peut-être la Sagesse doit-elle devenir la responsabilité de la communauté tout entière. C'est le peuple hébreu tout entier qui

---

1. Voir le compte rendu du livre de Léonidas Kalugila, *The Wise King,* par S. Guilmin, dans *Cahier biblique,* n° 23, Foi et Vie, septembre 1984.

devient porteur de la Sagesse : un passage montré par les prophètes. Mais alors, ne serait-ce pas *une* (pas la seule !) explication du nom de Qohelet ! Si Salomon n'est pas celui qui peut dire et faire la Sagesse, alors c'est Qohelet, expression de l'assemblée, porteur de la parole du peuple, qui va exprimer cette Sagesse ! Salomon est présent comme le roi sage désigné, Qohelet est la réponse, ce roi n'est pas le sage, la Sagesse est la vanité, comme les œuvres mêmes de ce roi. Et Israël se sépare de plus en plus ainsi de la construction religieuse du monde environnant.

4. L'argent[1]

La seconde grande vanité — l'argent. Ici nous aurons moins de surprise, et la pensée de Qohelet nous est plus coutumière, plus aisée à accepter. L'essentiel tient dans la contradiction de fond : l'argent permet tout — et l'argent est vanité. « L'argent permet tout » (X, 19), là aussi quand même nous sommes devant une affirmation radicale. Rien n'échappe à l'argent. L'argent peut tout acheter et tout posséder. Pas de moralisme, pas de spiritualisme, pas d'évasion, pas d'illusion. Et cela trouvera son écho des centaines d'années plus tard dans la fin de l'Apocalypse : l'argent permet d'acheter aussi des corps et des âmes d'hommes... D'ailleurs, il ne porte, à ce moment, aucune espèce de jugement : lui, roi de Jérusalem, Salomon le riche et le bâtisseur a en effet utilisé le pouvoir total, illimité de l'argent. Il nous le déclare au début,

1. Je dois noter ici l'interprétation que donne Visscher (repris par Lys) des trois premières expériences faites et décrites par Qohelet dans ce chapitre III : Pour lui, ces expériences sont l'expérience métaphysique, l'expérience sensible, l'expérience culturelle et ici il parle d'œuvre civilisatrice. Lys explique que pour la troisième expérience, à partir du verset 3, il s'agit d'une expérience de synthèse entre signification et plaisir ; ni philosophie ni jouissance ne donnent un sens, il faut féconder l'une par l'autre ; et par ailleurs la grande œuvre est la création d'une culture (V. 4-11). Malgré le respect et l'admiration que j'ai pour Visscher et Lys, je ne puis être d'accord pour lire ces versets en ce sens. Il s'agit de tout ce que l'argent donne et pas du tout d'une œuvre culturelle. C'est affaire de pouvoir, puissance, richesse. C'est tout — et n'entraîne pas la question de Lys : « Une culture est-elle finalement possible ? »

précisément pour pouvoir nous dire après : « Je sais d'expérience que tout ça n'est rien. » L'argent, le bonheur — l'argent, l'architecture et les palais — l'argent, des plantations jardins et fruitiers — l'argent, les grands travaux, les irrigations [1] (v. 6) — l'argent, achat d'hommes et de femmes esclaves et serviteurs — l'argent enfin, les beaux-arts (v. 8), musiciens et chanteurs...

Il faut remarquer l'admirable gradation, du plan « matériel » au plan « spirituel ». Salomon a tout fait avec sa grande richesse. Et il constate avec satisfaction que, tout ceci achevé, « ma Sagesse me resta ». Et cette Sagesse le conduit alors brutalement à conclure : « Tout est vanité et poursuite du vent. » Tout cela n'était rien [1]. Mais alors nous demanderons : « En quoi est-ce vanité [2] ? » Ici, pour un temps, les arguments sont plus banals. Ce sont les constatations du sens commun (ce qui d'ailleurs doit aussi nous rappeler que l'Écriture ne fait pas de l'originalité le critère de tout ! Lorsque le sens commun dit le vrai, elle n'hésite pas à le confirmer !).

Tout d'abord, on n'est jamais rassasié de l'argent. Courir après l'argent est infini. On ne peut jamais dire : c'est assez. « Qui aime

---

1. Ce n'est pas par abus de termes que je parle ici de Grands Travaux : l'irrigation était si importante que Marx a construit là-dessus le modèle de « Production asiatique ».

2. Évidemment, j'ai pris ces versets dans leur sens obvie — clair — alors que pour certains ils sont allégoriques. Ainsi le mot jardin (v. 5) : les Septante traduisent par *paradeisos* — n'est-ce pas un renvoi à la Création (Dieu planta un jardin) — et « verger », n'est-ce pas un renvoi à l'arbre de la connaissance ? On peut alors méditer sur la nostalgie du jardin — l'homme pourra-t-il replanter le jardin de Dieu ? Ou bien « la vigne », symbole d'Israël. On élargit considérablement le sens de ce texte : il s'agit bien pour moi « d'organiser le monde ». Mais est-ce un renvoi à la création de Dieu ? J'ai l'impression que la base allégorique est bien fragile !

3. Mais si l'on adopte une lecture au second degré avec un objectif cathartique à caractère maïeutique selon une hypothèse que j'ai présentée, alors il faut comprendre ces textes tout autrement : ainsi avoir fait de grandes œuvres, c'est le roi qui *lui* déclare que cela est vanité. Mais le discours a pour but de lui montrer au contraire que tout cela existe bien, ce n'est pas rien, tout ce qui a été fait se retrouve dans la société, dans le devenir du monde. Ainsi le roi peut dire : je me suis mis à désespérer mon cœur, mais le récitant lui montre que c'est seulement une image que le roi prend de lui-même, une fiction ! Et si le récitant le rappelle, c'est précisément pour atteindre la réalité, qui est inverse. Cela est peut-être juste, mais alors cela implique le conflit entre la vérité que proclame le roi, et le rappel au réel provenant du récitant.

l'argent ne se rassasiera pas de l'argent » (V, 9). Il n'y a pas de plénitude à jamais acquise par l'argent. Ce caractère indéfini ne vient pas de l'homme mais appartient à la nature même de l'argent parce qu'il est du pur quantitatif. Après avoir amassé un premier milliard, pourquoi n'en ajouterait-on pas un second ? Il n'y a jamais aucune limite, parce que pour tracer une limite, pour fixer un moment d'arrêt, il faut une maîtrise et une Sagesse. Or, si on l'avait au premier moment, il n'y aurait pas eu, au commencement, cette passion de l'argent. Ainsi, dans le processus même de la relation entre l'homme et l'argent, apparaît dès le départ ou bien la Sagesse, et on ne s'intéresse pas outre mesure à cet argent, ou bien la démesure, et alors il n'y a rien qui à un moment vienne nous arrêter.

Ce même texte s'orne cependant d'ironie. On ne peut cesser de conquérir toujours plus, soit. Mais cet argent, à quoi va-t-il servir ? Indirectement, Qohelet nous dit : l'opulence, le luxe, l'abondance — et puis la « clientèle » (V, 9-10) ! C'était pour cette époque tout ce à quoi pouvait servir l'argent — la vaisselle d'or, les bijoux, les palais... Seulement, dit aussitôt le sage, à ce moment, il ne reste plus beaucoup de « revenus » (et la course après l'argent reprend !), c'est assez amusant ! Aujourd'hui, nous en sommes de nouveau là. Il faut gagner toujours plus pour consommer toujours plus. Et sur le plan collectif, encore pire, il faut accroître indéfiniment la richesse collective pour dépenser en armements, en équipements, en routes et aéroports. Et l'on se retrouve finalement endetté, on ne sait comment combler les déficits de la sécurité, et la dette globale d'innombrables États du monde. Tout ceci correspond à « l'opulence » de nos jours et a remplacé les bijoux et les palais, mais le fond du problème n'a pas changé. La question reste bien cela : *aimer* l'argent. Jésus reprendra pour l'argent la mise en question de l'amour. « Là où est ton trésor, là sera ton cœur. » « Vous ne pouvez pas aimer en même temps Dieu et l'argent. » Ni les servir. Qohelet, lui, s'en tient à l'absurdité de cette conduite. Inutile d'insister !

Dans ce même verset, autre ironie, l'abondance de la richesse attire immanquablement ceux qui la mangent — les parasites — les clients — les hommes d'affaires. Nous savons très bien tout cela. La pointe est cependant fine : en définitive, cet homme riche entouré de tous ceux qui mangent son argent n'a rien d'autre qu' « un spectacle sous ses yeux ». On voit très bien à quoi le texte fait allusion, banquets, etc. Mais pour notre société d'opulence qui a tout joué sur la conquête de l'argent, c'est exactement la même chose ! Finalement, de ces gigantesques sommes produites, accumulées, gaspillées, qu'est-ce qu'il reste ? Un spectacle. La société d'opulence (et de consommation), c'est la société du spectacle. Et réciproquement, la société du spectacle, dans laquelle nous vivons, et que nous désirons seule, implique la soif et l'amour de l'argent.

Le second argument, c'est que finalement cet argent c'est de la fumée, il disparaît comme un rien (V, 12-13). Il suffit de faire une mauvaise affaire, et on n'a plus rien. Voilà ce qui se passe quand, au lieu de le dépenser pour l'opulence (cas précédent !), on le « garde soigneusement », dit bien le texte. Et la richesse est gardée par son possesseur pour son malheur ! Car c'est bien vrai, s'il l'a ainsi gardée, c'est qu'il l'aimait aussi, et s'il la perd, c'est son malheur. Ainsi, soit qu'on le dépense soit qu'on le garde, l'argent est un leurre, une fumée, une buée, et la vanité c'est d'y attacher de l'importance.

Enfin la troisième attaque, aussi « banale » que les précédentes, revient tout au long de ce livre : « Vous ne l'emporterez pas avec vous. » Vous passez votre vie à conquérir l'argent... et votre vie aura passé ; et à la fin, il ne vous restera rien. Vous mourrez riche comme vous seriez mort pauvre. Vous n'en aurez aucun profit, aucun bénéfice, au-delà de la mort l'argent n'est rien. Notons simplement qu'il y a peut-être là un coup de griffe aux religions qui entouraient le défunt de nourritures, de ses armes, de son char, en croyant qu'au-delà de la mort le défunt continuait... Eh bien non, dit Qohelet. Et pire que rien, car dès votre vivant vous êtes rongé par le doute : « J'ai haï tout mon travail, parce que j'abandonnerai tout à l'homme qui sera après moi — qui sait s'il sera sage ou fou ? Il sera maître de tout mon travail, auquel j'ai travaillé en me comportant avec Sagesse sous le soleil. Cela aussi est vanité » (II, 18-19). « Et je me suis mis à désespérer mon cœur au sujet de tout le travail que j'avais fait, car voici un homme qui a fait son travail avec Sagesse, avec science, *avec succès* — et c'est un homme qui n'a rien fait qui en recueillera le fruit » (II, 20-21).

A quoi bon avoir gagné, laisser à des héritiers... Nous ne savons rien de ce que ces héritiers sont capables de faire... Ceci, c'est un leitmotiv et c'est le doublet du : « Vous ne l'emporterez pas avec vous. » « Ce que vous laissez, vous ne savez pas à quoi cela servira » — alors pourquoi y consacrer sa vie ? Cependant, et nous le reverrons, un peu d'argent n'est pas inutile, pour se donner au cours de sa vie un peu de bonheur. Sa seule justification est en effet de donner à l'homme cette possibilité, dans le présent. L'argent est directement lié au bonheur ici. Mais prenons-y garde, il s'agit bien d'un bonheur purement matériel, concret, boire, manger, se réjouir. L'argent ne va pas au-delà. Ne permet rien de plus. Après tout ce n'est pas si mal, puisque, nous le verrons, il n'y a pas d'autre bonheur que celui-là, qui n'est nullement condamné.

Mais lorsque Qohelet attaque ainsi la richesse, il ne faut pas oublier qu'en son temps, dans la pensée des sages, la richesse était signe de la grâce de Dieu. Et même (VI, 2), il reconnaît en effet que Dieu donne la richesse. Il y a donc dans cette désacralisation une attaque contre la pensée de son temps (attaque qui est confirmée dans le même passage par le fait qu'il considère comme vanité le fait de vivre de longues années et d'avoir beaucoup d'enfants, ce qui était pour la pensée juive la preuve la plus tangible de la bénédiction !).

Mais pour nous aujourd'hui tout ceci est connu (quoique, bien sûr, pas *vécu* !). Cependant ces réflexions, à première vue sans originalité, nous conduisent à une remarque peut-être importante : dans Qohelet, l'argent n'est pas qualifié de mal en tant que tel. Ce n'est pas l'argent dans sa réalité concrète qui est condamné. Il faut rapprocher les textes les uns des autres : le mal, *c'est que l'argent permet tout — et qu'il n'est rien —* voilà le mal. Tu peux tout faire, mais avec ce rien. Tu peux t'investir entièrement dans ce tout, mais cela signifie que tu te lies au rien. Voilà le mal. Pas seulement le malheur, pas seulement l'ironie : le mal. Cette contradiction entre cette vanité, cette fumée, cette incertitude en tout, et puis ce constat implacable : c'est justement *cela* qui permet tout. Ainsi le diable médiéval qui est Néant est aussi celui qui permet tout ! Qui accorde à l'homme richesse, réussite, honneurs, etc. Il faut y songer. Et penser à la réciproque : justement, cela qui permet tout, qui donne tous les moyens, c'est Rien. Du vent. Avec deux orientations de réflexion : une, devenue aujourd'hui triviale, l'être et l'avoir. Plus tu augmentes ton avoir, moins tu es. Accumuler de l'avoir et engloutir son activité dans cette quête de l'avoir, c'est au fur et à mesure perdre son être. Marx n'avait pas attendu Gabriel

Marcel pour décrire minutieusement ce jeu terrible, et malgré tous les raffinements de la pensée comme de la science modernes, vous ne sortirez pas de là. L'être implique un autre sens que la quête de l'avoir. Augmenter cet avoir, c'est perdre son être. Jésus n'a pas dit autrement : « A quoi servirait à un homme de gagner le monde s'il perd son être — et que donnerait un homme en échange de son être ? »

Quant à l'autre orientation de réflexion, elle scandalisera ! De nos jours, ce qui « permet tout », ce n'est pas seulement l'argent. C'est (on ne m'en voudra pas !) la technique qui est le moyen de tout avoir et de tout faire. Pourtant, cette technique ne peut concrètement jouer et se développer que s'il y a l'argent... Et je crois que nous retombons exactement dans le même modèle. Ce qui permet tout, c'est rien. La technique elle aussi est du vent, de la fumée. Une vanité. Tout ce qui est dit de l'argent ici peut s'appliquer à la technique. Et tout particulièrement le fait qu'elle ne peut pas être considérée comme le mal. La technique n'est pas plus le mal que l'argent, mais ce qui est le mal c'est qu'elle soit devenue (comme l'argent) la *médiatrice de tout,* alors qu'en elle-même elle n'est rien. Hier c'était la séduction de l'argent qui dominait l'homme. Aujourd'hui c'est la séduction de la technique.

Finalement, le fil conducteur de cet ensemble de réflexions de Qohelet sur l'argent, c'est la dépendance de toute réussite par rapport au Temps. Réussite d'argent ou réussite technique. Le texte est essentiel : « J'ai vu d'autre part, sous le soleil, que ce n'est pas aux agiles qu'appartient la course, ni aux héros le combat, et non plus aux sages le pain, ni aux intelligents la richesse, ni aux savants la faveur, car temps et contretemps leur arrivent à tous. Car l'homme ne connaît pas non plus son temps : comme les poissons qui sont pris dans un filet mauvais, comme les oiseaux pris dans le lacet, comme eux, les fils de l'homme sont attrapés au temps mauvais quand il tombe sur eux à l'improviste » (IX, 11-12). Nous aurons à revenir sur ce thème du temps, constant chez Qohelet, mais ici nous devons seulement souligner que Rien n'appartient à l'homme (et c'est le rapport à l'argent), rien ne dépend des qualités de l'homme. Au lieu d'invoquer le hasard, aveugle et de qui tout dépend, Qohelet se réfère au temps.

Nous avons vu que l'argent nous échappe à cause du temps. Il y a un temps favorable et un mauvais. Ce n'est pas, assurément, la grandeur indifférente mesurée mathématiquement, annoncée par nos montres, ce n'est pas le simple déroulement neutre de minutes et d'heures. Le Temps est qualifié. Il y a ces deux temps, que nous retrouvons dans les Évangiles, et qui étaient bien connus des Grecs. Le temps qui se déroule, et puis le Temps marqué. « Ce n'est pas encore mon temps » — « Ce n'est pas mon heure »... Vous pouvez avoir toutes les raisons de gagner, et le temps vous l'interdit parce qu'il n'était pas favorable. Vous allez tout perdre parce que le temps est mauvais. La seule chose que nous ne puissions en rien maîtriser. Aujourd'hui comme il y a deux mille cinq cents ans. Appelez-le l'Histoire, et les contingences, et la conjoncture, et la configuration, et la structure, qu'importe, la réalité reste la même : il y a le temps mauvais qui domine l'argent, dont nous avons vu qu'en effet Qohelet nous montre bien que *c'est la dépendance au temps qui le manifeste comme vanité*. Mais toute activité de l'homme y est soumise et nous ne savons rien — et nous ne pouvons rien y changer.

5. *Le travail*

Argent, travail. Contrairement à bien d'autres livres de la Bible, celui-ci y consacre beaucoup de réflexions. Mais le travail n'est pas traité par Qohelet comme l'argent et le pouvoir : nous entrons dans un autre univers — toujours de vanité certes. Mais aussi parfois de sens. Ici encore, Qohelet parle d'expérience, comme pour le pouvoir et la richesse, il peut affirmer : « J'ai fait de grandes œuvres » (II, 4). Et « je me suis tourné vers toutes les œuvres qu'avaient faites mes mains, et vers le travail auquel j'avais tant travaillé pour les faire et voici : tout est vanité et poursuite du vent. Il n'y a aucun profit sous le soleil » (II, 11). Ça ne sert finalement à rien de travailler — ce que l'homme atteint est aussitôt dissipé en fumée. Par conséquent cela veut déjà nous avertir que le travail n'a aucun sens et aucune valeur par lui-même. Il n'est pas une valeur. Il n'est pas une justification pour vivre. Il n'est pas le Tout de la vie [1].

1. Une très bonne traduction de Lys le met bien en lumière (II, 22) : « Oui, quel être y a-t-il pour l'homme dans tout son travail [...]. Qu'est-ce qui *est* vraiment, quel est l'*être* qui ressortit à l'homme de toute la peine qu'il prend ? Y a-t-il dans le travail une participation à l'être, une présence de l'éternité... ? »

Le travail ne reçoit de sens que par ce qu'il produit en définitive, et c'est à ce résultat qu'on le juge. D'où la question du début : quel profit y a-t-il pour l'homme dans tout le travail auquel il travaille sous le soleil (I, 3) ?

Cette question est même la première qui soit soulevée dans le livre ! Pour Qohelet le travail tient une place exceptionnelle dans la vie de l'homme. La société où il se trouvait n'était pourtant pas une « société de travail » comme la nôtre. Mais c'est d'autant plus important — la question qu'il pose est une question *moderne*. La place considérable qu'il lui accorde montre par ailleurs qu'il ne participe pas au mépris général dans lequel on tenait le travail dans les sociétés antiques (et dites esclavagistes !). Le travail pour lui compte. Il mérite que l'on s'interroge sur lui autant que sur le bonheur ou le pouvoir. Et c'est là une singularité remarquable.

Si le travail, après tout, donnait un sens à la vie ? Question moderne. Il conclut que, finalement, non. Mais quand il demande : « Quel profit l'homme en tire-t-il ? », il faut faire attention ! Il ne dit nullement que le travail ne donne aucun résultat. Au contraire, il montre que le travail donne de l'argent, du pouvoir, et qu'il faut être fou pour ne pas travailler. Donc un résultat matériel, sans aucun doute. Il refuse seulement que cela vaille la peine d'y consacrer sa vie. Passer sa vie au travail, faire « *tout* le travail »... Voilà la vanité et recherche du vent. Recherche du vent ? Assurément puisque nous avons vu, avec lui, que ce qui peut être obtenu par le travail, argent, pouvoir... cela est précisément vanité ! Ce que l'homme ne peut pas avec ce travail, c'est d'une part faire des « progrès », amener l'humanité à progresser. C'est ensuite changer quoi que ce soit de fondamental, de décisif. Changer le réel immodifiable. « Ce qui est courbé ne peut être redressé — ce qui fait défaut ne peut être compté » (I, 15).

Bien sûr, nous avons les moyens techniques (et déjà à l'époque de Qohelet !) de redresser ce qui est courbé, ou de courber ce qui est droit ! Mais ce n'est pas de cette évidence-là qu'il veut parler, ce n'est pas d'un bois courbe ou d'un fer courbe — la seconde partie du vers nous le dit : ce qui manque — ce qui est courbé, cela veut dire : ce qui comporte un vice fondamental — ce qui est intrinsèquement pervers, vicieux, détourné — pourquoi pas, sur le plan « moral », hypocrite... — vous ne pouvez pas le redresser — vous ne pouvez pas « changer la nature ». Une communication qui ne comporte aucun message, vous ne pouvez pas lui en faire porter un — l'homme fondamentalement pécheur, vous ne pouvez pas en faire un homme juste (devant Dieu). Le travail ne peut pas modifier le fond des choses et des hommes, mais seulement l'extérieur, les comportements, les apparences.

C'est à cela que renvoie le second vers. « Ce qui manque ne peut pas être compté. » Certes, vous pouvez savoir qu'il y a un *certain* manque, ou encore que par rapport à un tout que vous connaissez, vous pouvez déduire que dans votre mesure, il manque ce que vous pouvez compter. Mais si vraiment il s'agit de « ce qui fait défaut », par rapport à l'infini, vous ne pouvez pas le dénombrer — la distance entre le point d'arrêt d'une dimension et l'infini — le travail est parfaitement inutile.

Un chemin s'arrête devant un précipice — jusque-là vous pouviez compter les pas — au-delà, il n'y a plus de mesure du chemin — le travail ne peut rien changer à cette clôture de l'homme, excluant le qualitatif et l'infini. Dès lors, nous apercevons le travail dans sa limite. Non pas inexistence ni qualification méprisante. Mais s'il est ainsi limité, alors il ne vaut certes pas la peine de tout lui sacrifier. Travailler pour le travail. Un texte ici entremêle deux « motifs » : « J'ai vu d'autre part une vanité sous le soleil : il y a quelqu'un de seul, sans second ; il n'a ni fils ni frère et *il n'y a pas de fin à tout son travail ;* pourtant ses yeux ne sont pas rassasiés de richesse : " Pour qui travaillé-je et privé-je mon âme de bonheur ? " [ici : le travail excluant le bonheur !] Cela aussi est vanité et occupation mauvaise » (IV, 7-8). Donc, se vouer au travail c'est mauvais, purement et simplement. Pourtant, il apparaît aussi une dimension discrète, positive : travailler *pour* quelqu'un. Alors le travail *peut* (pas forcément !) recevoir une certaine justification. Travailler pour aider, pour l'autre, pour le collaborateur, le frère, le fils. Cela est moins absurde. La présence de l'autre est généralement discrète chez Qohelet, il faut d'autant plus le souligner ici. En tout cas, le jugement est formel : s'il n'y a pas cela, aucun sens. Certes, il ne faut pas, encore une fois, en déduire que le paresseux a raison ! Non. Mais reconnaître la limite et l'absence de valeur. « Tout le travail de l'homme est pour sa bouche — et pourtant l'âme n'est pas comblée » (VI, 7). Les choses sont claires — le travail ça sert à manger — un point c'est tout (ce qui n'est certes pas inutile !). Métro — boulot — dodo — travailler pour manger, manger pour travailler. Voilà — et ceci (je l'ai montré longuement ailleurs) est conforme à *tout* l'enseignement de l'Écriture, du commencement à la fin. Le travail est une nécessité. Ce n'est ni une valeur, ni une vertu, ni un bien, ni un remède, ni l'expression de l'homme, ni le révélateur... C'est cela que veut dire « l'âme n'est pas comblée » — le ventre peut l'être. Mais c'est une perversion grave lorsque toute une société prétend combler l'âme par le travail ! Ceci ne peut produire qu'un grand vide, une absence terrible, dans laquelle vont s'engouffrer toutes les autres passions.

Le procès du travail n'est pas achevé : Tout le travail et toutes les qualités de l'homme pour ce travail, et tous les efforts ne donnent aucune certitude, aucune garantie de la moindre réussite ! « J'ai vu, d'autre part, sous le soleil [toujours : sous le soleil — il ne prétend pas donner une leçon méta-physique] que ce n'est pas aux gens rapides qu'appartient la course, ni aux héros le combat et non plus aux sages le pain —, ni aux intelligents la richesse, ni aux savants la faveur —, car temps et contretemps leur arrivent à tous. Car l'homme ne connaît pas non plus son temps : comme les poissons qui sont pris dans le filet mauvais — comme les passereaux pris dans le lacet, comme eux, les fils d'homme sont attrapés au temps mauvais, quand il tombe sur eux à l'improviste » (IX, 11-12) [1].

Ainsi il n'y a pas de conséquence, pas de relation de cause à effet entre les qualités, le travail, l'effort de l'homme et puis le résultat, la réussite. Tout arrive comme ça. Selon « le temps ». Nous retrouverons plus tard cette idée que chaque chose a son temps et quand l'homme ne connaît pas « son temps », le moment propice, l'heure favorable, l'occasion à saisir, alors tous ses efforts sont inutiles — ou plutôt simplement hasardeux, « ça arrive » — et puis voilà ! on se fait piéger. Comme un oiseau, comme un poisson. Et tout le travail devient parfaitement inutile, ce n'est pas au mérite que reviennent la récompense et le succès. Ici, l'Ecclésiaste nous donne une leçon fondamentale : nous croyons toujours que c'est une mauvaise organisation qui empêche le succès du mérite — que c'est une injustice qui empêche le travail d'être totalement et

---

1. Nous avons vu plus haut ce texte par rapport au « temps mauvais », ici par rapport à la vanité du travail...

honnêtement rémunéré. Nous n'avons qu'un mot à la bouche : « égalité des chances », « reconnaissance des mérites », justice — et droit à une juste rémunération. Qu'enfin le salaire soit égal, totalement, à la valeur produite... affaire de régime politique et d'organisation sociale ! Eh bien non, dit Qohelet : c'est plus profond que ce que vous imaginez — c'est presque inhérent à l'être, à ce monde. Avec la meilleure organisation du travail et de l'économie, vous n'empêcherez de toute façon pas le temps mauvais, l'heure inexpiable de tomber sur l'homme. Vous n'empêcherez ni la « chance » ni le « hasard »... et maintenant, en plus, nous savons que dans la plus stricte organisation vous n'empêchez pas non plus le « piston »[1]. Ainsi les qualités et le travail, vanité, poursuite du vent ! Aucune chance de voir arriver une véritable méritocratie[2]. Vous pouvez toujours établir l'égalité des chances,

1. Voir par exemple le livre très important et édifiant de Michel Voslensky, *La Nomenklatura* (Paris, Belfond, 1980), où il montre bien comment se rétablit le système des privilèges, du piston et de la corruption.

2. Je ne puis éviter à l'occasion de ce texte de faire une longue citation de l'excellent commentaire de A. Maillot : « Ce n'est pas tant l'injustice qu'il dénonce que le fait que personne n'est vraiment à sa place. Il y a une sorte de dérangement fondamental qui fait que bien peu obtiennent ce qu'ils semblaient en droit d'obtenir. Qohelet s'oppose à la philosophie optimiste (libérale) suivant laquelle chacun pourra faire son trou, car chacun dispose des mêmes chances au départ [...]. L'homme honnête est obligé de constater qu'il existe non seulement un dérangement mais une sorte de renversement, où ce sont les moins rapides qui gagnent la course [...], les crétins qui s'enrichissent. Certes, cela peut être une consolation à bas prix pour ceux qui perdent les courses et les guerres [...]. Seulement, c'est oublier qu'une fois encore, de manière négative, à l'envers, Qohelet rejoint ici la grâce paulinienne. Tout est inversé dans le monde. C'est pourquoi Dieu fait intervenir en Christ un deuxième renversement, en choisissant les choses faibles, folles, ou sans existence, pour manifester sa force, pour montrer sa Sagesse, pour donner réalité à ce qui n'en avait pas. D'ailleurs ce double renversement, le Christ lui-même l'a opéré dans les Béatitudes... » Et ceci éclaire aussi sur ce que Qohelet entend par « le péché » : « Le péché est pour lui une perturbation du monde qui entraîne en conséquence que personne n'est à sa vraie place. Il y a comme une *luxation* du monde à laquelle personne n'échappe [...]. Depuis que l'ivraie est en plein milieu du bon grain, personne ni rien n'est là où il devrait être [...]. Si on avait mieux médité ce texte, on aurait évité de parler de corruption fondamentale et essentielle de l'homme. Ce sont *les rapports* des êtres et des choses qui sont faussés. Ce n'est pas leur nature [...]. Rapports de l'homme avec Dieu, avec le monde, avec les autres, avec lui-même. Ainsi l'œuvre du Christ ne consiste pas à changer notre nature mais nos rapports. D'esclaves nous devenons fils, d'ennemis nous devenons frères. C'est cela, la Katallégé : réconciliation — ..'est un vrai changement de place. »

et la reconnaissance des mérites la plus juste, vous ne maîtriserez jamais l'« accident », l'« occasion », l' « impondérable » qui décident du succès...

Hélas, Qohelet nous amène plus loin. Il ne se satisfait pas de cette mise au point, de cette relativisation. Il entre en procès contre le travail qui est mis en accusation. Maintenant, le travail devient un mal — la haine — le désespoir — la jalousie — l'effet pervers. « J'ai haï tout mon travail, auquel j'avais travaillé sous le soleil et que j'abandonnerai à l'homme qui sera après moi. Qui sait s'il sera sage ou fou ? Il sera maître de tout mon travail auquel j'ai travaillé en me comportant avec Sagesse sous le soleil... » (II, 18-19). Laissons de côté l'argument de « laisser après soi », déjà rencontré. Mais la haine — J'ai haï mon travail parce qu'en définitive il ne me comble pas. Il ne remplit pas l'attente que j'avais. Et autant j'avais mis d'espoir en lui, autant j'avais compté atteindre une éternité par lui, autant est grande la frustration, qui me rejette dans la haine.

Qu'ai-je fait ? Qui sera utilisé comment ? Ce n'est pas une banalité ! Si Marx voyait ce que Staline a fait de tout son travail ! Et quand Einstein a vu ce que l'on a fait du sien — c'est la haine qui monte. Et pas seulement « à quoi bon ? ». La haine, et le désespoir. Il suit aussitôt, dans notre texte : « Je me suis mis à *désespérer* mon cœur au sujet de tout le travail auquel j'avais travaillé sous le soleil » (II, 20). Certes, on y retrouve le thème constant : « On laisse tout cela à l'incapable ou au mauvais... » Mais il y a la dimension du désespoir. L'absence de sens, de progrès possible dans l'humain, dans la société, excluent l'espérance et la joie. Il ne reste, devant la stérilité de si grands efforts, que le désespoir après la haine.

Haine contre le travail — désespoir au fond de soi (désespoir aussi d'écrire tant de livres ! Qohelet nous a averti !). Ce n'est pas un « à quoi bon » futile et superficiel : Que revient-il à l'homme de tout son travail *et de la recherche de son cœur,* auxquels il travaille sous le soleil... Car ce que nous voudrions, c'est justement que le travail soit autre chose que la nécessité pour manger, mais qu'il soit le moyen de répondre à la recherche de notre cœur. La vérité ? l'éternité ? le bien... ? Peut-être... En tout cas, pas de réponse.

Alors, *devant le seul moyen* qui soit à sa disposition pour y faire face, et devant la vanité de ce moyen, le désespoir. Ainsi le travail, quand on le prise trop, devient destructeur de la personne, car de la haine du travail on passe à la haine de la vie (II, 17), ce qui est normal si toute la vie a été recouverte par le travail. Et puis de là, le travail est jugé par Qohelet, non pas comme le grand moyen merveilleux de la solidarité humaine, mais tout au contraire, comme la source du conflit entre les hommes. « J'ai vu que tout le travail et tout le succès d'une œuvre, c'est la *jalousie* de l'un envers l'autre — cela aussi est vanité et poursuite du vent » (IV, 4). Le travail concurrence, élimination des autres, victoire du plus fort, provocation à la jalousie quand il y a réussite ! Voilà le travail !

Une fois de plus le réalisme l'emporte sur le pieux idéalisme — le travail est corrupteur des relations humaines. Il n'y a pas de solidarité par le travail, mais domination et hostilité. Et ce qui est ici vanité, poursuite du vent, *c'est justement que* le travail, qui finalement ne donne rien à l'homme, qui ne profite pas, dont l'œuvre est futile, qui est absurde, que ce soit *cela* qui provoque hostilité, concurrence, conflit entre les hommes qui se battent pour une vanité. Voilà ce qui est.

Dans ce procès du travail il manque finalement une pièce : l'effet négatif sur le travailleur lui-même. Non seulement il se met à haïr sa vie, mais plus encore il est soumis à ce que je peux appeler l'effet pervers du travail ! Le travail qui se retourne contre le travailleur : « qui creuse une fosse y tombera et qui abat un mur, un serpent le mordra ; qui extrait des pierres s'y fera mal ; qui fend du bois y courra un danger » (X, 8-9). Et il y a parfois avantage à ne pas faire ce travail ! « Si le fer est émoussé, et que celui-ci [l'homme] n'aiguise pas le tranchant, il fortifiera ses forces ! » Paradoxe étonnant qui peut remettre en question notre course après la machine qui permet à l'homme de ne pas « fortifier ses forces » parce que la machine fait à sa place — et qui cessera bientôt de faire les opérations de base de la pensée parce que la machine pensera à sa place ! Tout travail peut se retourner contre le travailleur, et, bien loin de produire un effet positif, il entraîne un danger ou une diminution du travailleur. Or, ces versets sont placés entre la vanité du pouvoir et l'importance ambiguë de la parole. Ils y prennent tout leur sens. Ainsi le circuit est bouclé. De la déception au danger : voilà le travail. Par conséquent le conseil, dans la mesure où le travail est nécessité (nous allons le revoir), c'est d'en faire le moins possible en assurant le minimum : « Mieux vaut du repos plein le creux de la main que de pleines poignées (de richesse) de travail — et de poursuite de vent » (IV, 6).

C'est un choix décisif devant lequel, déjà, *nous* sommes placés : ou bien travailler beaucoup pour consommer beaucoup (et c'est l'option de notre société occidentale), ou bien accepter de consommer moins en travaillant peu (et ce fut parfois l'option délibérée de certaines sociétés traditionnelles). Aujourd'hui, nous voudrions tout cumuler, travailler peu et consommer beaucoup. Soit. Mais *tout* le jugement de Qohelet sur le travail, tout ce que nous avons dit jusqu'ici sur la haine de la vie, sur la concurrence mortelle, sur le sentiment de vide, sur l'impossibilité de répondre au fondamental, tout subsiste, et, nous le savons bien maintenant, ce n'est pas l'excès de la consommation qui compensera le vide et l'insignifiance du travail.

En présence d'un tel procès, va-t-on conclure : condamnons le travail, cessons de travailler ? Point du tout, ce n'est pas la leçon de l'Ecclésiaste. Et ici nous changeons de registre par rapport aux thèmes précédents : pour le pouvoir, pour l'argent, nous l'avons dit, pas un mot positif. Ici, au contraire. Il y a un contrepoint dans la série des accusations, échelonnées tout le long du texte et soigneusement calculées. Il faut être fou pour ne pas travailler. « L'insensé se croise les bras et dévore sa chair » (IV, 5). Pas mieux loti que le travailleur, le paresseux. Pas plus de sens dans sa vie. Il se détruit lui aussi lui-même. Si le travail n'est pas une vertu, la paresse est une folie. C'est une espèce de négation de l'être, à la limite. Et dans la mesure où l'être est soumis à la nécessité, ceci est bien conforme à la pensée biblique. Quant à l'aspect positif du travail, il y a deux modestes récompenses, outre le fait qu'il est une réponse à cette nécessité de travailler pour manger.

D'abord, un travail satisfaisant et bien fait assure un sommeil paisible. Mais oui (V, 11) ! Ce n'est pas sans importance et sans intérêt ! Même si le travail ne nourrit pas tout à fait bien, dit notre texte, il assure le sommeil, alors que le riche ne connaît pas le repos. Morale bien étroite, folklore et, qui pis est, morale de possédants qui font pénétrer cette idéologie, etc. (on connaît ce discours). Peut-être, mais pourquoi ne pas simplement constater une certaine réalité ? Après tout, n'importe quel travailleur qui fait *son* travail, qui en a la responsabilité, qui l'assume, sait bien que c'est exact, que le travail dont on est satisfait assure le sommeil. Enfin, celui qui n'aiguise pas le fer émoussé augmente ses forces, avons-nous vu, oui mais s'il prend le temps d'aiguiser, s'il y consacre son travail, c'est de la Sagesse (X, 10) ! Il y a donc dans le travail une certaine Sagesse à mettre, et ce n'est pas notre époque qui aurait ici à apprendre quelque chose, étant donné qu'elle a tout organisé d'après ce calcul-là. Tout cela n'est pas très important.

Il faut, pour finir, arriver à l'essentiel. Et cet essentiel, c'est le paradoxe : « Tout travail est vanité, poursuite du vent et pourtant il faut le faire. » Or, nous dépassons le « il faut » de la nécessité vitale contraignante. Car l'Ecclésiaste va beaucoup plus loin. Il faut, parce que le travail est *un don de Dieu*. « J'ai vu l'occupation que Dieu a donnée aux fils de l'homme pour qu'ils s'y occupent » (III, 10). Ça c'est surprenant ! Qohelet ne retire strictement rien de ses ironies et de ses condamnations mêmes. Mais voilà, il y a « l'occupation » du travail que Dieu donne à l'homme. Et les deux textes sont côte à côte : quel avantage celui qui fait quelque chose a-t-il à travailler ? Aussitôt : « le travail don de Dieu ». Donc ce n'est pas parce que le travail est *utile* qu'il s'agit de le faire, mais parce qu'il est ce don ! Non pas une contrainte, ni une obligation : un don. Nous n'en avons pas forcément le sens ni la valeur, mais à l'écoute de la parole de Dieu, acceptons que le travail soit ce don.

Certainement pas n'importe quel travail. Car il est en même temps vanité, poursuite du vent. Ainsi nous avons à apprécier *ce* travail particulier imposé aux hommes à cette double mesure. Et combien il nous est difficile, sinon impossible, de démêler ce qui est don et ce qui est du vent ! Alors, voici que Qohelet donne un double conseil pratique, étonnant. « Tout ce que ta main trouve à faire avec la force que tu as, fais-le... » (IX, 10) [1]. Et dire qu'on le

---

1. Une fois de plus, Qohelet se réfère à la Genèse. Le récit biblique de la Création s'achève sur l'invitation à l'homme de « faire, d'accomplir » : Laâsoth (Gen II, 1-3) : « En intégrant dans l'économie biblique le chabbath, c'est-à-dire en fin de compte la dignité de son être d'histoire. L'entrée du chabbath est marquée par la rétrospective comme par la perspective du travail [...]. Selon la tradition juive,

considère uniquement comme négatif et sceptique! Mais il faut aller au fond : Tout est vanité. Tout le travail de l'homme est vanité. Tout ce que ta main trouve à faire, fais-le! Autrement dit : ne t'inquiète pas que ce soit vanité, ne cherche pas à deviner si c'est utile ou pas, de toute façon, ça n'a pas grande importance. Ceci se trouve confirmé par ce texte que nous retrouverons : « Envoie ton pain sur la face des eaux, car dans le nombre des jours tu le retrouveras [...]. Qui observe le vent ne sèmera pas, qui regarde les nuages ne moissonnera pas... » (XI, 1-4). Ainsi : tu peux agir comme si tu jetais ton pain sur un torrent. Un jour, tu le retrouveras. Et puis ne t'inquiète donc pas des conditions, du sens, de la valeur, des possibilités, de la réussite éventuelle de ton travail : si tu te mets à tout calculer, tu ne feras rien, tu n'arriveras à rien, de toute façon. Par conséquent, ne te préoccupe pas trop. Ne te fais pas de souci à l'avance (et quelle annonce du : « Ne vous faites pas de souci! Ne vous inquiétez pas... »). Fais donc ton travail à portée de ta main, fais-le, c'est tout.

Ce n'est pas le même qui sème et qui moissonne, qu'importe! Comme nous sommes à l'opposé de nos calculs de droits et de devoirs, et de nos revendications perpétuelles de nos droits! Ce que tu fais, fais-le comme si tu jetais ton pain sur le torrent. Et le torrent, de notre vie, de notre monde le porte... Le travail est vanité, inutile? Finalement sans doute. Et il faut le savoir pour ne pas prendre nos affaires au tragique. Il s'agit de les considérer avec distance, sans passion : pourquoi mettre de la passion dans ce qui est vanité? Mais il faut tout tenter... « Au matin sème ta semence, et jusqu'au soir ne laisse pas reposer ta main [curieux conseil de celui qui nous encourageait à la paresse!], car tu ne sais pas ce qui réussira, ceci ou cela, ou si les deux ensemble sont bons » (XI, 6). Tu ignores toujours l'effet, le fruit de ton travail. Alors tente, essaie, engage, découvre, agis ici ou là, l'un ou l'autre peut réussir. L'effet, le résultat ne t'appartient pas. A tout hasard... « Tout ce que ta main trouve à faire... »

Ainsi : tout. Ne te préoccupe pas tellement de savoir si cela est bien, si cela est utile, si telle serait pour toi la volonté de Dieu. Ceci

l'imperfection est la marque même de la création, c'est elle qui justifie la nécessaire création de l'homme, son apport à l'histoire, et c'est elle qui le convie à agir » (A. Hazan, *op. cit.*).

est à portée de ta main, accomplis-le donc. Mais ce pourrait être infiniment dangereux ! Le meurtrier qui a sa victime à portée de sa main ! Le soldat qui n'a donc qu'à faire la guerre... Il ne faut pas séparer le verset de ce qui précède et ce qui suit ! Ce qui précède, c'est que « *Dieu prend plaisir* à ce que tu fais »... et il s'agit « du bonheur que tu vas trouver au *milieu de ton travail...* ». Nous avons là deux limites ! Il ne peut s'agir d'un « tout = n'importe quoi ». Non, il y a un choix, c'est du travail (et non de crime ou de la folie !), et c'est ce qui peut être *plaisir pour Dieu*. Et ce qui suit : « Fais donc tout, pendant ta vie, car il n'y a ni œuvre, ni pensée, ni science, ni Sagesse dans le séjour des morts où tu vas. » Il s'agit, dans ce tout, d'une œuvre, pensée, science... Troisième limite. Mais à l'intérieur de ce triangle, tout est bien venu, et tu n'as pas à calculer plus outre. C'est bien tout ce que tu peux atteindre qui doit être fait.

Cependant il ne faut pas délaisser un mot de cette précieuse parole : « avec ta force ». Et cela évoque aussitôt l'ordre donné à Gédéon (Juges VI, 14). Au milieu des catastrophes qui atteignaient son peuple, Gédéon est convaincu que Dieu a abandonné Israël. Alors Dieu lui dit : « Va avec cette force que tu as et délivre Israël... » Et ceci doit être entendu en deux sens — un positif, un restrictif — le positif, c'est que tu as une force. Ton œuvre, tu as à l'accomplir avec cette force. Peut-être tu ne la connais pas. Peut-être tu te juges trop faible, trop incapable. Mais l'Ecclésiaste redit : avec ta force. Elle est là. Ne la néglige pas. Et puisqu'il a dit plus tôt que c'est Dieu qui te donne un travail à faire, comme pour Gédéon, tu peux compter que dans ce que tu entreprends tu as et auras une force qui le permet, qui l'autorise, et qui te sera donnée. Mais tu l'as déjà. Comme Gédéon qui se sentait tellement faible. Cependant, aussitôt paraît le limitatif, auquel moi-même je n'ai guère pensé pendant des années ! Le travail que tu vas entreprendre, c'est avec *ta* force que tu dois le faire — et rien de plus. Tu ne dois pas entreprendre une œuvre *au-delà* de ta force. Tu ne dois pas compter sur Dieu par exemple pour te permettre de faire une prouesse, héroïque, sportive, ou vaincre un record stakhanoviste ! ou bien une œuvre d'art au-dessus de tes moyens ! Non — ta force — pas plus. Il te faut la connaître et en savoir la limite. Ainsi engage toute ta force, mais rien au-delà de ta force (il s'agit du *travail,* entendons-nous bien !).

C'est alors un ordre personnel. Ainsi apprendre à vieillir, et quand les forces déclinent ne pas prétendre que l'on peut aller au-delà, que l'on peut toujours ce qui était possible vingt ans plus tôt. Mais notre texte nous oblige à aller plus loin. Fais le travail avec ta force. Et se pose aussitôt tout un problème de civilisation. Peut-on multiplier la puissance énergétique à l'infini ? Peut-on substituer à la force limitée une source illimitée d'énergie ? Peut-on faire des œuvres qui consomment finalement les réserves du monde pour excéder par millions ce que l'homme pouvait accomplir ? Certes, maintenant, on le *peut,* dans l'ordre du possible. Mais est-ce dans l'ordre du permis ? Je sais bien qu'aussitôt cette simple question provoquera colère et jugement contre l'esprit rétrograde qu'elle est censée manifester. Je réponds avec la simplicité du texte : de toute façon, ton travail est vanité, poursuite du vent. Et vos satellites et vos sondes spatiales, et vos centrales atomiques et vos milliards de volts et vos millions de voitures et de télés, poursuite du vent. Il n'en restera rien. Rien. Absolument rien. Dans le séjour des morts où tout va.

Alors il suffit bien, pour satisfaire ta joie, de ce travail à portée de ta main, avec la force *que tu as,* et non celle des centrales atomiques. Il suffit bien de cette mesure de blé dans ta main, et de ce comblement par des petites choses, car l'angoisse est d'autant plus grande que les œuvres sont plus somptueuses, et la dévoration du monde pour produire l'inutile n'engendre que la conscience plus aiguë de la vanité de ces richesses, et le désespoir de les perdre aussitôt que gagnées. Fais tout ton travail, mais il est vanité ! Cette espèce de sagesse désinvolte, cette ironie au sujet de ce que nous prenons si au sérieux nous révolte, n'est-ce pas ? Quoi donc, le travail est vanité, et il faut le recevoir comme don de Dieu ? Il est absurde, et il faut tout tenter ? Mais oui ! C'est bien cela, Qohelet, mais aussi *toute* la Révélation de Dieu dans cette Bible !

Alors on peut conclure sur trois orientations fondamentales. La première vient du texte même : « Donne une part à sept et même à huit, car tu ne sais pas quel malheur peut arriver sur la terre » (XI, 2) : aussitôt après avoir dit « jette ton pain... » — ainsi le travail peut avoir cette orientation-là : donner. Si tu travailles, en tout cas, une possibilité t'est offerte : donner, partager avec l'autre le fruit de ton travail, et cela a au moins un sens. Prépare-toi à sortir du malheur et ne te préoccupe pas de beaucoup plus. Alors s'établit une correspondance : le travail t'est donné par Dieu, afin que par ton travail tu aies quelque chose à donner à ton tour. Ici encore, combien nous sommes contredits dans nos conceptions du gain et du travail !

Prenons garde alors à une récurrence. Nous avons vu que Qohelet répète sans fin : le travail, l'argent, la richesse, c'est vanité. Plus encore, ils ont un destin qui est un mal, parce que finalement tu laisses ce que tu as amassé à n'importe qui, tu ne sais pas quel sera l'héritier, s'il sera digne de toi, s'il sera capable, etc. Eh oui ! Tandis que si tu *donnes,* tout est clair. Tu sais à qui tu donnes ! Ce n'est pas la mort qui te dépouille, c'est toi qui agis. Ce n'est pas le hasard qui désigne le fou qui te succédera. C'est toi qui donnes, à bon escient (peut-être) et tu établis une relation par ce don... L'un éclaire l'autre, et Qohelet n'est nullement incohérent !

La seconde orientation concerne les « petites choses ». Le travail est une petite chose, une affaire que l'on peut juger sans importance, qui fait partie de ce monde de vanité, et qu'il ne faut pas prendre au sérieux, mais voilà : il faut le faire [1] — et même le faire avec sérieux. Cela aussi rejoint l'Évangile : « C'est bien, bon et fidèle serviteur, tu as été *fidèle dans les petites choses,* je te donnerai les grandes... » Qohelet avec une totale intransigeance nous dit, lui : « Il n'y a pas du tout de grandes choses — ce sont les petites choses qui font la vie, et la vie est là qu'il s'agit de maintenir — certes tout est vain, tout est poursuite du vent. Cela dit, soyez fidèles dans les actions inutiles, mais alors aussi mesurez ce que vous faites à leur inutilité et ne consacrez pas le tout de l'homme à la poursuite du vent ! » (II, 11).

Enfin la troisième orientation, qui confirme le paradoxe de ce livre, qui se borne à pousser à l'extrême le paradoxe de la

---

1. Cet « inutile » qu'il faut quand même faire me fait songer à ces récits où l'on voit Dieu même faire des démarches inutiles. Ainsi Rachi nous dit, à propos de la démarche (inutile) de Moïse auprès du roi de Sihon pour lui déclarer la paix et pour qu'il le laisse passer : « " Dieu sachant l'inutilité de ma démarche pacifique, dit Moïse, je n'en reçus pas de sa bouche l'ordre d'appeler Sihon à la paix. Mais j'entrepris de faire néanmoins cette démarche. Le Midrach ne nous raconte-t-il pas que Dieu fit aussi de son côté une démarche qu'il savait bien, par avance, vaine ? Lorsqu'il voulut faire le don de la Torah aux hommes, il la proposa au préalable à Esaü (qui la refusa) et à Ismaël (qui la refusa) [...] et en troisième à Israël qui l'a acceptée [...]. C'est cet exemple qui m'inspire. " »

Révélation, laquelle prend son ultime forme paradoxale en Jésus-Christ, c'est cette dure vérité que nous avons à vivre : Dieu fait tout — et vous avez tout à faire. Il n'y a aucune contradiction (sinon de logique formelle !) dans cette vérité qui résume toute la relation de l'homme à Dieu, toute la révélation de Dieu à l'homme, dans le monde biblique.

6. *Le bonheur*

Nous faisons ici encore un pas de plus dans le positif, mais certes, un positif relatif. En un mot, le bonheur n'est rien — lui aussi est vanité. Mais c'est tout ce à quoi l'homme peut aspirer. Et Qohelet pose comme préface, comme avertissement, que le bonheur est vanité, comme le reste. Et pourtant c'était sa première tendance, sa première tentative : « J'ai dit en mon cœur : viens donc que je t'éprouve par la joie ! goûte au bonheur ! Et voici, cela aussi est vanité. Du rire, j'ai dit : fou ! et de la joie : qu'est-ce que cela fait ? » (II, 1-2). Donc, à la recherche de la condition humaine, le premier pas, le plus évident, le plus immédiat, c'est l'expérience du bonheur. Ce qui, entre parenthèses, montre bien que ce n'est pas seulement notre monde moderne qui a fait du bonheur un idéal, un centre de vie, un objectif.

La différence est que Qohelet, assez vite, porte le bilan de l'expérience, alors que notre monde est incapable de juger le bonheur comme une fausse valeur. Et la ressemblance était d'autant plus grande que les moyens étaient les mêmes : du luxe, de la « consommation », des subordonnés, des femmes, de l'argent, des plaisirs... Qu'est-ce que nous procure notre société avancée, développée, etc., sinon la même chose, en transposant évidemment les termes d'une culture à l'autre !... Il est, je crois, fondamental aujourd'hui de nous rappeler sérieusement cela, à savoir que le premier objectif, l'évidence, c'est le bonheur. Mais que celui-ci, aujourd'hui comme hier, est vanité, folie, insignifiance (qu'est-ce que cela fait ?), poursuite du vent.

Nous sommes très loin d'avoir entendu cette leçon-là ! Et notre monde continue comme si de rien n'était, comme si en effet seul le bonheur, le « droit au bonheur » était le but, la plénitude, le dévoilement profond de l'être de l'homme. Toutefois, ce qui montre bien pour Qohelet l'importance du bonheur, c'est qu'il décide de tenter là sa première expérience pour répondre à : « Qui suis-je ? » — pour savoir si par là il peut combler le désir humain. Avant toute chose, rechercher et expérimenter le bonheur. Mais en restant souverainement lucide, sans se faire piéger par la facilité, par la passivité qu'engendre le bonheur. Et il donne tout de suite le résultat : le bonheur est absurde. Il ne signifie rien en définitive, il est « folie » : le contraire de la Sagesse, il est vanité comme le reste. Et dorénavant, tout ce que nous lirons, *ensuite,* sur le bonheur doit être placé sous ce jugement global, doit être situé *à l'intérieur* de cette folie et de cette vanité.

Mais ceci montre à quel point se trompent les interprètes, les historiens qui ont voulu cataloguer Qohelet parmi les philosophes hédonistes ! Il faudrait oublier cet en-tête, ce jugement premier. Or, non seulement il permet de remettre tout le reste en perspective et dans la juste lumière, mais encore, il permet d'affirmer que Qohelet n'est pas un philosophe de telle ou telle catégorie. La démarche est significative : le chapitre I s'achève en proclamant « ... j'ai fait grandir la Sagesse plus que quiconque avant moi en Jérusalem, j'ai mis mon cœur à la Sagesse... » (I, 16-17). Et aussitôt après commencent les « expériences » : quelles vont être les voies de la Sagesse ? le travail ? le bonheur ? etc. Ainsi, ce n'est pas simplement parce que cela lui faisait plaisir qu'il cherchait le bonheur... Non, c'était une sorte d'expérience philosophique — la voie et le moyen de la Sagesse. Donc, le centre et le fondement d'une philosophie. Et c'est justement la conséquence qu'il tire : il n'y a pas de philosophie à fonder sur le bonheur et sa recherche.

Et pourtant !... A partir de cette affirmation préliminaire fondamentale, voilà que suivent toute une série de déclarations favorables ! On peut dire que tout le livre est ponctué par la référence au bonheur. « Il n'y a rien de mieux pour l'homme que de manger et de boire, et de faire goûter à son âme le bonheur par le travail [...]. Car " Qui mangera et qui jouira *en dehors de moi ?* " » (II, 24). Rien de mieux. Mais attention, ce n'est pas un superlatif absolu !

C'est relatif à la condition humaine « sous le soleil ». C'est vain, mais c'est mieux que le reste. Et si tu ne prends pas le plaisir qui te vient, qui donc le prendra ?

Quant à la qualité de ce bonheur, il ne faut pas raffiner — ce n'est pas le haut et sublime bonheur de l'esthète, du spirituel, du mystique ; ce n'est pas l'éclosion de la pensée ou de l'âme ! Non, c'est tout bonnement manger, boire, et aussi bien travailler ! Et c'est constamment dans ce cercle de bonheur, celui de l'homme quelconque, que se meut Qohelet. Il n'a pas la conception élevée, difficile, exigeante d'Épicure ! Non — c'est le bonheur de n'importe qui (III, 12). Il peut y ajouter deux dimensions : le bonheur peut aussi consister à jouir de ses propres œuvres (III, 22) ! C'est encore une satisfaction bien connue, nous l'avons rencontrée — oui, mais pas de façon dernière : comment le bonheur, qui est vanité, pourrait-il légitimer le travail satisfaisant ? Et réciproquement, comment le travail, qui est vanité, pourrait-il élever le bonheur à l'absolu ?

L'autre dimension dont il faut assurément tenir compte : la relation avec la femme que l'on aime... « Goûte la vie avec la femme que tu aimes... » (IX, 9). C'est bien, c'est bon, cela vaut certes la peine d'être vécu — mais pardon, aussitôt la limite : « Goûte la vie avec la femme que tu aimes durant tous les jours de ta vie de vanité... » Donc cela ne fait pas sortir de la vanité, cela ne fait pas le sens, ne tire pas l'homme hors de lui-même. C'est à l'intérieur de la vanité, de ces jours de ta vanité, que tu ferais mieux de profiter du bonheur de l'amour. Et c'est bien devant Dieu. A condition de ne croire en tirer ni un absolu ni l'éternité ! Si tu prétends sortir de la vanité par l'amour ou par le bonheur, alors là est le piège. Si tu le vis autrement, alors c'est bien. Et non seulement c'est bien, mais plus : c'est un conseil et même un commandement.

C'est tout à fait remarquable : Qohelet donne une sorte d'ordre, au jeune homme comme au vieillard : « Mange, bois, réjouis-toi... » — « au jour du bonheur, sois heureux ». Donc, et ceci me paraît essentiel : ne te laisse pas ronger, pendant les jours de bonheur, par tout ce qui pourrait survenir, qui t'enlèverait le bonheur, qui fait que ce bonheur n'est pas complet, ne te laisse pas abattre par le fait qu'il est vanité. Quand tu es heureux, sois-le sans réserve, livre-toi à ce bonheur simple. La fête est la fête, pas de pensée morose. La cuisine est bonne, le vin est bon, ne va pas chercher au-delà. Maintenant est le jour du bonheur. Vis ce maintenant avec plénitude. Demain viendra le jour du malheur. Ne te préoccupe pas du lendemain. « Chaque jour prendra soin de lui-même. » Et c'est Jésus qui le confirme ! Donc, « sous le soleil » (pas dans l'absolu !), reçois ce commandement singulier dans la Parole de Dieu : sois heureux avec les moyens simples du simple bonheur des hommes. Mais avec deux réserves : finalement, c'est vanité. Bon — cela n'a pas à rétroagir ! Et surtout : tu dois savoir que c'est là un don de Dieu. Nous le retrouverons longuement plus tard ! Mais pour l'instant, c'est le seul double jugement que tu aies à porter sur ce que tu vis ! Et cela t'accompagne durant tous les jours de ta vie.

Ce n'est pas un événement ni une réalité qui pourrait être dépassée : c'est bien la réalité de la vie humaine entière. Nous n'avons pas à nous croire meilleur ou supérieur aux autres. Nous n'avons pas non plus à le recevoir comme une simple réalité contingente et évitable. Les deux pôles du travail et du bonheur sont un ordre, un commandement. Il faut être heureux, de ce bonheur simple, élémentaire, sans fuite dans l'illusion (religieuse, politique, philosophique, idéologique) ni dans la sophistication (créer les paradis artificiels), sans espérer que demain ce sera beaucoup mieux et chercher à tout prix à fabriquer un bonheur inattendu, inespéré, parfait. Là encore, Qohelet nous avertit : « Tout ce qui vient est vanité » (XI, 8). Et toute ta vie peut s'écouler ainsi. « Si l'homme vit des années nombreuses, *qu'il se réjouisse en toutes* et qu'il songe que les jours de ténèbres seront nombreux [...]. Réjouis-toi, adolescent dans ta jeunesse, et que ton cœur te rende heureux aux jours de ton adolescence... » (XI, 8-9).

Ainsi toute la vie est faite ; pour toute la vie, nous pouvons rencontrer et créer ce bonheur qu'il *faut* chercher ! Avec des moyens humains — avec nos seuls moyens humains, nous ne pouvons pas faire beaucoup mieux, nous devons savoir que cela est vanité, mais cela vaut quand même la peine de vivre, nous dit-il — à condition de l'accepter tel, et de le vouloir — car il faut aussi le vouloir. C'est, me semble-t-il, ce que signifie une dernière indication, où nous retrouvons : « Mange avec joie ton pain — et bois de bon cœur ton vin [...] et qu'en tout temps tes vêtements soient blancs et que l'huile sur ta tête ne manque pas » (IX, 7-8).

Ainsi, ce désolant Qohelet, qui marque si fortement la vanité de tout, y compris de ce qui constitue l'humble et matérialiste bonheur humain, recommande que non seulement on se fasse ainsi plaisir, mais bien plus, que l'on manifeste ce plaisir. Pas seulement boire et manger, mais en outre les manifestations extérieures, en quelque sorte supplémentaires, gratuites : des vêtements de fête, du parfum, des signes donnés aussi pour les autres. Ce bonheur, si vain, ne le méprisez pas, il vaut la peine. Mais tout étant englobé dans la vanité, cela veut dire que assurément, dans une société comme la nôtre, l'accentuation me semblerait devoir être mise sur l'aspect vanité-inutilité, car ce n'est pas le « bonheur-consommation » qui peut faire le sens de la vie. Ce n'est pas non plus ce que dit Qohelet. Simplement, dans un univers difficile et en partie de manque, il ne faut pas le négliger. Aujourd'hui, nous le portons trop haut et il faut assurément insister sur l'autre aspect.

Mais restons-en à notre texte. Remarquons pour finir trois orientations. Le bonheur n'est pas lié à l'accumulation de puissance et de richesse. Mais nous avons vu que le grand texte sur la richesse ne se conclut pas par la haine de tout. Non, bonheur fondé sur les choses les plus simples : manger et boire, aimer sa femme et passer sa vie avec elle, et aussi en arrière-plan les amis — le reste n'est rien.

La seconde remarque concerne la volontaire dispersion de ces textes, qui se répètent. Tout le livre est parsemé (à peu près autant que de déclarations sur la vanité) du conseil : « Réjouis-toi. » Comme si vraiment chaque séquence devait comporter ce conseil après tout avertissement. Et la troisième consiste à noter la relation entre le bonheur et le don de Dieu. Il n'y a rien de mieux pour l'homme que de manger et de boire et de faire goûter à son âme le bonheur de son travail : *j'ai vu que cela aussi vient de la main de Dieu* (II, 24). « Va, mange avec joie ton pain et bois de bon cœur ton vin, car déjà Dieu a agréé tes œuvres » (IX, 7). Deux aspects sur lesquels nous aurons à revenir. D'abord : c'est un don de Dieu — et tu peux te réjouir parce que Dieu donne. Mais aussi tu peux te réjouir, parce que Dieu a agréé tes œuvres. Lesquelles ? Nous ne savons pas — simplement nous avons à le recevoir ainsi. Je ne crois pas que cela signifie que le bonheur soit la marque d'une bénédiction ! L'enchaînement est autre : tu peux manger et boire tranquille et heureux, tu peux goûter la vie avec la femme que tu aimes, tu *dois* marquer ta joie par tes vêtements blancs *(c'est le même texte) parce que* Dieu a agréé ta vie. C'est la bonne nouvelle qui t'est annoncée — c'est tout. Apprends que Dieu a agréé ta vie, à partir de là, le cœur en paix, sois heureux des choses matérielles qui par elles-mêmes ne sont que vanité, certes ! Et cela me fait immanquablement évoquer le festin de la parabole du Royaume, où Jésus montre que Dieu invite *d'abord,* que Dieu offre, et alors les conviés doivent manifester leur joie et leur reconnaissance par les fameux vêtements de noces, le vêtement blanc (et celui qui ne l'a pas revêtu est jeté dehors...).

Rien de plus : manifester sa joie... pour cette vanité qu'est un bon repas... et ici tout au long de sa vie pour ces vanités de biens consommables... Mais non : manifester la joie et la vouloir parce que l'on a saisi l'importance de cette invitation à les manger, à les recevoir — et bien plus, parce que nous apprenons que Dieu a agréé notre vie. Pourquoi ? Il ne nous en est rien dit ! Nous n'avons rien à en savoir, mais seulement à accueillir cette bonne nouvelle, cet Évangile, simplement parce que *cela nous est annoncé* (comme l'invitation au festin était annoncée !). Et au milieu de toute la vanité, il devient possible de se réjouir et d'être heureux : tout coule et tout passe, mais cela ne change rien à la déclaration que Dieu fait sur notre vie — voilà le sens et la limite du bonheur : tout autre retombe sous la vanité...

7. Le bien

Qohelet n'est pas un livre de morale ! S'il nous déclare au sujet de beaucoup de situations : « ceci est un mal », il ne nous parle pratiquement pas du bien, ne nous dit pas ce qu'il conviendrait de faire, et ne se livre pas à une louange du bien... Au contraire ! Alors que nous avons vu l'importance du bonheur, le bien ici, ce n'est rien. J'aurais envie de me borner à citer la phrase de Keynes : « Le mal est utile, le bien ne l'est pas » (il parlait en économiste !). Tout ce que nous voyons dans ces pages, c'est que le bien, faire le bien, être juste, ça ne sert à rien, ça n'a finalement aucun sens. « Il y a une vanité qui est faite sur la terre : c'est qu'il y a des justes qui sont traités selon l'œuvre des méchants, et des méchants qui sont traités selon l'œuvre des justes ; j'ai dit : cela aussi est vanité » (VIII, 14). Bien entendu, il ne dit nullement que cela est bien, il n'approuve pas. Et ce n'est même pas la simple et objective constatation du « c'est comme ça que ça se passe ». Non : il nous dit que cela est une des marques de la vanité.

Elle est multiforme cette vanité, elle se manifeste en tout. Une de ses manifestations est donc celle-là : le juste et l'injuste sont traités de la même façon. Il n'y a pas de justice. Il n'y a pas de récompense à attendre en faisant le bien, en étant juste. Tout est interverti, ou perverti, ou confondu par le grand mouvement de la vanité. « Tout est pareil pour tous, il y a un sort identique pour le juste et pour le méchant, pour le bon [et pour le mauvais], pour le pur et pour l'impur, pour qui sacrifie et pour qui ne sacrifie pas. Tel le bon, tel le pécheur. Celui qui jure est comme celui qui redoute le serment. C'est un mal en tout ce qui se fait sous le soleil qu'il y ait un sort identique pour tous... » (IX, 2-3).

Maintenant, ce n'est plus seulement la vanité, mais Qohelet s'engage : c'est un mal. Voilà le mal, et il règne. Il ne faut pas espérer s'en tirer, ni par le bien, ni par la vertu, ni par la justice, ni par la religion. Finalement, le « destin » de l'homme est toujours identique, et l'espoir qu'il pourrait mettre en sa vertu est vanité. Remarquons que ce n'est pas tout à fait l'argument fréquent : « Tous meurent également. » Sans doute, il y est : le bon, le méchant, tout meurt, et leur mort est identique à celle des bêtes. Mais ce n'est pas cela qui me paraît donner la connotation forte de cette vanité : « C'est que le juste *est traité selon l'œuvre* des méchants. » Autrement dit : ce n'est plus ici ni affaire de Dieu ni du destin, c'est l'homme qui agit ainsi. Il ne reconnaît pas le juste. Il le traite comme un méchant, et ainsi l'homme ajoute son poids à la vanité du monde. N'espérez pas de reconnaissance, ou une meilleure renommée, ne comptez pas être apprécié par les autres en étant bon et juste. Cela ne sert à rien. Il n'y a donc à espérer, ni une justice sur la Terre ni une justice au-delà. Ni une solidarité des hommes pour faire triompher le bien, ou lutter contre la vanité de la condition humaine, ou établir une juste échelle de valeurs. Non. L'homme, tout homme, par ses jugements et ses critères du bien, ne fait qu'ajouter à la vanité du monde.

Cela ruine à la base nos prétentions soit d'une nature humaine

111

qui serait bonne, ou qu'il faudrait suivre, soit d'une capacité à dire le bien et le juste, et à apprécier sainement selon une morale, une équité, etc. Il n'y a pas de politique juste imaginable. L'histoire et la société sont fondées sur la vanité, sur le mal, et ne peuvent en aucune manière nous fournir la moindre référence. C'est du vent. Rappelons-nous, vanité, fumée, buée. Voilà le bien, et l'histoire, et la politique, et la société...

Et que l'on ne vienne pas objecter que c'est un livre bien singulier et unique, que l'on ne peut pas le prendre comme référence, qu'ailleurs dans la Bible... En vérité, ce livre est aussi un liminaire. Si on ne l'écoute pas, *d'abord,* si on n'est pas pénétré avant tout de cette rigueur, si on refuse cette radicalité, alors on est condamné à faire de tout le reste de la Révélation une « bergerie » et un conte de fées pour les enfants. Car enfin, si nous sommes scandalisés par cette proclamation de l'inutilité du bien, alors comment pouvons-nous accepter et recevoir la crucifixion ? Est-ce que cette dure parole de Qohelet sur « le juste qui est traité selon l'œuvre des méchants » — sur le : « Tout est pareil pour tous, bons et méchants », ne s'accomplit pas dans sa totalité, dans sa dureté, lors de la condamnation de Jésus qui n'a été que bonté, justice, amour et qui « est mis au rang des méchants » — et qui est crucifié avec des brigands (ou des terroristes, selon que l'on préfère !) ?

Mais la crucifixion fait partie de notre univers mental, et ne nous scandalise pas. Et voilà que nous le sommes lorsque nous rencontrons cette *généralisation.* C'est bien ici la généralisation qui nous gêne. Encore ne faut-il pas confondre : en le référant à Jésus-Christ, je n'ai pas voulu dire que le texte fût exclusivement prophétique (c'est-à-dire concernant le seul Jésus). C'est souvent une manière élégante de se débarrasser d'un texte biblique que de le proclamer prophétique de Jésus (en aparté : « Cela ne me concerne donc pas... »). Je veux simplement dire que cette dure déclaration de Qohelet est confirmée, rendue indiscutable et attestée par l'aventure de Jésus.

Elle reste cependant déclaration pour tous et pour chacun. Nous voici tous englobés dans cette situation de vanité. Sans doute reconnaît-il que c'est un mal qu'il en soit ainsi, mais il en est ainsi. Faire le bien ne sert à rien. Vous n'échappez ni au sort commun des hommes ni à la haine des autres. Il ne dit certes pas qu'*il ne faut pas* faire le bien. Mais cela seulement qu'il ne faut rien en attendre, rien en espérer, et qu'il n'y a pas à se scandaliser de la réussite du méchant, de l'échec du juste. Qu'il ne faut pas non plus faire confiance dans un avenir triomphal de l'humanité. Cela, nous l'avons déjà rencontré avec la récusation du progrès. Il est ici à nouveau avec le triomphe de la vanité sur le bien.

Cette leçon sur la vanité n'est pas une sorte de pessimisme, mais, en nous montrant la réalité de ce qui nous entoure, l'avertissement de ne pas prendre tout cela au sérieux. Ne pas y *croire*. Ne pas y attacher son amour, sa vérité, sa personne. Ne vous livrez pas à tout cela, c'est poursuite du vent ! La vanité, ce n'est pas davantage une philosophie ni une conception de la vie même de l'homme. C'est un rappel, une mise en garde pour chacun dans la conduite de sa vie. Et ce rappel, c'est d'abord la compréhension que c'est ma propre vie, tout entière, sous tous ses aspects, qui est ainsi soumise à la vanité !

Alors bien sûr, on réagira : « Vous voyez que c'est un pessimisme. » Mais si nous voulons écouter sérieusement Qohelet, nous apprenons tout autre chose ! Dire que je reconnais que ma vie est soumise à la vanité, cela signifie en définitive que je ne peux pas *me* placer au centre, ni au centre du monde, ni au centre de mon cercle de relations, ni au centre de l'histoire, ni au centre de l'action, ni au centre des cultures... Apprenons à considérer l'importance de ce déplacement ! Ce n'est pas seulement le rejet de l'égoïsme et de l'égotisme (non par morale et bons sentiments ! mais parce que je sais que ma vie est vanité !). C'est aussi le rejet de l'attitude occidentale, par exemple, d'avoir affirmé sa culture et sa conception économique comme les seules vraies, et par conséquent destructrices des autres ! Mais ta culture et ton système politique sont vanité ! Alors écoute les autres, respecte-les !

Dans le domaine de la foi, combien avons-nous été victimes de cet « autocentrisme » ? Voyons, ta compréhension de la Bible, elle est aussi vanité (la mienne bien sûr !) et, pour essayer de l'entendre, j'ai à écouter les autres d'une part, d'autre part je dois lutter contre la tentation permanente de substituer *mon* intérêt ou *ma* personne à ce qui est au centre de la Révélation, à savoir la personne de Jésus-Christ ! Si je ne sais pas que je suis vanité, alors les idées qui me préoccupent (mon salut personnel !) ou qui m'intéressent (la Révolution !) deviennent le point d'interprétation de l'Écriture. Celle-ci devient une sorte de répertoire où je cherche *mes* réponses et *mes* arguments ! Mais rappelle-toi donc quand tu fais cette opération que tu n'es que vanité ; tes idées aussi. Écoute autre chose que toi-même.

8. *Les réponses humaines*

La situation étant telle, y a-t-il une attitude possible de l'homme qui serait souhaitable, plus adaptée ? Écartons tout de suite celle que nous attendons.

La réponse humaine, pour Qohelet, n'est pas dans la religion. Nous verrons plus loin ce qu'il en pense ! Et qu'elle ne sert à rien. Car il n'y a qu'un seul sort « pour le pur et l'impur, pour qui sacrifie et pour qui ne sacrifie pas. Tel le bon, tel le pécheur ; celui qui jure est comme celui qui redoute le serment » (IX, 2). Ainsi, la religion ne tient pas devant le « tout est vanité ». Il faut le dire dès maintenant !

Mais alors, Qohelet donne-t-il un conseil ? Nous rechercherons plus loin ce qu'il dit constamment de la Sagesse. Mais en deçà, eh bien, certes, il y a toute une série d'attitudes qui ne sont pas sans importance. Après tout, j'aurais envie de dire que pour Qohelet (et pourquoi pas pour toute la Bible) l'aventure vraie de l'homme commence à partir de cette radicalité du « tout est vanité »[1]. A partir du moment où on sait que rien ne sert *fondamentalement* à rien — où toutes les illusions sont dissipées. Alors, sur ce terrain déblayé, l'aventure peut avoir lieu. Mais il faut passer par cette dure filière, et ne pas y laisser sa peau ! Le trou de l'aiguille, certes le chameau pouvait y passer, mais à condition de n'avoir aucune charge, aucun matériel, aucune selle ni bât. Et de l'autre côté, on est seul et nu. Ainsi la vanité. Il faut chercher à répondre.

Peut-être par une sorte de stoïcisme ? Il est sous-jacent dans nos

1. Je me trouve une fois de plus en accord avec Maillot quand il écrit que Qohelet ne dénonce les œuvres humaines que dans la mesure où l'homme leur demande de résoudre le mystère de son destin. Ce ne sont pas les réalités qui sont nulles, mais la relation de l'homme avec elles. Le drame de l'homme est de s'asservir à ce qui devrait le servir — l'homme est fondamentalement idolâtre. D'où l'attaque contre tout ce qui sert cette idolâtrie.

pages. C'est comme ça, inutile de se plaindre et de se lamenter. Courbe le dos — existe malgré tout. Tu as, et tu perdras tout. Tu ne laisseras pas même un souvenir au bout de deux ou trois générations... (I, 11). Et que tu laisses après toi une postérité à qui tu devras abandonner ton œuvre sans savoir si elle le mérite, ou si elle en fera bon usage — ou que tu meures sans enfant, cela est également mauvais. Mais il faut accepter que c'est, dans un cas comme dans l'autre, une vanité. Inutile de se désespérer.

Remarquons en passant la sobriété dure de notre texte : il n'est pas romantique. Il ne se lamente pas sur le triste sort de l'homme. Il nous dit ce qui est, nous sommes avertis, et nous avons à en prendre notre parti. Donc, être fermes et courageux (puisqu'en même temps nous sommes invités au travail, même s'il est vanité, si son fruit ne nous profite pas). Stoïcisme non pas philosophique, avec les grandes constructions intellectuelles des Grecs[1]. Mais un stoïcisme quotidien. « Fais énergiquement ta longue et lourde tâche/Dans la voie où le sort a voulu t'appeler/Puis après, comme moi, souffre et meurs sans parler. »

Mais il ne s'en tient pas à cette acceptation. Nous entrons alors dans un monde extraordinairement ambigu, où nous ne savons jamais si, finalement, l'auteur dit ce qu'il dit, se moque de ce qu'il rappelle comme « Sagesse » populaire, ou dit au contraire le contraire de ce qu'il veut dire ! C'est le monde de l'ironie. Je pense en effet que Qohelet nous présente tout sur le mode de l'ironie. Mais encore y a-t-il une ironie directe et une indirecte. Il est certain que lorsque notre texte nous dit que le travail provoque la jalousie, ou décrit l'homme qui a amassé de grands biens et qui ne sait finalement à qui ils reviendront, c'est une ironie simple et directe, ou encore quand il dit : « Ne sois pas trop sage. » Ou encore : « Le rire de l'insensé est comme le bruit des épines qui brûlent sous la marmite. » Ou encore : « Être à l'ombre de la Sagesse, c'est être à

---

1. Et, à l'occasion, répétons que la diversité des interférences que l'on veut absolument trouver entre notre livre et les philosophies grecques les rend suspectes. Car enfin, l'auteur est manifestement un homme intelligent, s'il avait connu les stoïciens (un peu tôt !) et les hédonistes ou les sceptiques, il aurait sans doute présenté son affaire autrement. Je ne nie pas une relation avec une ambiance de pensée grecque — sans doute — mais je récuse toute influence majeure d'un courant : Qohelet est Qohelet, non pas un sous-produit hellénistique... Voir par exemple A. Lauha, *op. cit.*, introduction.

l'ombre de l'argent! » Ou encore le prodigieux verset 10, cha-pitre VIII. « J'ai vu des méchants conduits au tombeau ; hors du lieu saint ils vont et on oublie dans la ville qu'ils ont agi ainsi! » Autrement dit, les méchants sont loués, honorés ; ils ont un « bel enterrement » ; toute la ville les conduit à leur dernière demeure, à partir du « lieu saint ». Combien d'enterrements à l'église sont de cet ordre? Ironies directes que tout cela. Mais il ne faut pas toujours s'y laisser prendre. Car Qohelet emploie très souvent un discours au second degré avec une lecture apparemment simple, mais qui renvoie à un autre sens. Rien de plus direct apparemment que la déclaration : tout est vanité. Mais est-il certain que ce soit bien là l'objectif final? La première parole ne doit-elle pas être lue dans la perspective de la dernière du texte? Je crois que tout au long, Qohelet renvoie à une autre vérité que celle qui nous paraît simple.

Au fond, il me semble que ce qu'il a à dire est impossible à communiquer directement, tel quel. D'abord parce que la vérité ne peut jamais être transmise ainsi, ensuite parce que son message, donné à cru, conduirait au désespoir. Or, il n'est pas un livre du désespoir, mais fait partie de la Bonne Nouvelle! Nous l'avons déjà dit. Par ailleurs, il me semble clair que nous ne sommes pas ici en présence de la plus énorme banalité qui ait sans cesse été dite : « Les choses du monde ne comptent pas, donc tournez-vous vers Dieu » — l'Ecclésiaste, ce n'est pas l'Imitation de Jésus-Christ, et Qohelet n'est pas un apologète. Mais « ce qui est profond, profond, qui le mesurera ». Nous sommes alors ici typiquement en présence de la « communication indirecte », de la « vérité voilée » déjà annoncée par les pseudonymes et les premiers versets. Non pas pour le plaisir de faire un cryptogramme, mais parce que lorsqu'il s'agit de la vérité, il ne peut pas en être autrement. Il ne peut y avoir aucune énonciation directe de la vérité. Il ne peut y avoir aucune communication immédiate de la vérité, parce que celle-ci n'est pas de l'ordre de notre capacité intellectuelle ni de notre dimension. Et je ne parle pas nécessairement de la vérité *de Dieu*. Il s'agit bien de tout ce qui est de l'ordre de la vérité. Seule la communication indirecte est possible, parce que seule, en même temps, accessible et supportable [1].

---

1. A ce sujet je ferai trois remarques : d'abord c'est bien à cela que correspond, dans mon livre *La Parole humiliée,* le rapport que j'ai établi entre parole et vérité,

Accessible et supportable, mais en même temps provocatrice de contresens et de scandale. Ainsi travaille Qohelet : en nous décrivant comme il le fait la réalité du monde, de la société, de

---

celle-ci étant exclusive de l'image — et l'image exclusive de la vérité. Elle n'est pas de son « ordre ». Or, j'expliquais que précisément parce que l'image est le médium précis et exact, elle rend compte de ce qui est le plus incertain et fluent, le réel. Inversement, parce que la vérité reste l'immuable, le transcendant et l'absolu, il n'est possible d'y accéder que par le médium le plus labile, fluent, susceptible de multiples interprétations qu'est la parole. La seconde remarque, c'est que ce que je viens de dire de la communication indirecte n'est pas seulement exact pour la vérité de Dieu, nous retrouvons exactement le même problème pour ce que les scientifiques appellent la vérité (ou bien ce que n'importe qui appelle la vérité, en parlant des sciences) : il est impossible de traduire directement et immédiatement ce que l'on saisit et sait, que ce soit au sujet des galaxies ou de la composition de la matière : on a, pour en rendre compte, recours soit à dès symboles mathématiques, des équations — soit à des schémas (par exemple les fameux dessins faisant comprendre ce qu'est un atome — mais qui bien entendu ne correspondent à rien de réel) — soit à des graphiques, etc. Or, strictement rien de tout cela n'est la transmission directe de ce que l'on veut exprimer. C'est une représentation imaginaire, approximative, c'est une communication indirecte. Enfin, on sait que cette communication indirecte est celle sur laquelle Kierkegaard insiste comme étant la seule possible pour la relation à Jésus-Christ (cf. *L'École du christianisme,* « Les déterminations du scandale »), qu'elle était pour lui la souffrance majeure de Jésus qui ne pouvait pas communiquer directement aux hommes qu'il était le Christ, le Fils de Dieu, Dieu lui-même (et c'est pourquoi il ne se qualifie lui-même jamais ainsi, mais au contraire : Fils de l'homme). C'est dans la mesure de la communication indirecte que cet homme qui est Dieu est, en même temps, possibilité de foi *et* possibilité de scandale. Mais « sans la possibilité du scandale, on aurait le reconnaissable direct, et l'Homme Dieu serait une idole. Le reconnaissable direct, c'est le paganisme ». Mais, souligne Kierkegaard, la communication indirecte est infiniment plus difficile à soutenir que la communication directe : « Les humains ont besoin les uns des autres, et ce besoin est déjà d'ordre direct » ; « seul l'homme Dieu est communication indirecte pure du début jusqu'à la fin [...] il ne se façonne en aucune manière suivant les idées des hommes, ne leur parle pas directement ». Il parle par paraboles. Il ne se manifeste jamais autrement que comme le serviteur, le pauvre, le souffrant (sauf une fois lors de la Transfiguration... et l'on sait à quel contresens cela aboutit !). Lorsqu'il semble parler directement (aux riches, aux pharisiens, aux marchands du Temple), nous nous trompons à son sujet, car aussitôt nous en faisons un transgresseur de la loi, un révolutionnaire, etc., commettant le même contresens que les auditeurs de l'époque : ce qui atteste qu'il s'agissait encore de communication indirecte. Ainsi, dans l'Ecclésiaste, nous avons les deux registres : une communication directe et une communication indirecte, et c'est ce qui en rend la lecture et la compréhension difficiles, situées entre la banalité d'une Sagesse quelconque et l'incompréhensible d'une référence à un Dieu qui intervient là on ne sait pas pourquoi !

l'homme, avec sa radicalité, ce qu'il fait c'est non pas une espèce de constat ni une déploration sur le peu de sens de la vie (lecture directe !) mais une communication indirecte de la vérité, qui est bien au-delà. Lorsqu'il se réfère explicitement à cette vérité, alors nous avons l'impression d'un supplément inutile et sans rapport. Apprendre que ce qui nous entoure est vanité est une communication indirecte d'un bien. Cette communication indirecte prendra le visage tantôt de l'ironie voilée, tantôt d'une sorte d'antiphrase, tantôt de la banalité, mais c'est aussi ce qui explique le cheminement dont nous avons déjà parlé, à savoir ce processus fragmentaire, et cette espèce d'entretissage de thèmes qui reviennent sans cesse, avec des éclairages différents (et qui ne sont en rien, nous l'avons dit, une collection de sentences collées bout à bout).

C'est dans ce contexte-là que nous avons aussi à situer son ironie indirecte. Il nous faut lire un certain nombre de slogans qui semblent parfois étonnants. Je n'ai pas ici à approfondir : nous le retrouverons en parlant de la Sagesse. Il est très remarquable par exemple de constater une sorte d'entrecroisement entre des banalités, des plus plats lieux communs, et puis la pointe acérée d'une déclaration qui nous désarçonne et nous scandalise. Le début du chapitre VII est caractéristique à cet égard ! « Mieux vaut renom qu'huile parfumée » ; « Le cœur des fous est dans la maison de joie » ; « Mieux vaut écouter la réprimande du sage que d'écouter les flatteries de l'insensé » ; « Mieux vaut la longanimité qu'un esprit orgueilleux » ; « Ne dis pas : Les jours anciens étaient meilleurs que ceux-ci » ; « Le profit de la science c'est qu'elle fait vivre son possesseur » (*i.e.* : lui fait gagner de l'argent) ; « Un présent peut perdre le cœur d'un homme »… Quelle enfilade de perles qui rappellent les discours les plus banals, les platitudes des amis de Job !

Mais voilà que tout ceci, qui rapporte manifestement l'opinion courante, est très exactement tailladé de coups de scalpel, d'une dureté, d'un scandale qui ruinent complètement la fausse Sagesse élémentaire en obligeant à pointer vers un ailleurs. En face des conseils du bon comportement raisonnable, la radicalité de la fin. Je pense que c'est cette ironie indirecte qui fournit la clé de lecture de ces textes apparemment peu cohérents.

Nous avons le même contraste qu'entre Job et ses amis, mais ici à l'intérieur d'un même distique. « Mieux vaut un bon renom qu'une huile parfumée », oui, mais on nous a dit et redit que ce « renom » ne dure pas, tombe dans l'oubli et aussitôt ceci est ruiné par « mieux vaut le jour de la mort que celui de la naissance ». En effet, si tout se ramène à l'illusion d'une bonne renommée, si la vie de l'homme c'est ce que pensent les autres de lui, alors ça ne vaut vraiment pas la peine de vivre, autant mourir tout de suite ! Le jour de la naissance nous introduit dans un monde falsificateur, et aussi vain que l'huile parfumée. Et si, de même, on apprend qu'il faut se méfier des « maisons de joie » (?), alors c'est que nous devons nous arrêter sur la réciproque : « Le cœur des sages est dans la maison de deuil. » C'est là, devant la mort, et là seulement que le sage peut entendre et recevoir quelque chose.

C'est pourquoi il vaut mieux le chagrin, la souffrance que le rire. Seule la souffrance peut faire accéder l'homme à un plus. Et toute la Sagesse banale, rappelée, vient se heurter au définitif : « Mieux vaut la fin d'une chose que son commencement. » Car le commencement est celui d'un mensonge, d'une illusion, d'une folie, d'une Sagesse infantile, d'entreprises in-sensées ou in-signifiantes... Il n'y a sur terre pas d'autre commencement que cela (et c'est pourquoi écouter la réprimande du sage est une mauvaise plaisanterie !). Dès lors, il est plus sage, plus juste d'y mettre fin, et de tirer un trait. Il est inutile d'espérer redresser la situation : seule l'ironie indirecte peut au travers de son cheminement tortueux conduire l'homme non pas dans la vérité, mais peut-être au pied, au début de son chemin, à l'orée de son bois, à l'embranchement et au carrefour de la décision.

Il me semble que c'est dans cette même perspective que nous devons lire ces étonnants conseils que nous appellerions ceux du juste milieu, de la prudence mondaine et de la défiance politique ! N'oublions pas que Qohelet en tout ceci est passé à l'ironie à deux niveaux : il exerce son ironie directement à l'encontre des prises de position courantes, habituelles de l'homme quelconque qui cherche à éviter la dureté glacée de ce que Qohelet nous a montré, et puis l'ironie indirecte qui nous introduit à la vérité. Ici, c'est une reprise de l'ironie directe. J'en donnerai deux exemples — merveilleux, ces textes de la demi-mesure, de la prudence : « Ne deviens pas juste à l'extrême et ne te rends pas sage excessivement : pourquoi te détruirais-tu ? Ne sois pas méchant à l'extrême, et ne deviens pas sot : pourquoi mourrais-tu avant ton temps ? Il est bon que tu t'attaches à ceci et que tu ne laisses pas ta main lâcher cela, car celui qui craint Dieu s'acquittera de tous deux » (VII, 16-18).

La religion c'est bon, mais pas à l'excès, le mal, c'est utile mais il ne faut pas exagérer. Et puis ne cours pas deux lièvres à la fois... *In medio stat virtus !* La belle leçon que voilà ! Surtout ne rien exagérer, ni trop pieux ou sage, ni pas assez : car l'excès en tout est un défaut. Une trop grande Sagesse qui te distingue d'entre les hommes risque de te faire juger, peut-être par le pouvoir !... Quelle belle Sagesse que voilà, quelle louange de la prudence et de la tiédeur. Et l'on peut croire que c'est l'exacte pensée de Qohelet ? L'homme qui verse son acide sans aucune réserve sur tout ce que l'homme tient pour juste et bon, sur tout espoir, sur tout honneur ? Allons donc ! Cette pseudo-sagesse-là fait partie de la vanité, du vent, ça ne sert à rien, même sur terre, et devant Dieu. « Soyez froids ou bouillants, mais celui qui est tiède, je le vomirai de ma bouche... » Je crois qu'il faut entendre de la même façon ce qu'il dit de l'obéissance et envers les autorités, de la prudence extrême en matière politique : Obéis au roi, en toute chose. « Si la colère du chef s'élève contre toi, ne quitte pas ta place, car le calme évite de grands maux. » Et sois discret, secret : « Même en ta conscience ne dénigre pas le roi, et dans ta chambre à coucher ne dénigre pas le riche car les oiseaux du ciel rapporteront le mot et les porteurs d'ailes feront connaître la chose » (X, 4 et 20).

Merveilleux conseils de prudence, d'indifférence, de méfiance... Et ce serait le même homme qui a fait, nous l'avons vu, le procès du riche et du roi — qui a parlé du roi gâteux, insensé, et dit que le pouvoir est un mal... Allons donc ! C'est cela qui serait invraisemblable, et non pas, comme des exégètes pressés ont cru, la référence à Dieu. Je ne dis pas que c'est quelque copiste qui a ajouté ces incises ! De quoi cela aurait-il l'air ? A quoi cela pourrait-il correspondre ? Évidemment à rien. Non. Qohelet, passe au crible les absurdités de l'homme, ses fausses sagesses, ses prudences infimes, et il fait jouer à plein son ironie qui va piéger celui qui lit cela comme de la bonne parole, des bons conseils style La Fontaine, sans s'apercevoir de l'énorme contradiction, la massive affirmation de la vanité faisant rentrer sous terre le médiocre, le tiède, le prudent, le petit calculateur (car, précisément, il fait ailleurs le procès de ce calculateur. Nous le savons : « Si tu auscultes le ciel, si tu regardes d'où vient le vent et où courent les nuages, tu ne feras jamais rien ! »).

Autrement dit, je pourrais arriver à une sorte d'éthique. D'un côté, relativiser, oui — tout est relatif. Tout doit être mesuré à l'absolu, et par conséquent devient rien, ou seulement à la limite impérative de la mort, et que reste-t-il ? Et cependant ce relatif (bonheur, travail, justice...), il faut le faire et le vivre, *en tant que relatif,* c'est-à-dire dans la libération du souci accablant de l'inquiétude et de la hantise du lendemain. Voilà le bien. De l'autre, rejeter par la férocité de l'ironie, la tiédeur, le manque d'engagement, l'absence d'audace, la Sagesse, disons pour être à la mode : petite-bourgeoise — Bouvard et Pécuchet — les lieux communs — les nouveaux lieux communs — avoir l'esprit critique et acéré contre ce qui est tenu couramment pour vérité — et cela il ne faut pas le confondre avec la relativisation de toutes les causes — voilà le mal.

Mais si tout est ainsi réduit à n'être rien, à n'avoir aucune valeur, nul sens, est-ce que ça vaut la peine de courir après ce qui ne laisse rien dans la main ? de saisir le vent ? Non, ça ne vaut pas la peine, mais après tout il y a un temps à vivre, un temps complexe et fait de toute chose. Des choses relatives, mais ce sont les seules à notre hauteur ! Et cette relativité de tout, nous la trouvons portée à son sommet et à sa perfection dans l'admirable poème :

> Il y a pour tout un moment
> et un temps pour toute chose sous les cieux (III, 1).

Poème que nous retrouverons au chapitre III. Ce temps, sans qualification préalable, il est à vivre et non pas à supprimer. Qohelet ne parle jamais du suicide comme d'une réponse. A la limite, il dira (IV, 2-4) que si la vie est cela, mieux vaut ne pas l'avoir vécue. Plus heureux ceux qui sont morts, ils ont fini de se débattre avec cette vanité, avec l'insoluble question d'un sens à trouver, et il n'y en a pas, l'insoluble question de l'injustice suprême de la vie, de l'impossible Sagesse. A quoi bon s'épuiser pour tout cela ? Plus heureux encore ceux qui n'ont pas vécu, qui n'ont pas existé — c'est-à-dire qui ne sont pas entrés dans cette fatigue et cette vanité, qui ne se sont pas heurtés à l'insoluble et à l'insondable de la vie. Et surtout ceux qui n'ont pas vécu n'ont pas vu l'œuvre mauvaise qui se fait sous le soleil — ils n'ont pas eu l'expérience du mal et de l'injustice.

Il est bien question de l'injustice, puisque précisément cette déclaration vient après la condamnation des oppressions, de toutes les oppressions, et l'absence de libérateur, l'absence de consolateur : dans ces conditions, il vaut mieux ne pas avoir vécu — ne pas risquer même d'emporter dans la tombe le souvenir de cette oppression et du triomphe du mal. Mais il n'y a pas non plus d'heureux ici. Plus heureux... mais comment peut-il dire qu'ils sont heureux, alors que précisément les morts ne sentent plus rien, n'éprouvent plus rien ? Non, certes, ils ne *sont* pas heureux ! Mais Qohelet le dit lui-même : « Moi, j'ai loué les morts », « Moi, je déclare heureux » : (IV, 2) c'est le jugement de Qohelet. Rien de plus. Et voici que, dans cette radicalité, Qohelet ne préconise nullement le suicide ! Non : il y a un temps à vivre — et nous en verrons la source. *Et il faut le vivre.*

Alors, dans ce temps, comme il le dit à plusieurs reprises, on peut travailler, on peut se livrer à la joie et au bonheur (pour un temps !) : ça occupe, ça remplit le temps, ça fait passer le temps. Pas beaucoup plus. Les choses sont relatives, la folie règne, on peut parfois glisser un peu de Sagesse, la vanité règne, on peut parfois découvrir un embryon de sens, mais il ne faut pas avoir d'illusion. Et ce sont ces choses relatives, qu'il y a lieu de faire, pour emplir ce temps qui nous est donné, qu'il ne s'agit pas de supprimer. Et vous pouvez le faire — autant faire le bien que le mal. Mais quand on a ainsi fait le parcours de la vanité, alors rien ne pourra plus nous rendre la fraîcheur de l'illusion, l'illusion d'une pureté, l'illusion d'une beauté. « Une seule mouche morte infecte tout le parfum. » Et la mouche, elle y est — et elle est morte — rien ne pourra plus désormais nous rendre notre innocence.

Le temps n'est pas une sorte de richesse, contenant de merveilleux présents. Non certes ! Il est à remplir, un point c'est tout. Le vers de Baudelaire est faux : « Chaque minute, mortel folâtre, est une gangue qu'il ne faut pas laisser sans en extraire l'or. » Chaque minute ne contient rien. Elle sera ce que tu la feras, et tu peux en faire de tout. Tu n'as pas à casser une gangue pour trouver un trésor, tu as à apporter ton trésor pour que ce temps soit riche. Mais le plus souvent, il n'est que vanité. Il est disponible, et c'est toi qui lui attribues un sens.

Ainsi, nous avons passé pratiquement en revue tout ce qui fait la vie de l'homme et tout ce qui constitue son univers. Rien qui soit plus que buée, fumée, inconsistance, vanité, « quelque chose qui ne serait pas soumis au pouvoir du néant, ou situé entre deux néants ». Et c'est ce que reprend Paul dans Romains (VIII, 20), la création tout entière a été soumise à la vanité, ou au pouvoir du néant, ou est située entre deux néants. Ce rapprochement, cette reprise par Paul de la dure saisie du monde par Qohelet montre bien que celui-ci ne se livre en rien à la description cynique de « l'homme sans Dieu »! Tout au contraire, il nous livre l'expérience du croyant qui porte devant Dieu la vanité du monde. Qui l'assume. Et il ne s'agit nullement de condamner le monde, en cet acte radical, mais simplement d'amener l'homme à saisir cette situation-là, à se saisir lui-même dans cette réalité. C'est la misère la plus profonde de la création qui est mise à jour. La misère impardonnable et inexcusable. Le scandale permanent. Mais il manque justement à Qohelet ce qui sera si fortement affirmé par Paul : l'espérance. Il est dans le temps de l'attente. Et il fait le premier pas. Le seul que l'homme puisse effectuer. Le reste qu'il attend viendra en son temps.

Final

Il faut encore tenter d'éviter un malentendu. Tout ce que nous venons de lire et de tenter de dire sur la vanité n'est pas une philosophie. Ce n'est pas une certaine conception de la vie de l'homme. Ce n'est pas une dissertation. A plusieurs reprises, j'ai prononcé le mot existentiel, mais précisément depuis le développement de l'existentialisme, ce mot évoque tout de suite un certain courant philosophique. Or, je crois que c'est précisément ce à quoi on a voulu échapper en parlant d'existentiel. Ce n'est pas une généralité (assez banale en tant que telle!) sur la vie qui est placée sous la vanité. Dire qu'il n'y a pas là de jugement de valeur, c'est passer à côté de ce que vise Qohelet. Il s'agit d'un rappel fondamental pour chacun dans sa vie. Dans la réalité de sa vie — dans l'exactitude de sa vie. Ce n'est pas la vie qui est vanité, c'est ma vie. Tout doit être transposé à la première personne. Au lieu de la formule à la mode (bien enfantine!) de « Je est un autre », Qohelet nous dit : « Je est vanité. » Et ce n'est pas une idée ou une opinion. C'est cela, et seulement cela; avec exactement tous les aspects de ce « je ». Qu'est-ce qui me permet de prendre une attitude aussi tranchée, aussi radicale? Mais le texte même de Qohelet — « moi »... et toutes les affirmations sont ponctuées par ce « moi je... ».

Il faut le redire. Ce n'est pas seulement sa réflexion qui l'amène à conclure que le travail ou l'argent sont vanité. C'est : « Moi, je... » Cette expérience, c'est lui, entier. Or, cette découverte conduit à des conséquences considérables. Si Je est vanité, alors ma vie n'a qu'une importance en effet très relative, et je ne suis en rien le centre du monde. Mon œuvre ou mon expérience ne sont aussi que vent et poursuite du vent.

Adoptons ceci dans un domaine très particulier, celui de la lecture biblique, par exemple, et nous en voyons les conséquences étonnantes! Dans presque toute lecture biblique se produit un déplacement assez significatif. Bien sûr, tout le monde répète à juste titre que nous lisons la Bible au travers d'une grille d'interprétation, culturelle, etc. Ce n'est pas de cette évidence que je veux parler, ce qui se produit est plus grave : je lis la Bible en plaçant au centre *mon* intérêt ou *ma* personne, et je construis le message biblique, la pensée biblique à partir de cela. Pour éclairer et faire comprendre ce dévoiement, je prends deux exemples bien différents, l'un presque méprisable, l'autre fondamental. Le premier : je pense à tous ceux, toutes celles surtout (actuellement) qui ont comme préoccupation centrale, principale, la « cause » féminine et la conquête féministe. Ceux-là vont, lisant Paul, être exaspérés par les trois phrases « antiféministes », ils ne vont retenir que ces trois phrases. Ils vont parfois interpréter tout Paul au travers de ce jugement, plus souvent ils vont évacuer l'immense révélation de Paul, qui perd tout intérêt puisque Paul était un misogyne phallocrate. Or, une telle attitude, vous pouvez la reproduire à partir de l'option politique ou d'une certitude scientifique. Mais il ne s'agit jamais que de nos intérêts et nos opinions. Mais si moi est vanité, alors je pourrais peut-être l'oublier pour entendre autre chose que ce qui m'obsède.

Bien plus grave et fondamentale est la question du salut individuel. Ce qui m'intéresse, c'est *ma* personne, *mon* salut, *ma* foi, *ma* survie éternelle, etc. Toujours centré sur soi, alors qu'étonnamment Jésus nous montre exactement le contraire, car si Je est vanité, alors la grande question n'est pas mon salut mais la remise de moi-même, cessant d'être préoccupé, à Celui qui doit être Tout et en tous. Et dans l'instant, l'attitude de lecture biblique change. Je ne peux plus construire une théologie du salut individuel. L'important est cet autre, qui n'est pas, lui, vanité. Et je n'ai pas à utiliser la Bible mais à devenir moi-même aussi absent que possible pour me mettre à l'école, pour écouter, seulement écouter une parole qui n'est pas montée au cœur de l'homme et qui me surprendra toujours. Tel est le sens limite de la vanité.

2
La Sagesse [1] et la philosophie

Je voudrais placer cette recherche de la Sagesse dans et par Qohelet sous l'éclairage d'une histoire émouvante. Einstein travaillait lorsque l'on apprit l'explosion de Hiroshima; un général américain se précipita pour le lui apprendre, en lui apportant le

1. Neher montre qu'il y a chez Qohelet deux « registres » de la Sagesse. Celui de la banale médiocrité, « position sapientiale » du bon sens et du juste milieu, et celui de la terrible inquiétude et du doute... Je me permets de croire qu'il y a bien plus de deux registres! Par ailleurs, il faut replacer cette étude dans l'étude globale de la Sagesse par Von Rad (op. cit.), et voir la discussion de Lys sur la Sagesse équivalente de la philosophie.

Von Rad souligne fortement au sujet de la Sagesse que Qohelet serre de près la tradition sapientiale, mais alors que celle-ci avait jusqu'à lui une ferme assurance au sujet du bien et du mal, de la conduite à tenir, etc., Qohelet brise la ferme volonté de parvenir à une maîtrise de la vie. « L'homme a perdu le contact avec ce qui se passe dans le monde extérieur. Bien que continuellement dirigé par Dieu, le monde est devenu pour lui muet. L'opacité de l'avenir devient l'essentiel du caractère fortuit de la vie humaine. Il ne se crée pas de dialogue entre l'homme et le monde qui l'environne, moins encore avec Dieu. » Le Dieu de Qohelet n'est même pas un interlocuteur. Job se révoltait, mais posait la question : ce Dieu est-il encore mon Dieu? Qohelet ne la pose plus. La différence avec les enseignements des Proverbes est immense. Il s'oppose aux doctrines dominantes de la Sagesse. Manquant de réalisme d'une part et trop dogmatiques d'autre part. Mais cela ne suffit pas. Car il ne s'oppose pas seulement à cet excès de rigueur, mais à toute l'entreprise. Von Rad a une explication fondamentale : il y a différence de l'attitude de la foi chez les « Maîtres anciens » et chez Qohelet. Chez les premiers, c'était une expérience toujours maintenue en dialogue avec la foi — la raison se manifestant sans jamais se poser comme un absolu. Elle savait qu'elle se fondait sur la connaissance de Yahvé. Chez Qohelet, il y a vulnérabilité totale. Il n'a pas confiance. Il n'a plus véritablement confiance en Yahvé. La détresse de Qohelet vient du fait que, avec une raison qui a été abandonnée par la confiance dans la vie, il doit partir à la recherche d'une réponse sur le sens de la vie. Il veut répondre par sa raison à la question du salut... Et Von Rad estime que les Maîtres anciens étaient plus modestes et plus intelligents, car ils n'osaient jamais prétendre à donner une réponse à la question du télex... Einstein prit sa tête dans ses mains, resta silencieux quelques instants, puis dit : « *The Old Chinese were right. One cannot do anything...* » « Les vieux Chinois avaient raison. On n'a pas le droit de faire n'importe quoi... »

salut par la raison... « Celui qui a écouté le dialogue de Qohelet et des enseignements de la tradition ne pourra plus aussi facilement applaudir le solitaire rebelle. » D'autant plus que pour Von Rad, Qohelet, du fait de l'intransigeance de ses questions, est devenu totalement spectateur. Il se borne à observer, à enregistrer, à se résigner — les sages anciens acceptaient une limite et ne se servaient pas d'abstractions sommaires... alors que notre auteur juge tout de suite l'ensemble de façon abstraite. Il s'est exclu du champ des expériences déterminantes. Il est incapable d'entrer en conversation avec le monde qui l'environnait et s'imposait à lui. C'était devenu pour lui un monde muet, étranger, en qui il ne pouvait plus avoir confiance. Et c'est pourquoi il englobe tout sous le signe de la Vanité. Alors que les Sages étaient d'avis que par le moyen du monde interpellant l'homme, c'était Dieu lui-même qui parlait et que dans ce dialogue l'homme se voyait assigner une place dans sa vie. On verra au fur et à mesure que je suis d'un avis totalement opposé à celui de Von Rad, malgré la science de celui-ci. Je crois qu'il s'est lui aussi laissé piéger par la massivité du « Tout est vanité » — sans voir l'extraordinaire complexité du texte ! Quant à Lys, il rappelle l'ancienneté de la Sagesse, l'universalité de sa recherche, la possibilité d'intégration d'une certaine Sagesse païenne, de sources diverses, et que l'intégration de la Sagesse à la révélation s'effectue sur la base d'une alliance où la Loi est inscrite dans le cœur de l'homme et suppose une connaissance directe de Dieu qui a créé le monde. Par ailleurs, il faut faire une distinction entre Sagesse et histoire du salut (mais pourtant ce livre est bien inscrit dans l'histoire de la Révélation !). Cette Sagesse s'intéresse moins au sort du peuple élu qu'à celui de l'homme, et de sa destinée. Elle pourrait conduire à une religion naturelle, mais Lys montre clairement que, pour l'Ecclésiaste, il n'en est rien ! Certains (Barucq) ont essayé de distinguer entre les points où l'auteur reproduit les enseignements assez habituels de la Sagesse traditionnelle, et puis les questions fondamentales, les problèmes de la condition humaine, où l'auteur se sépare totalement de la tradition. Alors que cette dernière se porte garante du succès humain par le jeu de la Sagesse, Qohelet lui dénie totalement le droit à cette prétention ! Il n'est pas de sage qui détienne le secret de la réussite !

Par ailleurs, il faut distinguer les termes hébreux : *hokma-byn-dahat*, qui correspondent à peu près à : Sagesse-intelligence-science (savoir). Mais Lys traduit *hokma*, qui revient tout au long, par : philosophie, parce que le terme de Sagesse est dévalué en français. Et le travail du sage que décrit Qohelet est bien l'équivalent de celui du philosophe : observer le monde pour en comprendre le sens — chercher le « logos » dans les phénomènes pour savoir comment vivre. Ceci est vrai, mais je conserverai le mot Sagesse parce que c'est un art de vivre plus qu'une compréhension, et que ce que vise Qohelet est plus vaste que ce que nous appelons maintenant philosophie... Cependant, cette traduction est toujours à garder en tête. Quant à *dahat* (racine *Yd'*), il est très divers, il se rencontre quarante-trois fois dans notre livre — tantôt avec louange (VII, 12 ; XII, 9), tantôt avec interrogation (I, 18 ;

La sagesse apparaît, avec la même insistance que la vanité, mais le lecteur y attache beaucoup moins d'importance ! Vanité des vanités, cela flatte notre masochisme, nous donne le sentiment d'accéder à une profondeur, et répond à notre sourde angoisse d'homme moderne. La Sagesse ? Bof ! Ce sont de vieilles affaires, d'une culture dépassée, et ce n'est pas au temps de l'informatique et de l'atome que cela présente le moindre intérêt. Quand encore on ne se représente pas la Sagesse dans le contexte d'une enfance où l'on nous recommandait d'être bien sage [1] (il est vrai que ceci ne se pratique plus beaucoup !).

Le « désespoir » (mais nous venons de voir que Qohelet ne prêche en rien le désespoir !), ça répond — la vertu ou la Sagesse, point. Et cependant elle est présente tout au long de ce livre, elle ponctue, en une sorte de contrepoint, le texte. Mais il faut bien reconnaître qu'elle est elle aussi soumise à la vanité ! Qohelet n'est pas un livre d'apologétique où on commence par montrer la vanité des choses pour conduire le lecteur à reconnaître la vérité (de Dieu ou de la Sagesse !). La Sagesse est-elle la réponse, la solution à la vanité ? Voilà l'une des questions centrales de Qohelet. Et cela d'autant plus qu'il nous montre que, dans ses divers aspects, elle est finalement ce que l'homme peut inventer de mieux par lui-même. Mais voici qu'elle est à son tour laminée, corrodée, et pourtant il en résiste un petit quelque chose.

Toute la Sagesse n'est pas que vanité. Cependant, on ne peut

IX, 11). Il s'agit bien d'une connaissance volontaire et recherchée, donc de science. Or, cette *dahat* est vraiment essentielle pour la pensée biblique : pour ne prendre qu'un parallèle, Osée proclame : « Parce que mon peuple rejette la *dahat,* puisqu'il la refuse, alors il est muet — et puisque tu as rejeté la *dahat,* je te rejetterai de mon sacerdoce. Puisque tu as oublié la Torah, j'oublierai tes fils... » (Osée IV, 6). Ainsi la *dahat* se rapporte à la Torah et à la Révélation, mais elle est une *science.* Et elle se trouve à la charnière de la relation entre Dieu et son peuple, comme dans Qohelet.

1. Très curieusement, pour Pedersen, la Sagesse dans ce livre consiste dans la résignation — ne pas espérer des succès, s'incliner devant les faits — se contenter de la médiocrité — être prêt à tout. Cette Sagesse permet de se tirer d'affaire dans la vie... On se demande qui est médiocre ici ! Et comment on peut en rester à une telle superficialité. Il est vrai que, pour écarter les textes contradictoires, Pedersen se borne à dire qu'il y a un assemblage de maximes incohérentes !

qu'être saisi par une contradiction déconcertante (qui se poursuivra tout au long du livre). Parfois, la Sagesse est louée par-dessus tout, elle est la seule occupation digne de l'homme. « Bonne est la sagesse aussi bien qu'un héritage, et elle profite à ceux qui voient le soleil » (VII, 11) (ainsi le travail ne donne aucun profit, mais la Sagesse, oui). Et parfois la Sagesse est à son tour écartée, rejetée, du vent. « J'ai parlé avec mon cœur en disant : voici que j'ai fait grandir et fait progresser la sagesse plus que quiconque fut avant moi sur Jérusalem, et mon cœur a goûté abondamment sagesse et science. J'ai mis mon cœur à connaître la sagesse et à connaître la folie et la sottise — et j'ai connu que cela aussi est recherche du vent » (I, 16-17).

1. La Sagesse, mais quoi[1] ?

Terme ambigu entre tous ! Que de livres, de commentaires sur les Écrits de Sagesse hébraïques — que de confuses dissertations sur ce qu'est cette Sagesse. Et pourtant, il faut bien ici tenter encore de saisir, sinon de comprendre et définir, ce dont parle Qohelet seul quand il emploie ce mot.

Je crois qu'il y a dès l'abord deux précautions à prendre, deux limites négatives à tracer. L'une de méthode. Il me semble qu'il n'y a pas lieu ici de chercher un recours dans les autres livres bibliques sur la Sagesse, ni Job, ni les Proverbes, ni Ben Sira ; au fond, chaque recueil a sa spécificité. Il n'y a pas une notion commune, une sorte de moyenne de tous les écrits, que l'on pourrait retenir. De telles collections ou synthèses éclairent peu et font perdre beaucoup de sel. Si l'on veut savoir de quoi parle l'Ecclésiaste, il faut ici s'adresser seulement à lui, et chercher d'après le contexte les sens divers qu'il attribue à ce mot. L'autre limite de fond, c'est que, de toute évidence, il ne s'agit pas ici de la sagesse de Dieu. Ce n'est pas l'adorable Sagesse qui jouait devant l'Éternel au moment de la création du monde. Il s'agit seulement de la sagesse humaine,

---

1. Lauha (*op. cit.*) souligne que la Sagesse dans l'ancien Orient était une *fonction* royale et que le roi était entouré de conseillers de Sagesse.

notre création, notre expression, notre critère, notre manière de vivre et de penser.

Nous ne sommes pas ici en présence d'une Sagesse « divine », surhumaine, hypostasiée. On sait que, très tôt dans la pensée juive, la Sagesse fut hypostasiée, idéalisée comme une sorte de fille céleste, et elle fut transférée de l'homme à Dieu. Curieusement, Qohelet ne la conçoit pas ainsi, mais garde au moins un des aspects très anciens, à savoir une expérience de la vie, une aptitude à régler les complications de l'existence. Elle n'est pas ici la pensée de Dieu. Et peut-être faut-il encore voir là une opposition à la tendance qui apparaissait de faire coïncider cette Sagesse hypostasiée avec le logos platonicien... Cela paraissait si séduisant... C'est une activité de l'homme avec ses limites !

Comme le dit très correctement Knight[1], Qohelet, après avoir observé les divergences entre la théologie dominante (yahwiste) et les réalités de la vie, cherche les moyens qui lui permettent de continuer. Il ne faut pas donner aux gens de faux espoirs, ni atténuer l'urgence qu'il y a à faire face à cette situation particulière. Il est donc « créateur », mais par des moyens humains (ce qui ferait justement la difficulté éprouvée à l'insérer dans le Canon). Ceci ne tient pas seulement à sa contradiction avec la théologie courante, mais surtout au fait que l'on pense toujours révélation de Dieu comme « autorévélation » (par exemple par un prophète qui *dit* expressément, directement la Parole de Dieu), et les théologiens modernes ont un peu le même point de vue : « La littérature sapientiale n'est pas au cœur des Écritures, elle en est à la périphérie. » « Les paroles du sage n'ont pas un caractère évident de révélation [...], elles ne se signalent pas par un caractère oraculaire, mais par leur homogénéité avec le monde[2]. » Pour comprendre que cette réflexion de et sur la Sagesse est bien de l'ordre de la révélation du même Dieu, il faut considérer que le sage appartient à la même alliance, qu'il est de *ce* peuple. Mais surtout, il faut remonter du dernier mot, « Crains Dieu », vers tout le reste. Éclairer tout le discours par cet achèvement. Et nous apprenons que par le sage, par Qohelet, Dieu s'est bien adressé à

1. Douglas A. Knight, « La Révélation par la Tradition », in *Tradition et Théologie dans l'Ancien Testament*, Paris, Éditions du Cerf, 1982.
2. Von Rad, *op. cit.*

son peuple, et à nous, mais autrement, et que la révélation par le sage empêche la tradition de se figer dans des formules définies une fois pour toutes.

Ceci dit, la Sagesse chez Qohelet est très complexe. Il me semble qu'elle comporte deux grandes directions, peut-être inconciliables, celle de la connaissance et celle de l'utilité. Dans la première orientation, la Sagesse suppose un examen de tout (I, 13). Ne rien négliger, ne rien laisser de côté. En sachant que la Sagesse ne se trouve pas dans les choses — mais au contraire aide à comprendre les choses. Il ne faut pas étudier la Sagesse dans la Nature, mais la Nature par la Sagesse ! Tout voir, tout comprendre, tout apprendre. « Toutes les œuvres. » Pas seulement celles accomplies par les hommes, mais aussi celles qui *sont,* tout simplement. Et ce n'est pas seulement un catalogue ni une recension : c'est un examen. Tant que l'on n'a pas *tout* vu et compris, il n'y a aucun accès à la Sagesse. Il n'y a pas de jugement possible, et pas de choix non plus. Dès lors, il y a relation étroite entre Sagesse et science (I, 16, 18).

La Sagesse n'est donc pas une affaire de morale, ni de religion, ni de croyance ; elle n'est pas faite de préceptes pour conduire sa vie à partir d'une théorie ou d'une illumination. La Sagesse doit se fonder dans un savoir. Et il ne suffit pas d'un savoir global, général, à quoi nous serions introduits par l'Ecclésiaste même ; nous considérons qu'il porte une sorte de jugement un peu sommaire et très « à vol plané », mais, précisément, ce n'est pas cela du tout. Ce jugement, c'est le résultat, qu'il donne seul. Mais il nous avertit qu'il a *tout* examiné, tout connu, et tenté de tout comprendre. Par conséquent, la science est légitime dans cette quête, à condition de ne pas la séparer de l'évaluation. Après tout, lorsque nos scientifiques modernes, à la suite de Jacques Monod, cherchent à construire une morale pour notre temps ou une philosophie à partir de leur science, ils n'ont pas tort, et suivent le chemin montré par l'Ecclésiaste. Esquissé ! Car, bien sûr, Qohelet n'a pas les moyens de cette connaissance de plus en plus approfondie. Il ne peut avoir qu'une science élémentaire, qu'un savoir superficiel, il n'a pas de méthode scientifique ni d'appareils. Mais il montre un chemin.

Et d'ailleurs, avec tout leur prodigieux appareil, voici nos scientifiques placés devant des énigmes de plus en plus insolubles. Plus avance la science, plus elle découvre l'immensité de ce que l'on ne connaît pas. Si bien qu'ils ne sont pas beaucoup plus avancés que Qohelet quand celui-ci déclare que la science est poursuite du vent. Insaisissable, la réalité ultime, et chaque étape franchie montre un horizon plus vaste, atteste l'éloignement de la limite d'une connaissance possible. Poursuite du vent. Mais Qohelet ne dit ni qu'il regrette de s'être livré à tout ce travail ni qu'il ne faut pas le faire. Il n'écrit pas cela pour nous en détourner. Une fois de plus, revenons à cette pièce maîtresse : ce n'est pas *avant* que, d'un air blasé, dégoûté, supérieur, on peut dire : « Tout est vanité » (donc ne faisons rien!), mais c'est *après* avoir tout cherché, tout expérimenté, tout tenté, que l'on a le droit de conclure : « Eh bien, c'est vrai que tout est vanité. » Nous l'avons souvent dit, c'est une vérité spirituelle constante de la Révélation : le serviteur inutile ne peut se reconnaître pour tel qu'*après* avoir fait tout ce qui lui était commandé. Le pseudo-raisonnement qui consiste à dire : « Je sais bien que Dieu fait tout, qu'il n'a pas besoin de mes petits efforts et de mes petites œuvres, donc moi je ne fais rien » est simplement une hypocrisie et une lâcheté. Cela n'a jamais été l'enseignement biblique, car si Dieu fait tout il a choisi l'homme pour l'accomplir! Est de la même nature le pseudo-raisonnement : « Si tout est grâce, donc quoi que je fasse, je suis sauvé par la grâce, ou perdu si je n'ai pas la grâce. » Mais c'est encore une hypocrisie et une lâcheté. Car c'est après avoir accompli toute la volonté de Dieu que nous pouvons seulement reconnaître que nous ne l'avons justement pas toute accomplie, et que par conséquent notre recours en définitive est celui de la grâce, et de la grâce seule — dont on ne connaît la dimension et le prix que dans l'exacte mesure où nous avons tenté de faire tout ce qui était « avant »! Ainsi, « Tout est vanité » n'est pas un oreiller de paresse ni un prétexte à ne pas chercher la Sagesse.

Par ailleurs, cette union de la Sagesse et de la science évoque forcément en nous une autre orientation : la science n'a pas à être laissée seule, à être autonome. Elle est liée à la Sagesse. Bien entendu, on dira que c'est le reflet culturel du moment, la science n'était pas encore dégagée de tous les préjugés moraux et religieux. Il n'y avait pas encore de science pure. Il ne serait venu à l'idée de quiconque de présenter la recherche ou la connaissance scientifique pour elle-même. Et la science des nombres avait pour fin la géométrie, comme celle de l'astronomie n'avait d'autre but que l'astrologie. Donc, on ne peut absolument pas tirer de cette conjonction établie par Qohelet entre science et Sagesse la moindre indication valable pour notre temps, la moindre vérité. Je sais bien tout cela, et combien c'est exact. Mais je ne puis m'empêcher aussi précisément de penser à notre temps ! Qu'avons-nous fait avec la science autonome et indépendante ? Des progrès de connaissance et de méthode — certes oui — immenses — et après ? Ne constatons-nous pas que ce qui manque, c'est une véracité supplémentaire, un contrepoint, une mensuration possible de la science ? Ne voyons-nous pas tous les jours l'effet nocif de la science considérée comme valeur dernière et indépendante ?

C'est à l'intérieur de la science elle-même que la question commence à être posée. Science sans conscience n'est que ruine de l'âme — une vieille lune ? Un slogan tant rabâché qu'il ne porte plus, et surtout à qui on se garde bien de donner le moindre sens, de peur qu'il n'ait des conséquences devant lesquelles nous reculons inconsciemment. Mais en réalité c'est une nouvelle lune, qui monte. Et ce n'est pas pour rien qu'Edgar Morin intitulait un de ses derniers livres : *Science avec conscience*. Et avant lui Friedmann : *la Puissance et la Sagesse*. Nous y revoilà. Toutefois, Qohelet nous avertit. C'est une lourde erreur de séparer science et Sagesse, mais la Sagesse n'est pas non plus une « solution », car elle est soumise elle-même à la vanité. Les choses ne sont pas si simples que l'on imagine : il n'y a pas d'un côté la science, et de l'autre une sorte de mesure, sacrée, un point de vue transcendant qui permettrait de se faire un jugement juste. Hélas non. Sagesse inséparable de la science, dans les deux orientations. Mais la recherche de la Sagesse est poursuite du vent.

Dans la même ligne, voici encore la Sagesse en tant que recherche d'une explication — « Qui est comme le sage, et qui connaît l'explication des choses » (VIII, 1). Vue tout à fait moderne, car ce n'est pas d'une métaphysique qu'il est question, ni d'une rhétorique, mais l'explication présente bien un certain caractère de rigueur et de précision « scientifique ». Après tout, ce terme recouvre les deux objectifs qui furent ceux de la science, le pourquoi et le comment.

Toujours dans ce premier ensemble de significations, il faut enfin placer la grande question (qui, elle, est alors à proprement parler celle de la philosophie et de la Sagesse) : le discernement entre la Sagesse et la folie, entre l'intelligence et la sottise (I, 17). Comment peut-on arriver à discriminer ? Où passe la frontière ? Il n'y a pas la Sagesse d'un côté, la folie, la sottise de l'autre. Apparemment, pour Qohelet, ce n'est pas clair, ce n'est pas évident. Il n'est pas du tout certain que le fou soit fou ni le sage sage. Où et d'après quoi va-t-on classer ? Ces questions se représentent tout au long de notre livre. Il semblerait que ce soit fondamental pour se conduire droitement dans le monde.

Qui est fou ? Mais voici que la conclusion de la recherche est radicale : c'est cette recherche même qui est vanité et poursuite du vent. Il est parfaitement vain et superflu de chercher *cela*. Parce que c'est vraiment impossible. Constamment nous voyons le sage qui brusquement passe à la folie (il suffit d'un peu d'argent), et le fou capable d'avoir une attitude raisonnable en face de la vie. En outre, c'est une peine bien inutile de chercher à savoir clairement ce qu'est l'un et ce qu'est l'autre. C'est un des grands enseignements de notre livre : même si on sait, même si on peut dire au fou ce qu'il « faut » faire, il ne le fera pas. Ce n'est ni le conseil ni l'exemple qui peuvent faire passer de l'un à l'autre. Alors à quoi bon ? Ce n'est donc pas la folie qui est folle, mais vouloir connaître l'un et l'autre. « J'ai mis mon cœur à connaître la Sagesse *et* à connaître la folie et la sottise, et j'ai connu que cela aussi est recherche de vent » (I, 17). Ainsi, dans sa double quête de connaissance, tout ce qu'il a connu c'est que sa recherche même est absurde.

Mais Qohelet entend la Sagesse aussi dans un autre sens, complètement différent. Il s'agit de ce que l'on pourrait appeler une connaissance ou une intelligence pratique, utilitaire, positive. Ceci apparaît dans deux domaines, la politique et la guerre. La Sagesse est utile pour bien gouverner (II, 12, 14 ; IV, 13). Bien sûr, il ne s'agit plus là de l'ordre de la connaissance, de la science, de la réflexion morale... Non, c'est bien aussi de la Sagesse, mais une Sagesse pragmatique. L'enfant pauvre, et même en prison, mais qui est sage, finit par sortir de prison et par conquérir le pouvoir. Il remplace le vieux roi fou. Et ce n'est pas par une méditation, comme Hamlet, qu'il y accède. Nulle part, en aucune époque, ne fut la métaphysique qui a permis la conquête du pouvoir et son utilisation efficace ! Platon l'a suffisamment vécu ! Donc, la Sagesse ici est autre, mais nommée du même nom. Elle est *aussi* une certaine Sagesse ! Et la *Realpolitik* réussit mieux que l'idéalisme de Carter ! Elle est une force, et apprend à se servir de la force.

« La Sagesse rend le sage plus fort que dix autorités qui sont dans la ville, car il n'est homme juste sur la terre qui fasse le bien et qui ne pèche pas » (VII, 19). Ce verset énigmatique mérite que l'on s'y arrête. Le don du sage, ici, ce n'est pas d'être meilleur que les autres. Ce n'est pas parce qu'il est sage qu'il est plus fort que ceux qui sont au pouvoir. Sa supériorité à lui, sage, c'est de savoir que tout homme est injuste, tout homme pécheur et que personne ne fait le bien. Voilà ce qui le rend plus fort que dix autorités de la ville. Et qui ne reconnaît la politique ? Savoir utiliser le péché des autres, savoir quel mal précis celui-ci a fait. Ne pas se laisser prendre au discours généreux des autorités, mais savoir que toutes les promesses admirables de la politique, c'est du vent, ne pas faire confiance à tel parti ou à tel chef... Voilà les premières « qualités » de l'homme politique ! Et cela, c'est de la Sagesse. Et cette connaissance-là rend en effet plus fort que tous les autres ! Ce verset ne vise ni la grandeur morale du sage ni sa hauteur de vue, mais sa capacité à connaître la « nature humaine » !

Bien plus encore, on va nommer Sagesse ce qui permet de réussir à la guerre. Et c'est une très singulière incise à l'intérieur d'un enseignement tout différent (IX, 13-18). Trois temps dans cette histoire : une ville assiégée par un grand roi. Un homme pauvre et sage dans cette ville qui réussit à la sauver. Mais personne ensuite n'en a gardé le souvenir, n'a eu de reconnaissance. Et une double conclusion : la parole du sage dite avec calme vaut mieux que les cris du capitaine, au milieu des fous (peut-être une allusion à la panique, le chef incapable de l'empêcher, mais le calme d'un homme y arrive) — et puis : « Mieux vaut la Sagesse que des instruments de guerre. » Il est difficile de savoir si Qohelet fait allusion à un événement précis — car enfin, en général (sauf les miracles d'Élie !), l'intervention des prophètes lorsque Samarie ou Jérusalem furent assiégées n'ont servi à rien pour sauver la ville, tout au contraire. Ils n'ont rien pu éviter. On penserait plutôt évidemment à Archimède au siège de Syracuse, mais notre auteur ne pouvait pas connaître cette histoire. Il me semble probable pourtant que cet apologue ait une sorte d'odeur grecque ! L'habileté dans la conduite de la guerre, le sang-froid, la clairvoyance, la lucidité tactique, c'est plus important que l'héroïsme, les machines de guerre, les cris belliqueux et les trompettes.

Soit. Sagesse encore. Mais aussitôt Qohelet se reprend, redevient lui-même dans cette belle histoire : le sage ensuite est méprisé. Bien plus : un seul pécheur perd beaucoup de bonheur (ou de succès). Il suffit d'infiniment peu pour pervertir ce qu'a fait le sage. Rien n'est plus fragile que la réussite politique ou la victoire militaire. Et ici ce n'est pas la folie ou la bêtise qui sont en question : le pécheur. C'est autre chose ! L'œuvre de cette Sagesse est viciée, anéantie finalement, par un seul pécheur, celui qui fait le mal et qui pervertit l'œuvre de Dieu. La Sagesse est incapable de surmonter le péché, même dans cette occurrence purement humaine en apparence. Et ceci nous fait apparaître une sorte de solidarité, le sage peut être utile aux autres et les sauver. Mais ce qui gagne finalement, c'est le poids d'un seul pécheur dans le groupe, dans la société, dans l'État... Limite et humilité de la Sagesse.

Quoi qu'il en soit, nous sommes bien en présence de deux conceptions, de deux formulations de la Sagesse qui ne se recouvrent pas. Et je pense que ce n'est ni par inadvertance ni par laxisme verbal que nous les trouvons toutes deux. Il est bien une chose qui leur est commune, c'est que toutes deux sont soumises à la vanité.

Mais la Sagesse peut n'être pas le fait d'un sage, d'un homme éminent. N'est-elle pas aussi bien l'œuvre du peuple ? N'y a-t-il pas une Sagesse qui naît en profondeur dans le peuple ? Comme ceci convient bien à notre tendance actuelle ! La « Sagesse de la base » — hélas, cette lumière nous est aussi fumée. Nous avons déjà vu la folie de la foule et son inconsistance. Mais il y a plus, car la foule, le peuple tombent dans l'oubli, tout autant que le philosophe ! Et pour une fois, Qohelet rejoint Job quand il déclare à ses amis : « Vraiment vous êtes le peuple ! et avec vous mourra votre sagesse ! » (XII, 2). Non, le peuple n'est pas Dieu, même dans sa Sagesse ! La philosophie, toute Sagesse sont soumises à la vanité comme tout. Et si l'on entend le « vanité des vanités » comme un génitif, alors l'ultime vanité, c'est d'avoir discerné (par la sagesse !) que tout est vanité. Déclarer que tout est inconsistance et fumée, cela aussi est une inconsistance et une « parole de vent ». Dire que tout est folie n'est pas Sagesse, mais à son tour folie. Donc le fin mot de la Sagesse n'est pas cette évaluation désabusée. Et Qohelet nous prévient dès le début : nous allons voir que tout est buée, mais savoir cela aussi est inconsistant ! Dès lors que pourrait-on dire ? Finalement, que la Sagesse est une énigme. Et c'est exactement ce que dit d'elle le psaume XLIX, où la Sagesse est très voisine de celle de Qohelet... « Ma bouche va dire des paroles sages, mon cœur murmure des choses intelligentes, je prête l'oreille à une parabole, je vais interpréter mon énigme... » Et précisément, ce qui suit montre que l'énigme à interpréter, c'est la Sagesse elle-même !

A partir de ce moment, nous quittons les domaines privilégiés. Avant d'examiner les textes critiques, il nous faut prendre conscience d'un passage à un autre plan. Nous avons rencontré la Sagesse sur le plan philosophique, moral et intellectuel d'un côté, puis sur le plan utile et pratique. Maintenant, tout ce que Qohelet va en dire se situe, disons, pour simplifier, sur le plan existentiel. C'est-à-dire non plus ce que l'on sait ou ce que l'on fait, mais ce que l'on *est*. Et ici, voilà que s'effondre la Sagesse. Il n'y a pas contradiction dans ces sens, simplement il faut les situer là où le Révélateur les situe lui-même. Se placer sur son terrain, de l'expérience vivante, et de la réalité profonde de l'être vivant, dans son existence effective.

2. L'ironie [1,2]

Ici, sans aucun doute, il nous faut partir de cette certitude que la folie est un mal. Il ne s'agit pas, soyons-en avertis dès le début, de

---

1. On peut se demander pourquoi Qohelet a été si dur envers la Sagesse... Je suivrai tous les auteurs qui ont pensé qu'il s'attaque à la Sagesse *grecque* — et ce n'est pas pour rien que Lys traduit ici *hokma* par philosophie, et qu'il est tout le temps question de philosophie. La Sagesse hébraïque était assez humble et souple. Nous avons vu que Von Rad marque la grande distance entre la Sagesse traditionnelle et celle de Qohelet. Mais justement, à mon avis (après bien d'autres !), c'est qu'il se heurte à une Sagesse, la *sophia,* qui est grandiose, conquérante, subtile, explicative... qui cherche à comprendre le monde entier, à tout expliquer, etc. C'est celle-là que Qohelet attaque ! la philosophie grecque !

2. Certains, assez rares, ont su voir que l'Ecclésiaste était tout entier fait d'ironie. Certains parfois inattendus. Ainsi P.-J. Proudhon : « Ironie, vraie liberté ! C'est toi

céder à la pente : puisque la sagesse est absurde, la folie est notre issue, notre voie. Il est remarquable que ce soit justement la grande tentation, et perversion de notre monde occidental. Parce que l'on a vu l'échec du christianisme, ou celui des philosophies, et plus encore des politiques, et l'absurdité des guerres pour la justice et la liberté, et encore l'échec du grand espoir du socialisme, et finalement l'impasse du Musée imaginaire, tous les arts étant asservis à leur limite, alors il ne reste que la voie de la folie. Artaud est reçu comme un précurseur.

Il n'est plus question de dire, ce qui était classique, que le poète, le génie, est toujours à la limite de la folie. Il faut inverser la proposition : le fou est devenu le modèle, l'exemple, l'issue... Eh bien non, nous dit durement Qohelet, la folie est un mal, ni plus ni moins. La folie fait du mal, il ne faut ni la souhaiter ni la rechercher (d'ailleurs elle n'est que trop aisée, et vient d'elle-même !), elle est mauvaise. Le fou fait perdre les autres et se perd lui-même. « Les lèvres d'un insensé le perdent, le début des paroles de sa bouche est sottise et la fin de son discours est une folie mauvaise. » Il ne s'agit pas d'un jugement de condamnation, il ne s'agit pas d'une exclusion ou d'un « racisme », ni d'un rejet et d'un refus de la relation, mais c'est comme ça. Le fou est respectable mais il fait du mal. Nous le voyons tous les jours en notre société. Et il faut se garder de cette folie, il faut éviter d'y tomber soi-même, essayer d'en sortir (je ne dis pas : guérir, car il ne s'agit pas, hélas, seulement de maladie !) l'autre. Jamais la désirer [1].

---

qui me délivres de l'ambition du pouvoir, de la servitude des partis, du respect de la routine, du pédantisme de la science, de l'admiration des grands personnages, des mystifications de la politique, du fanatisme des réformateurs, de la superstition de ce grand univers et de l'adoration de moi-même. Tu te révélas jadis au Sage sur le Trône, quand il s'écria à la vue de ce monde où il figurait comme un demi-dieu : " Vanité des vanités !... " » (*Confessions*, p. 341-342).

1. Et puis il y a ce texte que je laissai de côté sans le comprendre, et ensuite tous les commentaires me paraissaient inacceptables, en particulier Podechard et Steinmann : « Le cœur du sage est à droite, le cœur du fou est à gauche » (X, 2) — jusqu'à celui de Maillot qui me paraît d'une clarté évidente : « Les sages sont aussi rares que ceux qui ont le cœur à droite — autrement dit : tous les hommes ou à peu près sont des imbéciles et des fous. *Cependant*, tout en étant des imbéciles, ils ont encore un cœur, c'est-à-dire une intelligence, même si elle est pervertie. Mais ils la perdent totalement quand ils se mettent à dire des autres qu'ils sont fous. » Maillot traduit en effet la fin du texte : « Mieux encore, il se conduit comme un fou et n'a plus de cœur du tout, quand il dit de chacun : c'est un fou ! »

Le drame commence, nous l'avons déjà dit, avec l'impossibilité de discerner clairement ce qui est folie et ce qui est raison ou Sagesse. Il y a contradiction *absolue,* mais la limite est invisible et fluente. Bien plus, justement sur le plan existentiel, il n'y a pas de différence entre le sage et le fou ! Ils ont une même vie, un même destin, une même fin. Qohelet revient sans fin à cette constatation infiniment banale : la mort. Certes, « il y a plus de profit pour la Sagesse que pour la sottise, comme la lumière est plus profitable que l'obscurité [caractère purement utile et pratique de cette Sagesse !]. Le sage a ses yeux à sa tête et le fou marche dans l'obscurité[1]. Mais *je sais moi aussi* [il surplombe le sage et le fou] qu'un sort identique arrivera à tous les deux. Et j'ai dit en mon cœur : un sort pareil à celui du fou écherra à moi aussi. Pourquoi ai-je été sage alors davantage ? Et j'ai déclaré en mon cœur que cela aussi est vanité. Car il n'y a pas de souvenir du sage, pas plus que du fou, parce que dans les jours qui viennent *tout est oublié.* Comment le sage meurt-il aussi bien que le fou ? » (II, 13-16).

Il n'y a finalement pas de différence existentielle. L'un est l'autre. Même dans ce domaine de l'utilité où la sagesse a son apparence de raison. A quoi ça sert d'être sage ? Qui plus est, dans cette constatation de la disparition, il y a aussi le fait essentiel que ce n'est pas seulement le sage qui disparaît, mais sa Sagesse.

Devant ce réquisitoire, il faut se rappeler que ce n'est pas l'être personnel du sage qui *est oublié* mais tout ce qu'il a pu apporter. Je pense que ceci est fondamental à rappeler dans un monde comme le nôtre, où précisément les grandes œuvres, les créations, les pensées sont innombrables et disparaissent dans un oubli total. Que l'on ne dise pas qu'il subsiste le livre ! Celui de Qohelet, par exemple ! Mais ce livre lui-même est noyé, disparu, dans un cataclysme de centaines de milliers de livres, chacun salué comme une œuvre de génie et reçu comme la clé de notre monde, pour être oublié avant dix ans. Et bientôt, avec la civilisation de l'image, disparaîtra même le livre pour être remplacé par l'immédiateté du visible. Alors, comme l'image de télévision ou même de cinéma (malgré le magnétoscope !) est faite pour être consommée rapidement puis disparaître, il n'y aura plus aucune espèce de ressource ni ressourcement de Sagesse. D'ailleurs, qu'est-ce qui permettrait de

---

1. Dans notre société, la folie triomphante, c'est la drogue.

transmettre par télévision une Sagesse largement, lentement mûrie ?

La pointe extrême de cette récusation, involontaire, spontanée, c'est le triomphe du fou dans l'expression sublime de l'art du happening. Ceci est tout à fait typique, de même que la manie actuelle des « fêtes » ne correspondant plus à rien — qui ne sont en rien des « fêtes des fous » traditionnelles, mais des fous qui se mettent à « se produire », en soi-disant festivités... Il n'y a pas aujourd'hui que cette illustration de la vanité de la sagesse par sa disparition dans le nombre et l'instant, spécifiques de notre société technicienne. Il y a en outre, et c'est bien dit par notre texte, l'incommunicabilité de cette Sagesse d'une génération à une autre, le sage est oublié mais sa Sagesse aussi. Nous aurons à voir que la Sagesse n'est pas une grandeur séparable, un système objectif, mais qu'elle est inséparable de la personne du sage. Et quand le sage est oublié, il ne reste rien de ce qu'il a pensé, dit, montré.

Cela aussi concerne notre époque encore plus spécifiquement que toute autre, en notre temps de changement incessant, de constante innovation, de multiplication des objets fascinants toujours renouvelés, comment transmettre d'une génération à une autre la sagesse acquise par la pensée liée à l'expérience dont nous parle très exactement l'Ecclésiaste ? Car s'il y a toujours eu cette difficulté, c'est quand même un lieu commun que, dans les sociétés traditionnelles, le vieillard était écouté, pris au sérieux, parce que qui a beaucoup vu a beaucoup retenu... Aujourd'hui, nous sommes dans la situation inverse. La question posée n'est plus du tout : « Est-ce que vous écoutez la leçon de la Sagesse qui vous vient de l'expérience du vieillard ? » Mais constamment : « Est-ce que vous comprenez les jeunes ? Est-ce que vous êtes branché ? » C'est-à-dire véritablement le contraire de la « Sagesse ». Seul le jeune est au niveau des machines nouvelles. Et dans cette fausse culture dite « culture technicienne » où les imbéciles veulent nous enfoncer, seul celui qui est apte à conduire un avion, manipuler un magnétoscope, utiliser un ordinateur est détenteur de ce qui est « utile ». Le vieillard n'a qu'à se mettre à l'école. Si bien que son expérience est nulle.

On a la folie de croire que l'expérience qui aujourd'hui compte est celle des objets. Mais voici que, par exemple, l'expérience dans les relations humaines, dans la construction d'une famille, dans la participation à la politique a moins changé qu'on ne le dit ! Et c'est pour moi une expérience fondamentalement tragique que d'assister chez des jeunes à la reproduction exacte des erreurs que nous avions commises il y a un demi-siècle, que nous avions analysées, dont nous avions tiré certaines leçons.

Dire aujourd'hui ces leçons, apporter des mises en garde, expliquer aux jeunes ce qui va se passer ne sert strictement à rien. La Sagesse que nous avons pu durement apprendre n'est rien. Le sage est oublié, sa Sagesse est vaine. Rien ne peut plus se transmettre d'une génération à une autre. Les sottises commises en 1930 se reproduisent en 1960 et en 1980. Avec deux différences : la première est que les *choses* vont maintenant tellement vite que l'on n'a plus aucun délai pour tirer de l'expérience la moindre Sagesse, et en outre que les moyens sont devenus tellement plus puissants que les effets de ces sottises sont incomparablement plus énormes que ceux des erreurs que nous avions pu commettre. Ainsi la distance entre le sage et le fou est infime. Qohelet nous avait avertis. Nous le vivons avec intensité, sans plus connaître cet avertissement que nous avons oublié.

La Sagesse est bien utile — la folie est un mal. Mais la différence entre les deux, la distance, est presque nulle dans la complexité du vécu. « Qu'a de plus le sage que l'insensé, qu'a de plus le misérable qui *sait marcher* devant les vivants ? » Le sage sait marcher. Mais il est misérable en définitive dans cette situation désespérée d'incommunicabilité de sa Sagesse. De toute façon, il ne peut pas changer son destin par sa Sagesse, que lui apporte-t-elle ? « Tout est pareil pour tous : il y a un sort identique pour le juste et pour le méchant, pour le bon et pour le mauvais [...]. Tel le bon, tel le pécheur [...]. C'est un mal en tout ce qui se fait sous le soleil qu'il y ait ainsi un sort identique pour tous — aussi le cœur de l'homme est-il plein de malice, et la folie est dans leurs cœurs durant leur vie... » (IX, 2-3). Ainsi nous avons une sorte de « rétro-action » remarquable ! La Sagesse est bien utile, n'a-t-on cessé de nous dire. Oui, mais finalement elle ne sert à rien, et ne change rien à la vie de l'homme : *dès lors, c'est pourquoi* le cœur de l'homme est plein de malice et de folie. A quoi bon en effet dans ces conditions la recherche épuisante de la Sagesse ? « Mangeons et buvons, et demain nous mourrons. » Voilà la leçon que l'on peut tirer de cette vanité. Rechercher la Sagesse devient une sorte d'autodestruction, inutile de trouver une issue, il n'y en a pas (VII, 15-16).

Mais tout n'est pas fini dans cette ironie dévastatrice. La sagesse maintenant, nous dit Qohelet, est à la fois fragile et impossible. Fragile [1], nous l'avons déjà vu, puisqu'il suffit d'un cadeau pour tourner la tête du sage (VII, 7) et qu'après tout il ne faut pas séparer cela de la suite, où il y a ces versets cruels où après avoir loué la Sagesse comme étant bonne et profitable, nous la voyons rabaissée à un moyen de gagner de l'argent, et de tirer un profit pécuniaire des circonstances! Difficile d'être plus cruel! Qu'est alors le sage, le philosophe, le savant? un homme qui utilise sa science pour bien vivre et acquérir les biens du monde. Ceci éclaire étrangement le : « La Sagesse est bonne! » Bonne à faire du profit! Voilà (VII, 11-12). Tant qu'à faire, il vaut mieux avoir cette Sagesse-là plutôt que recevoir un héritage. Ce sont les mots mêmes du Qohelet! Quelle modernité!

Puisque justement nous nous glorifions de nos jours d'avoir fait un immense progrès : alors que, dans les siècles précédents, on fondait tout sur la transmission d'une fortune, voici que maintenant c'est la compétence personnelle qui permet de bien gagner sa vie. Et nous pensons que là est la justice, vers la méritocratie... Mais Qohelet l'a déjà dit. Et il nous rabat notre vanité : toute la Sagesse, toute la science que vous avez acquise, ce n'est donc que cela? Avoir un beau traitement au bout du mois? Progrès humain évident, n'est-ce pas? Qu'est-ce que l'homme en tant qu'humain y a gagné? Ici, nous savons bien que c'est Rien.

Fragile, la Sagesse l'est encore dans la mesure où il suffit d'un rien pour la corrompre, et l'erreur de jugement est sans cesse

1. Une autre image de cette fragilité apparaît si nous adoptons la traduction de Lys de II, 13 : « Il y a profit à la philosophie par rapport à l'ahurissement semblable au profit de la lumière par rapport aux ténèbres. » Et Lys montre que ténèbres désignent la mort et que, de même que la lumière lutte vainement contre les ténèbres, la lutte de la Sagesse contre la mort est aussi vaine. Et s'il y a un certain avantage à la Sagesse, de toute façon (V, 14), on ne peut pas en profiter parce qu'elle n'empêche pas de mourir.

menaçante. « Des mouches mortes gâtent et infectent tout le parfum du parfumeur, un peu de sottise pèse plus que Sagesse et gloire — le cœur du sage est à sa droite, le cœur du fou à sa gauche [sans aucune allusion politique, bien sûr !]. Et lorsque le sot marche sur la route, son cœur lui fait défaut [ce qui veut dire, d'après les exégètes : l'intelligence lui manque], alors il dit de chacun : " voilà un imbécile " » (X, 1-3). Et voilà le sage, qui a mis son application, nous dit-il, à discerner la Sagesse et la folie, à connaître la science et la bêtise, qui retombe sous le coup de son propre jugement, puisque lorsqu'il montre celui qu'il estime être un imbécile, c'est lui qui est fou et qui manque d'intelligence.

Il n'y a pas à dire, Qohelet s'entend bien à fermer toutes les portes, et il nous prévient qu'il suffit d'infiniment peu (une mouche morte) pour corrompre une jarre de parfum et une savante sagesse. Je ne puis m'empêcher de penser à tels grands philosophes modernes, ou moins, dont tout le système me paraît ruiné par l'adhésion à une erreur politique. Le très grand Hegel, dont je ne puis rien prendre au sérieux parce qu'il voit la culmination de l'Histoire, de l'Idée, de l'Esprit dans l'État ! Tout ce qu'il dit est très beau, mais quand on arrive à cette mouche crevée qui a corrompu et tué la société occidentale du xixe et du xxe siècle, voici que je ne peux plus rien prendre au sérieux de tout le discours qui précède sur tant d'autres problèmes. Le très grand Heidegger, où tout est tellement profond, séduisant, novateur, mais qui n'a pas eu l'infime lucidité de discerner ce qu'était dans son fond le national-socialisme. Les quelques mois de son adhésion au nazisme me suffisent à considérer comme rien le reste de son œuvre. Comment voudrait-on que je puisse suivre un tel guide dans ses *Holzwege*, quand il n'a pas su dans cette simple expérience de vie choisir le bon chemin ? La mouche morte — le cœur déplacé — ne fût-ce qu'un instant ! Et je sais bien qu'à mon tour, en prononçant des exclusives, je tombe exactement sous le coup de l'autre appréciation de Qohelet, dans le même passage !

Fragile, fragile la Sagesse, il suffit de varier d'une ligne pour qu'elle s'évanouisse. Mais bien plus encore, impossible. Celui qui croit l'atteindre ne saisit que du vent. Qui sait ? Qui peut se vanter de « savoir » ? « Qui sait ce qui est bon pour l'homme pendant sa vie — durant les jours de sa vie de vanité, qu'il passe comme une ombre... » (VI, 12). Fragile autant que l'homme lui-même, et pourquoi en effet la Sagesse serait-elle plus sûre et plus vraie que son créateur? Comme une ombre. Rien de plus fugace que l'ombre. On peut tout mesurer, situer, peser, mais non pas l'ombre qui n'est pas, n'est rien par elle-même, puisqu'elle dépend à la fois de l'objet dont elle est la projection et de la lumière qui varie sans cesse... Dans ces conditions, qui sait? Qui peut se prétendre sage? A la limite, elle est impossible. « J'ai vu [...] que l'homme *ne peut pas* découvrir l'œuvre qui se fait sous le soleil, puisque l'homme se fatigue à chercher, et qu'il ne trouve pas. Et même si le sage *dit* savoir, il ne peut pas trouver » (VIII, 17).

Nous avons quant à nous, dans notre monde moderne, beaucoup, beaucoup découvert. Mais, nous l'avons déjà dit, l'horizon s'éloigne toujours davantage. Ici, Qohelet semble poser une sorte d'absolu : de toute façon et quoi qu'il fasse, il ne peut pas trouver le secret dernier — la formule qui permettra de tout comprendre. Ce qui me frappe dans le peu que je connais, c'est que plus nous avançons, plus tout ce que nous savons devient complexe et insaisissable (ce dont l'énorme effort de synthèse d'Edgar Morin rend bien compte).

Pour l'histoire, que je connais un peu moins mal que le reste, je constate que plus nous connaissons, moins il est possible de faire ces grands panoramas historiques qui semblaient possibles autrefois, et dont le public reste friand. L'histoire éclate en fragments d'un puzzle impossible à construire, dont chacun a sa particularité, et lui-même sa complexité. Le dernier mot n'est jamais dit — la dernière lumière jamais assez précise. Il nous semble parfois arriver aux limites, non pas du tout du réel à comprendre, mais des capacités de notre intelligence à comprendre... Mais alors voici l'ironie. Au moment même où l'on est obligé d'accepter cette insaisissabilité (sans renoncer, certes, à faire effort!) à ce moment-là, déclare Qohelet : « Le sage *dit* savoir... » Il n'y a pas pire méchanceté! La Sagesse de ce sage consiste à *dire :* je connais... là où en réalité personne n'a trouvé.

Je crois que la signification ultime de tout ce livre, c'est que toutes les activités dont nous avons parlé dans le chapitre premier, et dont pour chacune on découvrait qu'elle était vanité, toutes, donc, convergent vers la Sagesse. C'est cette convergence qui fait l'unité et l'architecture du livre. Et c'est finalement la Sagesse elle-même qui est la somme des vanités. Chaque pas dans la Sagesse est poursuite du vent, et ceci rejoint : « Quand il y a des paroles en abondance, elles font abonder la vanité : quoi de plus pour l'homme ? » (VI, 11). Il faut mettre ce texte directement en relation avec la Sagesse, puisqu'il vient presque immédiatement après : « Qu'est-ce que le sage a de plus que le fou ? » Le « Qu'est-ce qu'il y a de plus... » rejoint les deux formules, et nous oblige alors à penser que, pour Qohelet, la Sagesse va s'exprimer dans un flot de paroles... ce qui est bien souvent le cas. Elle est alors identifiée à un bavardage. Soit.

Mais, et ici je me hasarde sans aucune preuve, cela me conduit à cette réflexion — n'y a-t-il pas dans nos textes un glissement d'une Sagesse intérieure, informant la vie, vers une Sagesse déclarée, montrée, parlée, mise en forme, et en formules. Il n'est pas simple de démêler l'écheveau des textes contradictoires sur la Sagesse, mais je me demande si la plupart des textes critiques ne visent pas une Sagesse de discours, et de construction intellectuelle. Et s'il en est ainsi, n'est-ce pas la négation qu'il y ait une sorte de science de la Sagesse ! Mais alors me voici entraîné vers une hypothèse encore plus hasardeuse, et qui choquera. Qui a prétendu mettre la Sagesse en discours et multiplier les paroles à son sujet ? Les Grecs !

On a montré souvent, je l'ai dit, « l'influence » de la philosophie grecque sur l'Ecclésiaste. On a cherché des parentés, des filiations. Je crois avoir montré, et montrerai encore mieux plus loin, le caractère spécifique de notre livre, et son appartenance à la pensée hébraïque. Mais il n'en reste pas moins de façon tout à fait sûre que l'auteur a connu cette philosophie grecque. Philosophie — amour de la Sagesse. Mais une Sagesse mise en discours, une Sagesse construite et parlée, élaborée par la voie de l'intelligence. Alors que Qohelet veut rester au niveau de ce qu'il considère, lui, comme la seule chose importante : l'existence. Et alors, son livre n'est-il pas en grande partie une attaque contre la Sagesse grecque, contre cette philosophie qui commençait à pénétrer sérieusement dans ce monde assez fermé de la pensée hébraïque ? N'est-ce pas une proclamation de la vanité de ces discours sur la Sagesse ? La dissertation, fût-elle si habile, ne fera jamais échapper l'homme à sa condition et à sa vanité. En revanche, et n'est-ce pas une pointe méchante contre les rhéteurs, elle est très utile pour gagner de l'argent, pour se faire une place dans la société, pour être honoré, cependant que celui qui *est* sage est méprisé, rejeté... Personnellement, je crois cette hypothèse aussi sérieuse que d'autres, et elle concorde avec le caractère polémique, ironique, contradictoire de ce livre qui me paraît comme une antiphilosophie.

Tout n'est pourtant pas dit — je tiens beaucoup à cette formule lapidaire : « Qui augmente sa science augmente sa douleur. » Or, nous sommes ici au tout début du livre (I, 18). C'est une des données fondamentales. Et il oppose la Sagesse et la science. « Abondance de Sagesse est abondance de chagrin. » Ceci me paraît assez clair dans notre perspective. Plus tu acquiers de Sagesse, plus tu entres dans la vanité. Et par conséquent, contrairement à ce qui était souvent proclamé, il n'y a là aucune consolation, aucune force de vivre. Plus tu es « sage », plus tu apprends que Tout est Vanité, poursuite du vent. Par conséquent, tu augmentes ta peine. Mais voici la science. Et une fois de plus Qohelet me paraît prodigieusement prophétique. Il n'y a pas encore de science très rigoureuse. Il n'y a pas encore d'applications techniques tirées de la science, et cependant le jugement est là. Est-il fortuit ? Une simple formule ? Il me semble que cela entraîne de si grandes conséquences que nous ne pouvons pas l'écarter de cette façon.

En notre temps, quelle est la question [1] ? Ce n'est pas seulement une affaire psychologique, le retour à l'humilité du savant qui reconnaît de mieux en mieux que plus il sait, moins il sait. Car notre formule peut prendre un tour objectif : « Ajoute-t-on à la science, on ajoute à la douleur » (Dhorme). Autrement dit, c'est une situation objective, telle quelle. Alors il s'agit aujourd'hui, dans notre siècle de science, de l'éprouver à la réalité que nous

---

1. Bien entendu il est tout à fait légitime de contester l'extrapolation que je fais ici du mot science (connaissance, savoir...) à la science moderne. Je dirai seulement que ce qui me justifie, c'est l'extraordinaire fluidité, incertitude, variabilité, de ce mot ! Car enfin, sciences exactes/sciences humaines : ce n'est pas pareil. Les critères de la « science » sont totalement incertains — et ils changent selon les époques. Ce que l'on appelait science au XVIIIe siècle n'a *rien* à voir avec ce que l'on nomme ainsi en 1880. Et entre 1920 et 1980, il y a eu une mutation de ce mot aussi radicale. Et bien sûr, aucune comparaison avec la *sciencia* du XIIIe siècle, etc. Mais tout a un fond commun : savoir — accumuler des connaissances — coordonner ces connaissances — élaborer un système qui paraît explicatif. Et ceci, nous le trouvons exactement dans l'Ecclésiaste ! Et c'est bien ceci qui est visé.

connaissons pour la première fois au cours de l'Histoire. Pour la première fois, la science domine tout, s'empare de tout, utilise tout. Elle est la *Grande Déesse*. Personne ne peut rien dire à son encontre. Et si l'on admet que, parfois elle est mal appliquée, qu'il y a un mésusage de la science, ce n'est pas elle qui en est responsable. Si l'on peut reconnaître que parfois il y a eu de lourdes erreurs scientifiques, que l'on est obligé a des choix sanglants, que des théories reçues pour vraies pendant des décennies ne le sont plus, on le retourne à l'honneur de la science : « Vous voyez bien, la science progresse, c'est la grandeur de la science de reconnaître ses erreurs. » Et si l'on parle aujourd'hui de crise de la science, cela encore tourne à sa gloire. Car cette crise n'est rien d'autre que le moment de passage d'un moins savoir à un mieux savoir. L'issue de la crise ne fait aucun doute : ce sera un progrès de la science. Elle est ainsi invincible. Et finalement, il est totalement impossible de faire un bilan.

Pendant le XIXe siècle, c'était le moment de l'explosion de la science triomphante, imbattable, de la croyance à la science, qu'aujourd'hui on rejette avec mépris en parlant de scientisme. Mais aujourd'hui, si l'on admet qu'elle peut avoir certains aspects négatifs, ceux-ci, aussitôt discernés, sont repris en compte par la science elle-même qui les intègre dans son évaluation, dans sa méthode, et produit un raffinement incessant de la compréhension et de la connaissance. Rien n'échappe à la science, même pas ses erreurs. Elle n'est pas seulement quantitative, le « qualitatif » commence à être pris en charge. Elle n'est plus segmentaire, mécaniciste, réductrice, disjonctrice, mutilante par la parcellarisation de ses objets, non, elle tend justement à intégrer le souple, le complexe, les tourbillons, la fumée, l'instable, mais c'est toujours « la science ». Immanquable. Donc ce n'est pas de l'intérieur qu'il est possible de la juger !

Mais voici que si l'on se situe à l'extérieur, elle vous récuse aussitôt, car tout ce qui est extérieur à elle est incompétent pour porter une appréciation. Et, par conséquent, inutile d'en parler. Il ne s'agit certes pas ici de faire un procès de la science, quelle qu'elle soit ! Mais seulement d'écouter Qohelet — avec son double avertissement : ce qui a été, c'est ce qui sera. Mais la réciproque : ce qui sera a déjà été. Pour dire cela, il faut un formidable orgueil, ou bien exprimer une parole de celui qui connaît le Tout, parce

147

qu'il est hors de ce Tout, et que le temps pour lui n'est pas notre dimension. Il n'y a pas de bilan humainement possible de la science.

J'ai tenté de montrer, pour la technique (ce qui est tout autre chose), l'ambivalence de tout progrès technique, et que non seulement elle produit autant de mal que de bien, indissolublement mêlés, mais en plus que les difficultés créées par elle sont de plus en plus considérables, de plus en plus compliquées, que l'homme est sans cesse débordé par les nouvelles innovations, mais aussi sans cesse déséquilibré par la création de situations neuves, inattendues. Mais ce n'est pas directement la science. Sans aucun doute, rien de tout cela ne se serait produit sans elle. On a beau dire et reconnaître qu'elle n'est pas neutre, qu'elle n'est pas innocente, que le scientifique n'a plus les mains pures et la conscience claire, il n'en reste pas moins que la science garde tout son prestige, que les crédits de la recherche scientifique abondent, que l'on met tous les espoirs économiques ou sociaux dans « la recherche », et que la multiplication des centres de recherche, des laboratoires, l'affinement constant des méthodes, l'accès presque démesuré à l'infiniment grand et à l'infiniment petit, ne font pas une seconde vaciller la confiance de l'homme moderne dans la grande déesse.

Et voilà que tombe, de deux mille cinq cents ans en arrière, l'avertissement. Rien de plus. Il n'a pas pu matériellement faire l'expérience de la science. Il n'a pas pu porter un jugement en toute connaissance de cause. Il serait trop aisé de dire : C'est une réaction d'esprit chagrin, rétrograde, qui croit au passé (justement, il ne croit pas au passé : il a pris soin de nous avertir ! « Ne dis pas : comment se fait-il que les jours anciens ont été meilleurs que ceux-ci ? »). Il serait trop aisé de dire qu'il vise la fausse science, ou encore qu'à son époque il ne pouvait pas savoir de quoi il s'agissait... Je dis que c'est précisément parce qu'il en est ainsi que cet avertissement est essentiel. Il ne dit pas : la science ment, ou la science ne dévoile pas la Vérité, il ne met pas en concurrence une connaissance de réflexion et la connaissance révélée par Dieu... non. Il ne dit pas : la science éloigne de Dieu — non plus. Il ne dit pas : il vaudrait mieux qu'il n'y ait pas de science — pas davantage — et pas non plus : « Tout compte fait... » Il n'y a pas de compte !

Enfin, tout ceci se résume dans la récusation de l'idée toute faite, si répandue aujourd'hui, selon laquelle la religion chrétienne fondée sur la Bible aurait été hostile à la science, en citant l'interdiction de toucher à l'arbre de la connaissance (Gen II). On oublie seulement qu'il s'agit de la connaissance *du Bien et du Mal* et que cela veut dire : impossible pour l'homme de dire ce qu'est le Bien et ce qu'est le Mal. Il n'est en rien question de la connaissance, ni du réel, ni de la « vérité ». Et notre texte n'a rien à faire avec une interdiction, un « commandement » de ce genre ! Ce qui importe une fois de plus à Qohelet, ce n'est pas la vérité, ni Dieu, ce qui lui importe, c'est *l'existence de l'homme*. Et à cet homme, il lui adresse un *avertissement*. Rien de plus. L'homme est placé devant un choix entre des possibles. Il peut décider de choisir pour la science, mais alors il doit savoir qu'il augmentera sa douleur, ou même qu'il augmentera la douleur du monde. Comment ? Pourquoi ? Cela ne nous est pas dit, et nous avons seulement à prendre nos responsabilités.

Nous pouvons seulement le deviner et surtout nous en apercevoir rétrospectivement. L'homme en présence de cet avertissement, s'il l'entend comme une parole de Dieu, peut au contraire décider qu'il renonce à la fabuleuse poursuite de la science, pour éviter la croissance de la douleur. C'était possible. Rester à l'état de nature ? Non pas, puisqu'au contraire il est bien dit que l'homme a à cultiver le jardin, qu'il a la responsabilité de la gestion de ce bien qui lui est donné, que cet homme est réponse à l'image de Dieu, donc inventeur, plein d'imagination, de projets, et accède à la mémoire globale en même temps qu'à l'avenir... Mais la science est tout autre chose. Elle est conquête infinie d'une connaissance infinie. Et c'est très exactement cet illimité qui est l'inacceptable pour Dieu et la source de tous les maux du monde.

En termes de « morale », cet illimité s'appelle la convoitise, au sens absolu du terme. Non pas convoiter une chose ou un plaisir, mais l'égalité avec Dieu ; convoiter tout ce qui (bien entendu de façon parfaitement inconsciente et *innocente !) peut être possédé par la connaissance. Et par quoi l'être pense augmenter indéfiniment grâce à l'avoir.* Telle est la source de *toutes* les douleurs du monde, il n'y en a pas d'autre — et telle est la grande passion de la science, qui seule satisfait la convoitise absolue. Et parce qu'elle répond à la convoitise absolue, elle devient l'autorité suprême. Il ne faut jamais oublier cette situation unique de la science. Personne et à partir d'aucun point de vue ne peut la contester. Elle est l'autorité suprême à laquelle il est impossible d'échapper Sitôt que l'on a mis un doigt dans l'engrenage scientifique, c'est-à-dire sa façon de penser, de présenter les choses, de concevoir, de raisonner, aussitôt elle devient absolue.

Elle est infiniment plus absolue, dernière, que la Nature ou que Dieu. La Nature que l'on a si longtemps considérée comme référence dernière, au point qu'elle en était divinisée, nous savons maintenant la manipuler, l'utiliser, la détruire, lui échapper de mille façons (peut-être au prix de notre mort!). Quant à Dieu, contrairement aux données d'une théologie simpliste, la Bible nous le montre si respectueux de sa création, de sa créature et de l'image qui est en l'homme, qu'il réserve, et retient, et contient sa toute-puissance pour lui permettre d'avoir sa liberté, et qui plus est son autonomie, son indépendance. Bien plus, Dieu est le libérateur. Donc, il est exactement le contraire de la toute-puissance, aveugle et seulement toute-puissante, seulement écrasante et irrécusable. Dieu a accepté de se laisser récuser, contester — a accepté que l'homme puisse sortir de sa référence, a accepté de se soumettre finalement à l'homme, en son Fils Jésus-Christ. Il n'est pas le Tyran, il est devenu le Serviteur.

Cela, parce qu'il est amour, et qu'il ne peut pas y avoir conciliation entre l'amour et la toute-puissance. Le « tout » et la « puissance » de ce terme sont en contradiction l'un et l'autre avec l'amour. Il ne peut pas y avoir de puissance au service de l'amour, car celui-ci peut user de tous les chemins sauf précisément celui de la puissance. Il ne peut pas y avoir de toute-puissance au service de l'amour parce que cela introduit une contradiction dans les termes : si la première est au service de l'amour, celui-ci est donc supérieur et la toute-puissance n'est plus toute-puissance. Et si nous disons que le tout-puissant met cette puissance au service de son amour, alors nous revenons à ma première hypothèse : Dieu accepte que l'homme lui échappe.

Mais dans la science, il n'y a pas d'amour (je ne dis pas « chez les scientifiques », qui peuvent bien entendu œuvrer avec grand amour pour le bien de l'humanité!). La science est irrécusable (puisque c'est sa définition même!) et elle est suprême. Il n'y a jamais, il ne peut pas y avoir d'autolimitation.

Chaque fois que l'on a cru pouvoir lui échapper, chaque fois que l'on a inventé le « domaine » hors de la science, celle-ci l'a r̀ecupĕré. Qu'il s'agisse de l'irrationnel, du qualitatif, du hasard, du désordre, du sujet, du surréel... Chaque fois apparaissait là un domaine, en effet hors de la science au début, mais qui par là même était un domaine proposé de recherche à la boulimie scientifique. Et chaque fois nous voyons la conquête s'effectuer. On est très heureux et triomphant depuis vingt ans de voir la science « changer », et intégrer le hasard, l'indétermination, les « boucles », le désordre, l'irrationnel : elle change mais elle est toujours irrécusablement elle-même. Le sujet est devenu, sans le réduire à être un objet (comme c'était le cas il y a un demi-siècle), une partie intégrante du système scientifique. Progrès pour l'homme ? Non point ! Progrès de la science ! Et c'est cette suprématie absolue qui fait que la science est source de la douleur de l'homme. Il y a maintenant une autorité suprême, supérieure à tout ce que l'homme a connu jusqu'ici, et à laquelle il ne peut pas échapper.

C'est une dérision d'évoquer à propos de la science les vieux mythes que l'on fait constamment réapparaître pour se rassurer, Prométhée, Pandore Faust, l'Apprenti sorcier, etc. Tout cela est sans aucune commune mesure avec ce que nous connaissons. Il ne s'agit pas de dire : « Vous voyez, cela a toujours été pareil ! » Eh bien non, ce n'est pas pareil ! Pour la première fois, l'homme est devant cette autorité suprême, qui en tant que telle le nie. Ce ne sont donc pas les défauts, les mauvaises applications de la science qui augmentent la douleur de l'homme, c'est au contraire sa perfection même, sa capacité à tout absorber, sa véracité, son efficacité. Elle ne rend pas l'homme esclave : elle lui enlève même l'idée qu'il puisse être esclave de cette bonne déesse qui augmente tellement son « pouvoir » et son autonomie ! Telle est la douleur positive, effective, effectuée qui provient de la science. Non pas une douleur comme celle provoquée par le dentiste, mais enfouie au plus profond de l'être, dans le plus profond de l'inconscient, où elle va se substituer à l'instinct de mort, et peut-être à l'éros.

Ce ne sont pas les ruines extérieures dénoncées par l'écologie qui sont les plus terribles, mais la ruine intérieure, la sujétion infrangible. Or, cette douleur générale, commune à l'humanité entière (bien entendu à des degrés différents suivant la plus ou moins grande intégration d'un peuple dans le processus scientifique), qui se traduit par l'angoisse et des obsessions déraisonnables, se trouve doublée sur le plan individuel par la douleur négative de l'inaccompli. Elle provient de la combinaison entre la convoitise et la potentialité de la science. Celle-ci ne fournit jamais à l'homme la réponse dernière, et la convoitise exige qu'elle passe toujours plus outre, qu'elle avance encore et encore — la science n'avance pas par sa propre logique seule mais par la combinaison entre cette logique et la convoitise de l'homme. Et celui-ci souffre indéfiniment dans son insatiabilité : « Vous convoitez et vous n'obtenez pas » (Jacques IV, 2). C'est en effet le signe même de la convoitise de ne jamais dire : « C'est assez. » On a évoqué la convoitise de l'argent, et celle du pouvoir. Mais maintenant elle approche de sa perfection avec la science qui semble mettre à portée de main de l'homme le tout et l'illimité. Mais à quel prix ! Toute la série des textes qui nous parlent de la convoitise nous montre en elle non seulement la racine du péché, mais aussi celle de tous les maux dont l'homme peut être affligé ; et, qui plus est, la racine de la douleur de l'homme précisément par l'inaccompli. C'est justement ce qui caractérise la science. Toute-puissance et inachèvement perpétuel. Et c'est pourquoi, plutôt que tant de mythes complexes et ambigus, je préfère l'évocation de cette unique phrase qui contient un monde : « Qui augmente la science augmente la douleur. »

Après cela, la vanité est close — la Sagesse aussi. Il n'y a pas réponse de l'homme par la voie de la connaissance, de la Sagesse, de la philosophie, de la science à la vanité de sa vie. Au contraire, chaque pas en avant, apparemment triomphant, est marqué par le surgissement de la vanité, et, davantage, l'homme apprend chaque jour, comme en ces années tragiques que nous vivons, qu'il est vraiment buée à la surface d'un miroir (repris par Jacques IV, 14) et que tant d'efforts pour enfin se trouver ne sont que poursuite du vent que nul ne peut capter[1].

1. Comment résister au plaisir de citer ici Kierkegaard : « Si l'homme doit prendre au sérieux la parole de Dieu [...], s'il doit y voir le sérieux de la vie, et voir par suite une plaisanterie dans toute sa capacité, comme dans toute son incapacité, s'ensuit-il qu'il doive se refuser à rien entreprendre, sous prétexte que tout n'est que vanité, vent et fumée ? Que non pas. Alors, en effet, il se prévaut de l'occasion de comprendre la plaisanterie, puisqu'il n'y a plus aucune contradiction à la maintenir à côté du sérieux de la vie, aucune contradiction à dire que tout est vanité aux yeux d'un esprit pénétré de la vanité de toutes choses. La paresse, l'inaction, la superbe à l'égard du monde fini, tout cela n'est que mauvaise plaisanterie, ou, plus exactement n'a rien de la plaisanterie : cela, c'est du sérieux ! Et dans la sphère du religieux, le positif se reconnaît toujours au négatif : le sérieux à la plaisanterie qui en fait le

3. N'existe-t-il alors aucune vraie Sagesse?

Après ce cheminement négatif, doit-on conclure à rien? Il me semble que ce n'est pas le dernier mot. Mais le premier pas de la Sagesse consiste déjà à reconnaître la vanité de la Sagesse, à reconnaître ses limites. C'est dans le discernement auquel Qohelet nous convie qu'il faut vivre, travailler, prendre de la joie, à partir de la certitude constamment renouvelée qu'il n'y a pas de sens, et qu'il n'y a pas de Sagesse qui puisse nous éclairer, nous permettre d'ordonner les choses, de comprendre et le monde et l'histoire, d'établir une échelle de valeurs morales, etc. La Sagesse, c'est le : « Et pourtant... » C'est vrai qu'il n'y a pas de sagesse ni de sens, *et pourtant* nous vivrons, et pourtant nous agirons, et pourtant nous serons capables d'un bonheur et d'une espérance. La seule vraie Sagesse à laquelle puisse prétendre l'homme, c'est ce discernement d'une absence de Sagesse possible, à partir de quoi il faut construire la vie — le point de départ négatif.

Inutile d'appeler à notre secours les grands philosophes et le principe de positivité de la négativité. Qohelet nous le montre en action avec une efficacité remarquable. Toute la Sagesse se ramène à la reconnaissance de la vanité. Tout est Rien. Mais à partir du moment où l'on n'a plus la prétention de saisir le Tout, de comprendre le Tout, de déchiffrer l'univers pour l'ordonner, nous voici en présence d'une série de petites choses, de petits faits vécus, de petites vérités sans prétention. Savoir que tout est vanité nous ramène à l'importance de ces petites choses! Il faut les

---

sérieux religieux et le distingue de la banale gravité, de la sotte importance qu'affiche un directeur de services, de la sotte importance que s'attribue un journaliste devant ses contemporains, de la sotte importance d'un bruyant revivaliste devant Dieu. Comme si Dieu ne pouvait pas créer des millions de génies, s'il se trouvait un jour dans l'embarras! Tenir dans sa main le destin de nombreux humains, transformer le monde en y voyant toujours une plaisanterie, voilà le sérieux! Mais pour être capable de ce sérieux-là, il faut que toutes les passions du monde fini soient éteintes, et tout égoïsme extirpé — l'égoïsme qui veut tout — et l'égoïsme qui se détourne orgueilleusement de tout... » (*Post-scriptum définitif*, *Œuvres complètes*, XI, *op. cit.*, p. 161).

prendre infiniment au sérieux parce que c'est tout ce que nous sommes capables de saisir et elles font le sel et la vérité de notre vie.

Sagesse du vécu et dans le vécu. La vie « en bloc », en général, dans l'absolu est inutile, certes ! Ce qui a été, c'est ce qui sera. Ne prétends pas faire beaucoup mieux. Mais ça n'empêche pas la joie d'une rencontre, le bonheur d'une œuvre (infime ! sans importance !) que j'ai accomplie. « Ça n'empêche pas le rossignol de chanter », comme disait Gary. L'esprit distingué de notre temps dira : « C'est bien médiocre, et ça ne va pas loin » — ceci est évident. Ce n'est pas ce qui nous aurait conduits sur la Lune, ni qui aurait résolu de dramatiques problèmes politiques ou de santé... Mais qu'est-ce qui en revient finalement à l'homme, sinon un ensemble de vanités de plus ?... La Sagesse est. Mais elle ne concerne rien d'autre que l'existence même — au niveau de cette existence et non dans les fantasmes et l'illusion de l'intelligence et de la domination absolues. La Sagesse est avant tout reconnaissance de notre finitude, avec aussitôt, dans la Sagesse même, ce contrepoint que c'est dans cette finitude que l'homme doit se trouver lui-même, se considérer dans sa vérité et dans sa réalité, et avoir une raison de vivre. Mais il ne suffit pas de parler en l'air, et généralement, de finitude ! Ce n'est pas une proposition philosophique ni une banalité d'évidence ! Qohelet est bien trop rigoureux et précis dans tout ce qu'il énonce et montre ! Il nous parle des deux grandes finitudes de l'homme, celle de l'avenir et celle de la mort.

La finitude par rapport à l'avenir, il est essentiel de la rappeler avec force à une époque qui a la prétention de mettre la main sur lui. Qohelet nous présente cette barrière dans deux textes entre autres : « L'homme ne sait pas ce qui sera, et qui lui fera connaître ce qui sera après lui ? » (X, 14). Et il place ceci en relation avec l'attitude de l'imbécile qui « multiplie les paroles » — inutile de tant parler. On parle, on parle pour combler le vide de l'incertitude majeure : que sera demain ? Mais essayer de remplacer la connaissance par du discours, c'est être stupide. Nous sommes en présence d'un mur, et il faut reconnaître qu'il s'agit bien d'un mur. Sur le plan individuel et sur le plan collectif, pour la personne et pour la communauté. Il ne faut pas prétendre faire mieux que ceux qui nous ont précédés.

Cette barrière est intolérable pour l'homme, c'est une des frontières qu'il supporte le plus mal, il grince des dents devant l'incertitude de cette heure qui vient, et depuis les origines, il a tenté de dévoiler cet avenir. Qohelet nous répond : ceci est toujours œuvre d'un imbécile. Mais il y a plus : « Qui sait ce qui est bon pour l'homme pendant la vie, durant le nombre des jours de sa vanité qu'il passe comme une ombre, parce que qui fera connaître à l'homme ce qui sera après lui sous le soleil ? » (VI, 12). Même barrière, mais Qohelet maintenant en tire une autre conséquence : puisque nous ne savons pas ce que sera demain, comment pourrions-nous savoir sans nous tromper ce qui est bon aujourd'hui ? La rigueur est absolue : ce que je fais aujourd'hui a des conséquences pour demain. Mais comment ces conséquences vont-elles s'insérer dans le contexte global de demain ? Non pas seulement : comment préparer aujourd'hui le futur, ou encore comment faire bien aujourd'hui pour que ce soit encore bien demain... Non. Demain, un nombre immense de données auront changé, dont je ne suis en rien le maître. Et les conséquences de mon acte aujourd'hui vont s'insérer dans cet ensemble, et je ne sais pas comment il va se situer par rapport à cet ensemble et quels vont en être les effets. Ainsi, par rapport à la situation que je connais aujourd'hui, mon rôle, ma décision peuvent être excellents, mais tout ayant changé pour demain, cela peut devenir catastrophique. Comme je ne peux pas savoir ce que sera demain, je ne peux pas en tirer les données pour ce que j'ai à faire aujourd'hui. Dès lors, je ne peux réellement pas savoir ce qui est *finalement* et *réellement* bon pour l'homme pendant sa vie. Aussi bien sur le plan matériel que sur le plan moral. Et il faut y prendre garde. Cette simple, très simple formule est la ruine de la morale !

Vous prétendez dire par la morale ce qui est bon pour l'homme ? Quelle illusion, vous ne savez pas si demain ce sera toujours bon pour lui. (Je crois d'ailleurs que cela vise encore les moralistes et philosophes, car ce verset fait suite à celui dont nous avons parlé : quand il y a des paroles en abondance, elles font abonder la vanité !) Nous ne pouvons pas « dire » le bien et le bon. Ce jugement définitif est suspendu à l'aléa de ce lendemain. C'est rétrospectivement que l'on pourra dire : « C'était donc bien ce qu'il fallait faire. »

Revenons-nous à un « jugement de l'Histoire » ? Absolument pas ! Il faudrait pour le croire que Qohelet ait une certaine philosophie de l'Histoire, qu'il attribue à celle-ci une dimension qu'il récuse radicalement. Il reste toujours à ras de terre. Ce n'est pas l'Histoire qui nous juge, il n'y a pas de jugement ; il y a seulement reconnaissance qu'aujourd'hui je ne peux pas savoir. Je n'ai donc pas à dire à tel homme : « *Voilà ce que tu dois faire...* » Ou plutôt nous pouvons le lui dire comme une estimation, un conseil, un avis, un accompagnement. Sûrement pas comme un devoir, ni comme un impératif transcendant, ni comme une prise sur l'avenir ! « Je ne sais pas — mais peut-être ceci vaut-il mieux que cela. » C'est tout ce qu'à notre niveau humain et avec notre limite nous devons être capables de dire. Et surtout pas faire un système philosophique, politique, éthique d'où l'on tirerait des conséquences présentées comme le Bien et le Bon. A partir de la reconnaissance de cette finitude, il faut refuser toute systématique de cet ordre. Il n'y a pas de « bon » « quoi qu'il arrive » — non, ce qui arrive se charge de nous prouver que cela n'était pas bon !

En affirmant cette impénétrabilité de l'avenir[1], Qohelet vise d'abord les devins, magiciens, sorciers, voyants, astrologues, etc., de son époque. Mais je crois que cela a une référence fondamentalement conforme à tout le courant de la révélation hébraïque. Pour pouvoir deviner ce qui sera après, il faut concevoir l'avenir comme déjà écrit, comme déjà établi, fixé, pour l'homme et pour les

---

1. On a souvent souligné que Qohelet rompt avec beaucoup des points les plus fermes de la Révélation en Israël. Mais je ne crois pas que l'on ait remarqué cette contradiction au sujet de l'avenir. « Israël a découvert l'avenir, mais sous l'aspect du rapport entre le jugement et le salut, la promesse et l'accomplissement. C'est pourquoi l'eschatologie d'Israël est la doctrine du salut qui vient [...]. Il introduit la pensée eschatologique dans le monde, pensée qui brise la conception cyclique de l'histoire. Israël a découvert par là la conscience historique » (Mussner, *op. cit.*). Qohelet semble récuser cette connaissance fondamentale, mais je crois au contraire que si Qohelet refuse aussi radicalement la possibilité de cette connaissance, c'est qu'il rejette toute connaissance de l'avenir qui serait *autre* que ce rapport « jugement/salut », « promesse/accomplissement » : cet avenir-là, Qohelet ne le rejette pas, au contraire nous le retrouverons à la fin, mais il ne doit pas y avoir confusion, on ne doit pas prétendre connaître l'avenir terrestre hors de la promesse de Dieu ! Tel est le radicalisme du texte !

peuples. Un livre du destin où tout se trouve et qu'il s'agit par tous les moyens de déchiffrer. Alors que tout le mouvement de la pensée biblique va en sens inverse ! Il ne s'agit pas seulement de l'incapacité de l'homme à « soulever un coin du voile » pour lire le livre mystérieux ; c'est que l'avenir n'est pas fait d'avance. Il n'y a pas de programmation de l'avenir. Il n'y a pas de plan même établi par Dieu. Mais pas davantage l'avenir n'est, seconde après seconde, une décision divine qui l'établit. L'heure qui vient, ce n'est pas une décision arbitraire d'un Dieu à la fois tout-puissant et autosuffisant qui la formule. Les deux voies sont exclues par la Bible. Ni un livre écrit d'avance à apprendre à lire. Ni une volonté de Dieu qu'il s'agirait de percer. Hélas, tout ce que nous décrit la Bible est plus complexe que cela ! Un Dieu libre, donc pas lié à un programme. Pas de plan qu'il aurait lui-même établi. Un Dieu libre pour l'amour, par conséquent qui tient compte sans cesse de celui, de ceux, de tout ce qu'il aime. Sa création, ses créatures, son image projetée. Et parce qu'il en tient compte, il ne les mécanise pas pour les faire entrer dans la cage de fer d'un destin qu'il aurait établi. Il ne les met pas sur un lit de Procuste. Il tient compte de ce que font aussi ces créatures. Il joue avec les données que lui fournit la Création, il en tire le meilleur parti possible à un moment. Exactement comme un père essaie de tirer le meilleur parti possible des qualités, et aussi des défauts, de ses enfants. Il crée de nouvelles conditions, il fournit à sa création, à ses créatures de nouvelles possibilités de jeu. Et lorsque celui-ci aboutit à une impasse, il évite l'impasse et ouvre un chemin d'aventure. Voilà ce que le Dieu biblique fait. Aucune prédétermination, aucun moule de l'avenir, aucun destin, aucune mécanisation du temps [1].

---

1. A plusieurs reprises, j'insiste dans le texte sur le fait que pour Qohelet il n'y a pas de fatalité, de destin, pourtant j'ai trouvé l'idée contraire chez Pedersen. Pour lui, le temps est identique au sort. Non seulement il y a un temps fixé pour tout ce qui arrive, mais encore « tout a son sort déterminé par sa destinée ». « Rien ne peut être soustrait à la fatalité. » Et le seul rapport avec Dieu, c'est que Dieu envoie le sort — c'est lui qui écrit le destin de tout — et ceci conduit à penser qu'il y a un « sort aveugle qui frappe l'homme ». Par ailleurs, Pedersen réfère au destin trois termes : *miqra* (II, 15 ; III, 19 ; IX, 2), *halaq* (II, 21 ; III, 22, etc.), *paga* (IX, 11). Le premier de ces mots est traduit par « sort » chez la plupart et « aventure » chez Chouraqui. Le second, unanimement : le « lot » ou la « part ». Le troisième : chance (Lys), temps et accident (Chouraqui), heur et malheur (Maillot). Je crois qu'il est nécessaire de s'expliquer à ce sujet : l'interprétation de Pedersen dans le

Dans ces conditions, Qohelet a raison de dire : « Qui fera connaître à l'homme ce qui sera après lui sous le soleil ? » Je sais bien que le lecteur réagira en disant : « Quand même, et les prophéties ? » Il faut rapidement ici écarter un malentendu. Les prophètes ne sont pas des devins. Ils ne « prédisent pas l'avenir » contrairement à ce que l'on pense souvent. Le prophète est une sentinelle. Il voit venir l'événement (mais comme aujourd'hui n'importe quel homme politique peut le voir !). Il annonce ce qui va se produire *si...* Si l'homme ne change pas de conduite ; si l'homme ne se repent pas ; si l'homme continue dans « sa mauvaise voie », alors voilà ce qui va se produire. Non pas par une divination miraculeuse, mais par une clairvoyance sur la situation actuelle.

La différence avec celui qui fait un simple calcul politique est double. D'abord cette clairvoyance, le prophète la tire de la révélation de Dieu ; comme on l'a dit : « Il mesure le contingent de l'actualité historique à la permanence de l'Éternel. » Ensuite, il annonce aux hommes que les catastrophes qu'ils sont en train de préparer, ils devront les recevoir comme des châtiments de Dieu, les subir ainsi, et entendre par là un appel à changer de conduite. Dieu décide de punir. Soit. Mais il *suffit pour cela qu'il laisse les hommes faire* ce qu'ils font, *qu'ils continuent, et c'est la colère même de Dieu ;* celle-ci n'a rien à *ajouter* au mal réciproque que les hommes se font. C'est presque toujours l'homme qui est l'expression de cette colère. Mais si l'homme change, l'événement ne se produit pas, et on peut dire que la colère de Dieu s'efface (car il est lent à la colère et prompt au pardon). Autrement dit, l'action du prophète n'est pas d'annoncer la venue de catastrophes qui

___

sens de la fatalité provient du mouvement intellectuel transformant un constat existentiel en donnée d'un système philosophique. C'est le même processus que celui qui a conduit les théologiens d'autrefois à traduire : « Dieu fait grâce à qui il fait grâce » en une théologie de la prédestination. Qu'est-ce qui autorise à traduire : « Voici le sort de l'homme » (d'être mortel), par : « Il y a un destin » — ou encore « Voici le lot de l'homme » (prendre son plaisir) en : « C'est une fatalité » ? Qohelet reconnaît que l'homme est limité, qu'il est mortel, qu'il vit une histoire faite de temps et de contretemps, mais nulle part il ne signifie qu'il est le jouet d'une force aveugle, qu'il est pris dans une sorte de mécanisme, qu'il est soumis à un déterminisme absolu : ce sont deux ordres de pensée différents. En réalité, l'interprétation de Pedersen, infidèle je crois à Qohelet, exprime la pensée scientiste de l'époque qui ne jugeait tout que par l'insertion dans un système clos de causes et d'effets. Mais ce n'est pas la leçon de l'Ecclésiaste !

exprimeraient, par exemple, la justice ou la puissance de Dieu, mais de prononcer la menace afin que l'homme se modifie. D'autre part, cela conduit à changer notre appréciation sur les prophéties. De façon tout à fait enfantine, combien d'historiens ont pu écrire que, la prophétie ne s'étant pas accomplie, le prophète s'était trompé. Alors que c'est le contraire : c'est dans la mesure où l'événement annoncé ne se produit pas que la prophétie a réussi, puisqu'elle a pour but d'annoncer à l'homme ce qu'il doit *éviter,* et ce qu'il doit faire pour l'éviter ! L'exemple le plus parfait et qui est paradigmatique est celui de Jonas. C'est justement quand la catastrophe n'a pas lieu que l'on peut dire non pas que Dieu a changé d'avis, mais que, la conduite de l'homme ayant changé, Dieu revient en arrière et reprend les choses à zéro. Ce pour quoi le prophète était envoyé !

Dans ces conditions, il ne faut pas concevoir Dieu comme une détermination absolue, mais comme le pédagogue constant de l'homme qui agit non par les « lois de la Nature » mais par le dialogue avec l'homme, par sa Parole. Il n'est pas un destin ni une surdétermination qui s'ajouterait à toutes les déterminations qui pèsent sur nous : la Bible nous montre le contraire, Dieu intervient pour changer ces déterminations, pour apprendre à l'homme qu'il peut y échapper, et pour donner du jeu, dans l'enchaînement des causes : c'est l'une des significations des miracles ! Et c'est dans ces conditions que Qohelet nous avertit de la totale vanité de nos mainmises sur l'avenir avec la rétroactivité sur le présent : tu ne peux pas faire de morale, parce que tu ne sais pas ce qui est bon, étant donné que tu ne sais rien de demain — tu ne peux pas accumuler de façon utile de l'argent, parce que tu ne sais pas qui finalement, demain, en profitera — tu ne peux pas mettre le sens de ta vie dans le travail que tu fais, parce que tu ne sais pas qui, demain, sera l'utilisateur de tes œuvres. Demain, c'est la limite absolue de tes possibilités.

Je pense que cet avertissement est essentiel aujourd'hui, alors que nous avons à la fois la prétention et la nécessité de « prévoir l'avenir ». Nous sommes obsédés par cette connaissance. Et, de fait, c'est bien la seule dimension qui nous échappe encore. Or voici que dans la conjoncture techno-économique où nous sommes, il est indispensable de connaître cet avenir. Ce n'est plus de la simple curiosité, ni une réponse à une angoisse permanente de l'homme : on ne peut rien faire dans notre société sans prévision. Ce n'est plus du tout la condition habituelle de l'homme qui tentait depuis les plus anciens âges de deviner ce qui sera, parce que l'avenir est énigmatique, mais voici que l'humanité entière, du fait des progrès techniques, de la croissance démographique et de l'expansion économique, se trouve dans la situation qui était celle d'un grand général d'autrefois à la veille ou au matin d'une bataille. Quelles sont les intentions de l'adversaire ? Quelles manœuvres va-t-il réaliser ? Quelles réserves peut-il mobiliser ? Quels renforts peut-il recevoir en cours de bataille ? Etc. Mais ceci engageait une armée seulement, et durait un jour ou deux. Maintenant, nos questions concernant cet avenir engagent toute une nation et sont permanentes.

Cette exigence ne tient pas à un régime économique ou politique, mais à la structure même de l'ensemble. Nous sommes bien obligés constamment de décider tels investissements, telle alliance, tel choix d'adversaires : or, toutes ces décisions (même celles des plus puissants) sont conditionnées par celles de l'ensemble des autres partenaires et aussi par les découvertes scientifiques et techniques qu'il *faut prévoir,* etc. On ne peut plus penser un monde où quelques politiques et militaires joueraient entre eux aux échecs. Tout doit être prévu. Et quand on ne le fait pas, cela conduit à un désastre. Or, je prétends que, dans cette urgence, il devient de plus en plus impossible de prévoir l'avenir [1]. Les données sont telles qu'il nous échappe encore plus qu'à n'importe quel homme préhistorique. Lui n'avait pas assez de données pour prévoir, nous en avons trop.

Deux attitudes sont alors possibles. Pour les uns, il suffit de faire de la prospective, c'est-à-dire de calculer, d'évaluer ce qui va se passer effectivement. Le futurologue est un scientifique qui ne porte aucun jugement de valeur, qui se borne à expliquer l'avenir le plus probable (et il y a une grande diversité de méthodes toujours plus perfectionnées) et qui fournit ses résultats à ceux qui doivent

1. Cf. J. Ellul : « Sur l'impossibilité de prévoir l'avenir » (étude détaillée, résumée au texte).

prendre des décisions. Pour les autres (tendance que l'on appelle en général des « futuribles »), l'homme est appelé à choisir un certain avenir, à intervenir pour le préparer et le produire. Cela, dès lors, comporte deux niveaux : celui de l'évaluation objective, celui de l'influence à exercer pour renforcer telle tendance, ou bien la contrarier, ou bien essayer de modifier une orientation, d'annuler une force reconnue néfaste, etc. Cela va par exemple s'exprimer dans l'élaboration d'un Plan : une planification, quelle qu'elle soit, a pour but de programmer l'avenir (économique en général, mais aussi bien politique ou administratif), donc de façonner un avenir choisi à partir des données matérielles existantes et de leur évolution probable.

Or, ce qui me paraît impressionnant, c'est l'échec de *toutes* les prévisions [1]. Je dis bien *toutes*. Aucun plan, dans aucun pays du monde, ni en URSS, ni en Chine, ni à Cuba, ni en France, n'a jamais été réalisé. Il y a beaucoup plus : toutes les études scientifiques de prévision se sont révélées inexactes à l'expérience. Bien entendu, on a accusé la faiblesse des premières méthodes qui consistaient à extrapoler purement et simplement une tendance antérieure : puisque ceci avait progressé de 3 % entre telle date et telle autre, cela voulait dire en poursuivant la courbe tel chiffre vingt ans plus tard. Aucun futurologue ne soutient plus ce genre de conclusions. On n'a que mépris pour ces simplismes ! Malheureusement, ce sont ceux qui continuent à être appliqués concrètement ! Ainsi, EDF a programmé les centrales nucléaires en calculant la consommation des Français en l'an 2000 par une simple extrapolation des années 1950-1960. Ainsi la MIACA [2] faisait le calcul constant : du moment que le tourisme en Aquitaine a augmenté de 5 % chaque année de 1950 à 1965, donc il faut pour 1985 créer tant de lits, tant d'aménagements touristiques.

Les calculs d'EDF et de la MIACA sont aujourd'hui *totalement*

---

1. Laplace, dont tout le monde connaît la triomphante prévision astronomique, avait dit à peu près : « Si vous me donnez toutes les composantes de la situation actuelle, je puis vous prédire et calculer l'histoire à venir du monde. » C'est en réalité sur cette formule qu'est fondée toute la science de la prévision. Malheureusement, il apparaît de plus en plus certain que jamais personne au monde, quelle que soit la puissance des ordinateurs, ne pourra connaître toutes les composantes de la situation actuelle... Il y a plus de choses sur la terre et dans le ciel...

2. MIACA : Mission interministérielle d'aménagement de la Côte aquitaine.

faux. EDF produit et produira beaucoup plus d'électricité que les Français n'ont de besoins, si bien qu'aujourd'hui (1984) on fait une publicité effrénée pour faire consommer de l'électricité, malgré les erreurs et les démentis. Cependant, dans les administrations, on continue à fonctionner sur le mode de l'extrapolation et on engage l'avenir de toute une nation sur des données dont on sait d'avance qu'elles ne seront pas réalisées! Malheureusement, ce n'est pas seulement une question de méthode défaillante! Car les autres prévisions, les autres prospectives faites avec les méthodes très avancées sont tout aussi fausses. Les prévisions de Sauvy au point de vue démographique, celles de Fourastié au point de vue économique ont été démenties. Même pour la méthode « scénarios » : aucun des scénarios établis par Herman Kahn pour l'avenir politique du monde en 1980 ne s'est réalisé. Aucune prévision faite pour les techniques n'a été exacte! Et les plus grands événements économiques, politiques, techniques ont été parfaitement ignorés des prévisionnistes : très généralement la crise pétrolière de 1974 n'a été prévue par aucun économiste (à deux exceptions près!). Personne n'a eu l'idée que pourrait se produire un événement comme Solidarité. En 1960, personne encore n'avait prévu le développement de l'informatique et tous ses dérivés. Je pourrais fournir des dizaines d'exemples d'événements décisifs, modifiant *toute* la société, qui n'ont pas été prévus. (Bien entendu, cela doit nous conduire à dénoncer avec la dernière énergie les politiques de grands travaux et l'élaboration de plans à moyen terme, tous fondés sur des prévisions fausses.)

Je ne vais pas me livrer ici à l'analyse des raisons de cette imprévisibilité de l'avenir dans nos sociétés avancées. Cela formerait tout un chapitre! Je me borne aux deux constats suivants : plus il est aujourd'hui indispensable de prévoir, plus il est impossible de le faire (et ce n'est pas un accident : je prétends que cela est lié de façon intrinsèque à notre système). Ensuite : nous ne sommes pas mieux éclairés au sujet de l'avenir que l'homme du Ve siècle avant Jésus-Christ. Qohelet a raison aujourd'hui comme il avait raison hier, et je pense qu'il continuera à avoir raison. L'avenir est bouché.

Mais nous voici à nouveau en pleine ambiguïté. « Ce qui a été, c'est ce qui sera. » « Ce qui s'est fait, c'est ce qui se fera », ou encore « S'il est une chose dont on dise : Vois ceci, c'est nouveau ! Cette chose existait déjà dans les siècles qui nous ont précédés. » Négation du progrès. Nous l'avons examiné. On a tôt fait de tirer de là une « conception cyclique de l'histoire », une philosophie circulaire du temps. Et de trouver les assimilations adéquates, avec combien de philosophies. Ou bien de montrer que ce livre s'enracine dans les conceptions traditionnelles et archaïques du temps ! Je pense qu'une fois de plus ici réside le contresens. Tel n'est pas l'Ecclésiaste, si on veut bien lire le tout et non pas séparer un fragment. Il me semble, pour résumer, que ces formules nous apportent trois enseignements.

Le premier, c'est que si l'on ne peut pas prévoir l'avenir (alors qu'au contraire une lecture simple de nos versets semblerait dire que rien n'est plus facile si l'avenir est une réédition du passé !), c'est essentiellement *parce que l'avenir n'existe pas*. La lecture totale de l'Ecclésiaste (et son « pessimisme » !) m'enseigne avant tout que rien n'est fait d'avance, rien n'est écrit, rien n'est prévu, il n'y a pas de « prescience » de Dieu, il n'y a pas de « Grand Livre », il n'y a pas de destinée. Devant nous, c'est le blanc, c'est l'absence. Le blanc que nous avons à colorer, la page vierge sur laquelle écrire, l'absence qu'il nous appartient de combler et de faire vivre. L'Ecclésiaste rejette totalement l'apparence d'un *dictum*. Il n'y a rien à voir dans l'avenir, parce qu'il n'y a rien, tout simplement. Il n'y a pas de divination, parce qu'il n'y a rien à deviner ! Les choses ne sont pas faites d'avance. L'Ecclésiaste nous le répète, et le grand poème du « Il y a un temps pour chaque chose » me paraît radical. Le futur se fait, nous le faisons, Dieu intervient dans cette création, mais il ne le fabrique pas plus qu'il ne l'a écrit une fois à l'origine. Rien n'est fatal, et la vie de Jésus nous montre l'opposition entre l'obéissance au Dieu d'amour et de liberté, et le légalisme d'une soumission à un déjà écrit. Qohelet est la négation du « c'était écrit ». Rien n'est écrit.

La seconde leçon, c'est que, à l'opposé d'une lecture trop simple, trop évidente de ces formules, Qohelet nous redit sans cesse que le temps est le possible où créer des nouveautés. Jamais une redite du passé. Ceci semble aller à l'encontre du sens obvie des formules que nous avons rappelées ! Et pourtant c'est bien le sens de l'Ecclésiaste. Ce qui vient est un prodigieux enchevêtrement *(dont son livre donne savamment le modèle!)* du virtuel et de l'actuel, du passé, du présent et de l'inconnu! Alors, pourquoi écrire ces proclamations pourtant claires? Simplement *contre* ceux qui non seulement prétendent pouvoir « lire » l'avenir, mais encore contre ceux qui prétendent réaliser, accomplir quelque chose de totalement inédit! Pleine ironie! Ne soyez donc pas si sûrs de vous que vous puissiez imaginer faire quelque chose de plus important, de plus extraordinaire que ce que les ancêtres ont réalisé! Vous êtes pleins de vous-mêmes et de votre créativité, mais ce n'est pas si important que cela. Si vous saviez ce qui a été, vous en tomberiez à la renverse! Je ne pense pas que ces textes disent: l'identique à l'identique, mais dégonflent l'importance que l'homme vivant se donne. Et j'y entends l'annonce (je me garderai bien de parler de prophétie) de la phrase de Jésus: « Le lendemain aura soin de lui-même » (Mat VI, 3). Il faut prendre cette sentence au sérieux: elle signifie elle aussi qu'il n'y a pas de lendemain déjà écrit, et ensuite que c'est le lendemain qui se créera. Jésus ne dit pas: « Dieu prendra soin de votre lendemain », et pas davantage: « Vous avez à créer votre lendemain. » Ni l'un ni l'autre: « Le lendemain prendra soin de lui-même. » A la fin de l'enseignement sur le non-souci au sujet de l'avenir: « Ne vous préoccupez donc pas de votre lendemain. » Ce qui viendra viendra. *Que serà serà,* comme on chantait en 1945! Je crois d'ailleurs qu'en définitive tout le Sermon sur la Montagne doit être lu dans la lumière de l'Ecclésiaste, s'enracine dans Qohelet. Bien entendu les vertueux et les moralistes pousseront les hauts cris sur l'impossibilité de vivre ainsi, sur la paresse, sur la légèreté d'une telle attitude (la cigale et la fourmi!), sur la nécessité (nous l'avons rappelée!) actuelle d'organiser l'avenir. Qu'ils s'adressent à Jésus-Christ. Il me semble que tel est donc le sens très assuré de la méditation en profondeur sur le temps de Qohelet, que nous retrouverons. Les données *fondamentales* de l'histoire de chaque homme et des nations n'ont pas varié. Nous restons dépendants non d'une nature, mais d'un plus profond que la nature.

De là le troisième enseignement: Qohelet renvoie, nous le verrons, à un autre nouveau qui est possible. Le Nouveau de Dieu. Seul Dieu est capable de *créer* du *nouveau*. D'introduire à la fois dans le cœur de l'homme et dans l'Histoire un facteur radicalement nouveau. Il n'y a rien de nouveau sous le soleil. Cela veut dire en réalité : Ce qu'est, ce que fait l'homme n'est en rien nouveau. N'ayez aucune illusion à ce sujet. Et nous nous en rendons compte non pas négativement par une méditation désabusée, mais lorsque nous comparons ce que nous croyons être du nouveau avec le Nouveau de Dieu. Voilà le cheminement secret de Qohelet. Et cette découverte, c'est l'un des piliers de la Sagesse.

L'autre grand pilier de la Sagesse, c'est, dans cette conscience de la finitude de l'homme, la reconnaissance de la mort, le discernement de la mort en toute chose. Je dis : pilier de la Sagesse. Non pas son *contenu*, non pas la vérité dernière de la Sagesse. Nous trouverons cette réalité positive de la Sagesse tout à la fin du livre. Non, il s'agit des piliers, ce qui la soutient, ce qui la supporte. Autrement dit ce qui la permet. Sans ces déterminations négatives il n'y a pas de Sagesse possible. Parler de Sagesse sans commencer ainsi, c'est poursuite du vent. Si on veut éviter que chacun de nos actes, chacune de nos paroles soit poursuite du vent, buée qui s'efface sur un miroir, il faut commencer par se heurter, directement de plein fouet à une réalité qui n'est pas, elle, du vent ! Une réalité « incontournable » pour employer l'absurde mot à la mode. Aussi incontournable que le mur sur lequel s'écrase le motocycliste. C'est la même expérience.

Ce mur est fait de l'avenir vide et de la mort radicale. Cette mort est présente constamment dans la vie, elle « vide le présent de présence ». Elle est en tout. Il faut la considérer ainsi. Le discernement de la mort en tout, sans aucune atténuation, est ce qui autorise, *après,* à dire ce que peut être la Sagesse. Si nous avons atteint cet extrême, le reste est permis. Pas avant. Pas autrement. Dans la mesure même où le sérieux de cette appréhension n'est jamais évacué, pas même atténué par la possibilité d'un accès à la Sagesse et à la vérité. L'effroyable de la Croix du Christ et du « Pourquoi m'as-tu abandonné » ne doit jamais être édulcoré, rendu acceptable par la Résurrection, lire la Croix à partir de la Résurrection ne peut conduire au docétisme que par une grossière mécréance. Au contraire, lire la Croix à partir de la Résurrection doit seulement m'apprendre que c'est effectivement Dieu qui meurt ce jour-là dans une incompréhensibilité absolue, mais dans une révélation atterrante. Et si Dieu meurt là, parce qu'il n'a pas voulu vaincre et condamner l'homme, alors je suis... Je suis.

Ainsi, Qohelet m'ouvre une voie vers une Sagesse devenue possible. Mais il faut passer par cette voie. Reconnaître que la mort est le possible de la Sagesse [1]. Dans la mesure même où elle évacue tout ce qui se prétend Sagesse et philosophie. Dans la mesure où elle est la mesure même de la qualité de cette Sagesse. Dans la mesure où elle rend la Sagesse fragile (I, 13) (« joignant ce charme rare à tant de charmes rares/de tout ce que déjà menacent les barbares/de tout ce dont bientôt ne restera plus rien... »). Mais aussi en ce que la mort est pour Qohelet non pas tant le manque de justice immanente (Job) que le non-sens absolu par rapport à la qualité de la vie. Cela seul peut fonder Sagesse et philosophie. Mais, comme pour la finitude à l'égard de l'avenir, il faut encore préciser la relation avec notre temps. Le discernement de la mort en tout de Qohelet n'a rien à faire ni avec l'obsession du suicide ou du nihilisme, ni avec la naturalisation de la mort, qui me paraissent les deux orientations de notre temps.

L'obsession : quel étrange spectacle que d'entendre sans cesse louer les œuvres qui célèbrent la mort, dans les milieux intellectuels et esthétiques. Quelle mort partout grandiloquente et apothéotique dans la musique et le cinéma des années 80. Quelle stupéfiante apologie de Mishima que l'on retrouve périodiquement. Alors que nous devrions avoir ou bien compassion, ou bien horreur. Parce qu'enfin Mishima (loué encore très fort ce mois de juin 83 à plusieurs occasions dans le Monde) n'est rien d'autre que l'équivalent des kamikazes et aussi de ce qu'il y avait de mieux dans le nazisme. Le mépris de la mort au point qu'on la donne et la

---

1. Il est très remarquable qu'un ouvrage que je cite souvent parce que c'est une des rares œuvres importantes de ce temps, la trilogie de B. Ronze (L'Homme de quantité, Paris, Gallimard, 1976, L'Homme de foi, Paris, Desclée de Brouwer, 1978 et L'Homme de Dieu, Paris, Desclée de Brouwer, 1979) ait suivi ce chemin sans probablement connaître sa parenté avec Qohelet. Il achève en effet « L'homme de quantité » par un long développement sur la mort comme le seul possible en face de l'anéantissement humain que représente l'homme de quantité, et c'est à partir de là seulement qu'il devient possible de parler de l'homme de foi. Bien entendu, cette œuvre a été unanimement ignorée des critiques et du public : je dirais, comme tout ce qui représente une valeur existentielle.

recherche avec le même orgueil. Mais si pour les nazis et pour Mishima c'était bien une réalité, portant le goût de la mort à l'extrême, pour ceux qui en dissertent, c'est du snobisme. Spontanément me venait plus haut le mot « spectacle ». C'est du spectacle, rien de plus. Esthétisme au pire sens du terme. Discours qui influence et manifeste « l'instinct de mort » non pas sublimé, mais bien exalté, ce qui est le contraire ! Donc en rien le dur constat, ironique et souverain, de Qohelet.

Qohelet récuse de la même façon notre tentation de la naturalisation de la mort, autre discours moderne. La mort simple phénomène biologique, devant quoi il ne faut ni s'effrayer ni se révolter. Tout naturel (bien sûr ! C'est exact. Mais ce qui n'est pas naturel dans cette affaire, c'est que l'homme soit conscient de la mort !). La mort apprivoisée des *funeral parlours*. Un mort si décent, si convenable, avec qui la vie continue, pour un moment. Comme si rien ne s'était passé. Justement ce rien qui est la mort. Ou bien la mort comme condition de la vie. Allons donc, mais cela va de soi ! Comment la vie pourrait-elle se reproduire sans la mort qui l'alimente et bien plus lui permet de se refaire une jeunesse et une beauté ? Poussons ceci au ridicule et nous avons les crèmes nourrissantes pour la beauté de la peau à base de placenta, pourquoi pas bientôt d'embryon ? Mais c'est déjà acquis. L'embryon mort va nous être bien utile. Nous ne cessons de recevoir ces enseignements si rassurants sur la mort.

Et de fait, que ce soit l'une ou l'autre tendance, l'exaltation ou la naturalisation, dans les deux cas, l'homme moderne cherche à se rassurer, n'ayant plus d'autre recours ni aucune espérance. Et Qohelet non plus, mais il tient ferme. Il nous mène au licol sur cet obstacle. Et il nous fait reconnaître qu'il s'agit d'un obstacle, mortel. Regarder en face, et tant que cela n'est pas fait, aucune Sagesse n'est possible, aucune foi ne peut exister. Ce n'est pas après avoir reçu des garanties que l'on reviendrait vers ce constat. Non, Qohelet fait le chemin. La mort a le dernier mot en tout. Ce n'est pas original ? Mais écoutez comment il le dit : « Mieux vaut aller à une maison de deuil qu'aller à une maison de festin, parce que c'est la fin de tout homme, et le vivant le soumettra à son cœur » (VII, 2). Tu cherches à y échapper par les fêtes, les festins et tant d'autres voies ? Mais le festin est vite fini. *Carpe diem*, mais le jour est court et la mort sans fin. Tu veux jouir, mais c'est le lot d'un si petit nombre, alors que la mort est le destin de tout homme. Et elle est la fin, non seulement le terme, mais aussi le but, l'objectif inconnu, caché, camouflé au plus profond. Si tu veux être homme, va dans la maison de deuil. C'est là que tu commenceras à apprendre la seule chose nécessaire.

A quoi s'ajoute : Mieux vaut le chagrin que le rire (VII, 3). Mais lorsque Qohelet fait cette appréciation (désabusée, dit-on souvent ?), un mot doit encore nous servir. On traduit toujours : Mieux vaut le chagrin que le rire... (ou encore : Mieux vaut vexation que rire...) Mais le mot employé ici est très net : *meschehaq,* qui n'est pas le rire joyeux, de la plénitude et de la paix, de la reconnaissance, de la réjouissance, désigné par « Isaac », c'est le rire de la moquerie, de la raillerie, du « ricanement conflictuel » dans l'affrontement et, dit Hazan, du nihilisme. Ce qui est confirmé au verset 7 par le rire du fou. Alors tout ce passage s'éclaire, ce n'est pas une opposition entre la joie et la mort mais le seul choix c'est l'orgie ou bien la moquerie conflictuelle, et la mort ! Alors le sage préférera la mort à cette « Maison de joie », pire que la mort !

C'est pourquoi le cœur des Sages est dans la maison de deuil (VII, 4)[1]. Et il poursuit en généralisant : mieux vaut la fin d'une affaire que son commencement, mieux vaut un esprit lent qu'un esprit orgueilleux (VII, 8). Car si la mort est ainsi la mesure de tout mais aussi la première donnée pour la Sagesse, alors *il vaut mieux partir de là*[2] ! Partir de cette certitude. Mais quand il nous parle de

---

1. Je retiens ici l'interprétation de Maillot, très remarquable : « La mort est supérieure à la naissance. Pourquoi ? parce que cette fois, il n'y a plus d'imprévu. Qohelet a horreur de l'imprévu [...], surtout si cet imprévu consiste dans le malheur, l'oppression, la ruine. Le mort ne connaît plus cela, il n'a plus d'angoisse, et particulièrement plus d'angoisse de la mort. La mort seule délivre de la mort. De plus, le jour de la mort est le jour de la vérité. Celui qui permet de juger tous les autres jours, celui qui fait apparaître mon " nom ", mon existence dans la vérité. Là, je suis dépouillé des apparences [...]. Il ne nous a pas appartenu de naître, mais il nous appartient de bien mourir. »

2. Ici encore je rappelle l'interprétation de Maillot qui est très forte : c'est l'opposition entre la pensée occidentale qui cherche surtout les origines et qui, une fois posée la « cause », déroule mécaniquement les effets, et puis la pensée hébraïque qui considère que la fin est plus importante que le début. Nous, nous cherchons les données de l'hypothèse, l'israélite est tourné vers la solution. L'Occidental cherche les causes, l'israélite s'intéresse aux fins. L'Occidental

la mort, il ne cède jamais à une exaltation morbide, à un délire du *memento mori,* il n'est en rien un inspirateur de danses macabres, il ne se complaît en rien, ni dans le spectacle de la mort ni dans l'anéantissement [1]. Il en parle avec une ferme et tranquille assurance, et inscrit la prise de conscience de la mort dans un processus du vivant pour être plus vivant. Ceci est essentiel. Cette mort est commune mesure de ce qui vit, elle rappelle à l'homme qu'il est un animal, elle est la part charnelle de l'homme. « Car le sort des fils de l'homme et le sort des bêtes, c'est un sort identique qu'ils ont : telle la mort de celles-ci, telle la mort de ceux-là et un souffle identique est à tous deux. La supériorité de l'homme sur l'animal est nulle. Car tout est vanité. Tout va vers un lieu identique. Tout vient de la poussière et tout retourne à la poussière. Qui sait si le souffle des fils de l'homme monte vers le haut et si le souffle des bêtes descend en bas vers la terre ? » (III, 19-21).

La mort rabat l'orgueil, la puissance, l'idéalisme, le spiritualisme de l'homme. La condition de la Sagesse est bien d'apprendre notre identité avec les animaux en fonction de cette commune mesure. Il n'y a sûrement pas chez Qohelet l'idée d'une immortalité de l'âme humaine. Mais l'introduction de ces versets est tout à fait remarquable : apprendre ainsi notre similitude, c'est une épreuve que Dieu impose à l'homme : « C'est pour que Dieu les éprouve et *pour qu'ils voient* qu'ils sont eux-mêmes des bêtes » (III, 18). La mort s'impose à tout. Elle est la commune mesure, mais il y a *une* différence, décisive : « qu'ils voient eux-mêmes ». Cela, l'animal ne peut pas le faire. Il ne le sait pas. La *seule* supériorité de

---

demande : « Pourquoi ? » L'israélite : « Pour quoi ? » Donc il avance dans l'espérance. Ce qui engrène bien avec les versets qui suivent (VII, 9). Pensée israélite humble, soumise au plan de Dieu et aux faits, pensée occidentale orgueilleuse qui, posant les causes, prend la place de Dieu. Pensée israélite lente et patiente, pleine de détours. Pensée occidentale impatiente, suractive, et in-compréhensive ! Je partage pleinement tout ceci ! Y compris l'attaque de Maillot contre les Impatients dans l'Église.

1. Ainsi, d'après Lys, il parle de la mort comme de la Demeure : III, 20 : « Tout va vers la même Demeure. Tout existe à partir de la poussière et tout retourne à la poussière. » « Il y a un but, mais dérisoire : le moment où on pourrait trouver du repos, c'est le moment où on n'existe plus. Pour qu'il y ait enfin une demeure, il faut que l'on meure. La mort est le seul lieu où les fils de l'homme peuvent reposer leur tête [...]. Cette demeure est unique, la même pour tous, comme le destin et comme le souffle... » (*op. cit.,* p. 393).

l'homme (et l'origine de la Sagesse !), c'est de connaître cette condition. C'est de savoir. Et ceci nous introduit beaucoup plus loin. On a montré fortement [1] la parenté, le rapport entre vanité et mort (*hevel, riq, behala, tohu*, etc.). La mort est une expression de la vanité. La vanité domine la Sagesse. Celle-ci lui est soumise. Et la mort est le fait concret qui manifeste la ruine de la Sagesse. Travailler avec toute son intelligence sans voir aboutir son effort, assister à la mort de ses enfants, c'est travailler pour la mort. L'effort de l'homme n'aboutit à rien. Cette Sagesse est aussi pour la mort, puisqu'on ne peut ni l'inscrire dans un travail durable, ni la transmettre telle quelle à ses enfants.

Est-ce le point final ? Ce serait mal lire Qohelet ! Dans le texte que nous reprenions plus haut (VII, 2), il y a un petit mot que nous n'avons pas observé : après avoir dit qu'il vaut mieux aller dans la maison de deuil, il ajoute : « Le vivant soumettra cela à son cœur. » Cet acte est décisif. Et plus loin : « Les vivants au moins savent qu'ils mourront. » Pascal ne l'a pas dit le premier. Ce qui identifie l'homme à l'animal, c'est qu'il meurt comme lui, et ce qui le différencie ce n'est pas d'avoir une âme (un souffle, un esprit...), mais de le savoir. La Sagesse, c'est prendre conscience de ce fait. C'est ce retournement qui fait l'homme. La conscience de ce qui ruine l'homme et la Sagesse, c'est justement ce qui rend possible à la fois cette Sagesse, et l'orientation de l'homme vers ce qui le rendra vivant.

Nous sommes aujourd'hui accoutumés à ce mode de pensée. Marx a exprimé fortement cette « dialectique ». Tant que l'on ne sait pas que l'on est aliéné, il n'y a aucune libération possible de l'aliénation. L'affranchissement commence par la prise de conscience et le savoir de cette aliénation, et plus l'aliénation est profonde, plus la libération est décisive. De même, Bernard Charbonneau a axé toute son œuvre sur cette dialectique selon laquelle la liberté ne commence (et ne peut commencer) que par la prise de conscience de la nécessité. Et il faut bien se rappeler qu'une telle prise de conscience n'est pas une sorte de dégagement. Charbonneau ne dira jamais que lorsque je prends conscience, je suis en dehors de la nécessité, celle-ci cesse d'exister. Non point. La nécessité est toujours la nécessité, l'homme y est toujours soumis,

1. J. Chopineau, *op. cit.*, p. 39 *sq.*

mais la conscience de *cette* nécessité atteste que l'homme en est libre : il faut être libre pour pouvoir en prendre conscience. De même, Qohelet nous dit : la mort c'est la mort, inutile ni de la nier ni de l'atténuer (nous allons le retrouver), mais la conscience de cette mort est l'attestation qui me situe hors et ailleurs et au-delà d'elle. Sinon je ne pourrais pas avoir conscience de ce qu'elle *est*. Mais justement, il faut aller jusqu'au bout de cette réalité et ne reculer devant rien. Il est difficile de tenir les deux. Et ce fut une erreur, une tentation constante de remplacer le *et* (je suis mortel *et* conscient de l'être) par un *ou bien :* je suis conditionné ou bien libre.

Ce fut l'erreur de tous les « spirituels ». Croyant dans la libération chrétienne par le Saint-Esprit, ils croyaient être libérés de leur condition humaine et déjà en plein ciel. Ce spiritualisme, comme l'ont montré Augustin et Luther, est la source de toutes les déviations éthiques. Mais, dans un autre registre, c'est la même erreur que commet Bernstein lorsqu'il considère que, à partir du moment où l'homme prend conscience de la fatalité de l'Histoire et de son conditionnement par l'économie, il *cesse* d'y avoir une nécessité et l'homme cesse d'être conditionné. L'homme devient pleinement maître de l'activité économique. Jamais Marx n'a dit cela ! Le jeu économique reste toujours contraignant, mais l'homme peut être libre, en même temps, par la conscience qu'il en a.

Pour que la conscience de la mort soit le pilier de la Sagesse, il faut encore, disions-nous, que l'on ne prétende rien atténuer, rien édulcorer. Qohelet est un bon maître à ce sujet. La mort est absolue, illimitée, sans issue. Voilà ce qu'il faut savoir. La mort ne laisse aucun espoir humain. « Les vivants en effet savent qu'ils mourront, mais les morts ne savent rien du tout et il n'y a plus pour eux de salaire car leur souvenir même est oublié. Leur amour, leur haine et leur jalousie ont déjà péri et ils n'ont plus, à perpétuité, de part à tout ce qui se fait sous le soleil » (IX, 5-6). Voici le dernier mot de Qohelet sur la mort. Il n'y a, chez lui, aucun au-delà concevable. Nous avons déjà vu qu'il n'y a pas d'immortalité de l'âme. Il n'y a pas davantage d'idée de résurrection. Par conséquent, il n'y a aucune espérance à situer « ailleurs ». Tout se joue ici, *tout* est ici. Mais il faut éviter un double malentendu.

Rappelons une fois encore que Qohelet nous parle de ce qui se passe *sous le soleil*. Il ne prétend pas aller au-delà. Plus important encore serait le malentendu qui consisterait à porter ici un jugement philosophique. Il ne faut pas tirer de ce primat de la mort « l'idée » (qui ne serait qu'une idée) que Qohelet émet une doctrine philosophique, prend position dans les débats de son époque sur la question de la Résurrection ou contre le platonisme. Qohelet ne nous livre ni une philosophie de la Révélation ni le tout de la Révélation. Il n'est pas un doctrinaire ou un professeur. Il médite sur sa vie. Dès lors, on a pu dire qu'en présence de cette radicalité de la mort, il se situe à l'encontre de l'enseignement habituel de la Bible qui fait de la vie, de la Vie, une valeur suprême, un absolu. Dieu est le Vivant. La Vie est forcément victorieuse, etc. Et Qohelet ne dit pas expressément le contraire, mais à la fois que, sur cette terre, cette vie est infiniment fragile et qu'elle n'a pas son sens à partir de la Vie, mais à partir de la mort.

Il n'est pas tout à fait juste de dire qu'il n'attache pas un grand prix à la vie [1] !, à *cette* vie, car enfin c'est lui qui écrit cette phrase scandaleuse : « Et même un chien vivant vaut mieux qu'un lion mort... » Lorsqu'on songe à ce que représentait un chien en Israël ! Il veut simplement dire que la vie la plus vile, la plus méprisable, la moins digne d'intérêt vaut mieux que la mort. Car « pour celui qui est uni à tous les vivants, il y a de l'espoir... » (Ceci est le début de la phrase sur le chien vivant !) (IX, 4). Il n'est donc pas du tout dans le sens d'une conception qui nous tente, ô combien, « la vie ne vaut pas la peine d'être vécue si... on n'est pas libre, ou pas riche, ou s'il n'y a pas de justice, etc. » Mais si, mais si, répond l'Ecclésiaste avec cynisme et réalisme : un chien vivant vaut mieux qu'un héros mort.

---

1. J'ai retrouvé la même interprétation chez Lys, mais avec un autre éclairage intéressant : « Justement parce que la vie c'est ce qui est important, il y a révolte quand il devient clair que la vie n'est pas suffisante en qualité plus qu'en quantité pour avoir un sens. Paradoxalement alors (par dépit ?) la mort devient attirante. Elle est le seul élément certain de la vie. » « L'attirance de la mort se fait plus forte, écrit Neher, à mesure que tiédissent les attaches de la vie. » Mais Lys continue : « Qohelet n'est pas blasé. Il n'aboutit ni au suicide ni au couvent [...], ce qu'il éprouve c'est le manque de sens d'une vie à laquelle il s'attache de tout son être [...] ; paradoxalement Qohelet déteste la vie parce qu'il l'aime. »

Car avec la vie il y a de l'espoir ? Sagesse populaire simpliste. Tant pis pour les héros.

Pas davantage il ne signifie qu'il faille sacrifier la vie à certaines valeurs. Tout au contraire ! Il a montré la vanité de toutes les « valeurs », alors la vie, c'est encore le mieux. Mais avec la relativité qu'il met en toute chose. Et aussitôt voici la réciproque, la vie, oui, et pourtant la mort vaut mieux qu'une vie sous l'oppression, la violence, l'injustice et le mal. « Voici les larmes des opprimés... Et moi de louer les morts qui sont déjà morts plus que les vivants qui sont encore vivants, et plus heureux que tous deux celui qui n'a pas encore été parce qu'il n'a pas vu l'œuvre mauvaise qui se fait sous le soleil » (IV, 2-3). Il se contredit ? Mais non ! La vie comme réalité toute relative est un bien qu'il faut recevoir et assumer. Toutefois le mal, la puissance du mal, la domination du mal rend ce bien aussi vain que le reste.

Les deux affirmations de Qohelet sont complémentaires. Tout est sous la vanité. Et ceci s'exprime tantôt de l'une tantôt de l'autre façon, mais la Sagesse est précisément de savoir cela. De ne prétendre ni détenir la clé ou le sens de la vie (de l'Histoire !), ni de porter la vie à l'absolu, ni de la refuser. Elle est aussi soumise à la vanité. Au rien. A l'idolâtrie. La vie n'est pas sans un contenu qu'on lui assigne ou une orientation. Et c'est là que commencent l'erreur et la tricherie. Donc, finitude radicale. Et à partir de cette connaissance-là, il est possible de remonter vers tout ce qui concerne la vie, toutes les occupations par quoi on garnit sa vie. Nous avons déjà vu, indirectement, que Qohelet faisait justement cette opération pour les occupations, prendre le point de vue de la mort, pour l'argent, le travail, le plaisir, l'art, etc. Commencement de la Sagesse. Mais justement, c'est à partir de cette connaissance-là que la vie redevient possible.

Une fois encore, Qohelet n'exprime pas du tout le *tædium vitæ* ! Ce dégoût ne saisit que ceux qui ont trop espéré de la vie et des puissances, qui y ont mis leur cœur, leur force et leur amour. Alors la réaction devient terrible. Mais ce n'est pas lui. Après avoir tout fait, il a conclu. Et il sait que ce savoir paie de toutes les déceptions. La vie est humblement possible malgré les injustices.

Alors il y a un nouvel obstacle à franchir : Qohelet nous présente le mécanisme de la rétribution tant critiqué, rejeté par Job. « Il y aura du bonheur pour ceux qui craignent Dieu, parce qu'ils éprouvent de la crainte devant lui. Il n'y aura pas de bonheur pour le méchant, et comme l'ombre, il ne prolongera pas ses jours, parce qu'il n'a pas éprouvé de crainte devant Dieu » (VII, 12). C'est parfaitement stupéfiant ! Voici l'homme qui remet tout en question, le contestataire qui va au fond des choses et qui maintenant énonce cette platitude, et cette contre-réalité. Il ne pouvait pas ignorer la contestation de Job. Et voici qu'il tient exactement le discours des amis de Job. On reste incrédule devant cette énonciation. Et bien entendu certains exégètes ont voulu y voir la main d'un pieux interpolateur qui avait rajouté ceci pour sauver l'honneur de Dieu dans la dernière édition de ce livre. Je crois qu'il y a une explication beaucoup plus cohérente si l'on veut bien regarder le contexte.

Il faut faire deux remarques. La première, c'est qu'il s'agit d'une sorte de confession de foi, de proclamation. « Mais *moi je sais...* » commence Qohelet. Moi, une fois de plus il se met en question, en cause, et, acte typique de la foi, il proclame l'inverse de l'évidence. L'évidence expérimentale, c'est que l'injuste règne et dure, que le bon n'est pas du tout reconnu. Alors, en face de cela, se dresse la foi qui déclare : « C'est exact, c'est bien ainsi *mais moi je sais...* », faisant alors appel à une autre dimension, à un qualitatif, à un non constatable, déclaration de foi contre toute évidence. Telle est, nous l'avons souvent souligné, l'espérance même. Mais il y a une autre dimension dans ce texte. C'est une dure critique sociale et politique : Il a commencé ce chapitre en rappelant le bonheur du méchant. Puis il en vient à l'attaque contre le pouvoir. « C'est parce que le jugement contre l'œuvre du mal n'est pas exécuté rapidement que le cœur des fils de l'homme s'emplit du dessein de mal faire et le pécheur fait le mal cent fois, et prolonge ses jours... » (VIII, 11-12). Puis notre texte, enfin : Il y a une vanité qui est faite sur cette terre : c'est qu'il y a des justes qui sont traités selon l'œuvre des méchants, etc. (VIII, 14).

Autrement dit, si l'homme injuste et qui fait du mal est heureux sur la terre, c'est parce que l'autorité, le pouvoir n'interviennent pas pour le punir. Le jugement peut être prononcé, mais il n'est pas appliqué. Le criminel a pu être condamné à mort, mais il continue à vivre comme si de rien n'était. Bien pis, le pouvoir punit des justes et récompense des méchants. Qohelet souligne que le malheur des justes et le bonheur des méchants ne viennent ni du hasard, des circonstances, ni de Dieu, mais des autres hommes : « Ils sont traités... » Le responsable de cette situation, c'est l'homme et le pouvoir ! Alors, en face de cette situation qui conduit à désespérer de la vie, Qohelet affirme sa foi dans la justice de Dieu.

C'est exactement de cela qu'il s'agit. Je crois que c'est une erreur de résumer sa confession de foi en l'assimilant à la doctrine traditionnelle. Rien ne me fait apparaître dans le texte que c'est dans cette vie, sur cette terre que Dieu va intervenir pour rétablir la « justice ». Le texte donne un futur, un inaccompli, mais ne précise rien. Ce qui est net, c'est la contrepartie : injustice du pouvoir politique/justice de Dieu. Quand on ne peut plus se fier à ceux qui devraient rendre justice, alors le dernier (et premier !) recours, c'est Dieu. Et il est déjà fait allusion à la crainte de Dieu, que nous retrouverons à la fin.

Je pense que cet éclairage modifie sensiblement la « théorie traditionnelle » de la rétribution. Je sais par ailleurs que le sceptique dira : « C'est bien la preuve que la religion est le refuge de ceux qui ne veulent rien changer sur la terre, opium du peuple. » Je n'ai rien à répondre sinon que la foi n'est pas dans cet ordre de calculs, que précisément Qohelet a pris la précaution de dire que c'est *sa foi* et non pas une vérité universelle et objective, et qui oserait dire en présence du contestataire universel qu'il ne voulait rien changer sur cette terre ? Quoi qu'il en soit, précisément, puisqu'il s'agit de la vie, de la possibilité de vivre, ici Qohelet affirme que cette foi dans la justice de Dieu, dans sa présence, dans son attention, dans la relation avec Lui, est ce qui permet encore de vivre malgré tout dans un univers de méchanceté et de cruauté. Mais en nous rappelant toujours la fragilité de cette possibilité. Oui, la vie reste possible. Mais toute la pyramide repose sur cette pointe infime : « Mais moi je sais... »

Dès lors, il faut dans la vie garder une humilité entière. Parce que tout est soumis à cette fin qu'est la mort, même la déclaration : « Moi, je sais... » Et cette humilité doit se marquer dans le fait que l'homme posera des limites lui-même à son action. Si tout est soumis à cette relativité, si tout est fini, alors l'homme est sage en se limitant lui-même. C'est à cela que se réfèrent tous les conseils de prudence, de silence, si aisément taxés de morale petite-bourgeoise. Ne sois pas sage à l'excès. Ta Sagesse est soumise à la vanité. Et si tu es trop radicalement sage, tu sauras qu'en effet tout est vanité. Tu le sauras à un tel point que tu ne feras plus rien. Tu ne vivras plus. Ne sois pas fou à l'excès, parce que ta folie t'entraînerait à vouloir dépasser les limites du possible humain, tu te prendrais pour Dieu ou le Diable, tu entrerais dans la démesure, c'est-à-dire *dans le néant*. Mets une main sur ta bouche et mesure tes paroles, non par respect social ou prudence politique, mais parce que (nous allons le voir) les paroles sont la seule réalité qui engage l'homme, et dire des choses inconsidérées, c'est dévaluer ce qui donne sens, le « Mais moi, je sais... ». N'écoute pas forcément tout ce qui se dit autour de toi. Limite ta propre curiosité[1] (...nous dirions peut-être aujourd'hui : ta soif d'information !) parce que tu entendras même ton serviteur dire du mal de toi (VII, 21). C'est mal ce que fait ton serviteur ? Bien sûr ! Mais alors réfléchis à toutes les occasions où toi-même tu as dit du mal des autres (v. 22) !

Ainsi, l' « information » en soi n'est pas du tout une bonne chose. Nous nous en rendons compte tous les jours. La vie est sûrement beaucoup plus vivable en n'étant pas envahie d'informations ! Non seulement parce que nous en perdons la seule qualité de cette vie, mais surtout parce que, si nous sommes si peu conscients que ce soit, cette information nous renvoie nécessairement à ce que nous avons fait ou pas fait et ne peut manquer de nous culpabiliser *vainement,* en nous faisant perdre le caractère relatif, limité de cette vie possible. Ainsi, ne cherche pas trop à t'informer (bien entendu dans le concret et l'immédiat, cela visait l'espionnage par des agents du roi, dans la Cour royale même... Mais n'oublions pas que dans la démocratie nous sommes tous rois, le peuple souverain...). Ainsi, puisque cette vie est marquée par la mort, fragile et finie, respecte-la d'autant plus en t'imposant une règle de conduite modeste et humble. « Celui qui observe le précepte ne connaît rien de mal et le cœur du sage connaît le temps et le jugement » (VIII, 5). Accepte qu'il y a ainsi des règles à suivre, et s'il s'agit du Commandement lui-même, alors en effet tu ne commettras *aucune* mauvaise action.

Il n'est pas question ici de la Torah, mais je crois que ce sont bien les préceptes qui en sont tirés. Et pour conduire ta vie, tu as à

---

1. Il ne s'agit en rien en tout cela d'une médiocre prudence bourgeoise, mais de la première prise de conscience de l'importance décisive des limites, de l'établissement des limites, de leur choix volontaire, cf. J. Ellul, *Éthique de la liberté,* t. III.

observer les temps (nous retrouverons longuement cette méditation), et à porter les jugements, les appréciations nécessaires. Ce sont les conditions pour que la vie soit possible. Rien de plus. Il ne nous dit pas qu'elle est merveilleuse, etc., tout son enseignement va à l'encontre ! mais que cependant en observant la Loi, les temps, les jugements, eh bien on peut vivre, et ce n'est pas si mal. En ne prétendant jamais aller au-delà de cette humble possibilité. Car nous devons toujours garder en mémoire : « Un chien vivant vaut mieux. »

Peut-être ne suis-je rien de plus qu'un chien, et peut-être menons-nous une chienne de vie. Mais c'est quand même la vie, qui doit être sauvée, sauvegardée, même dans le mépris ou l'indignité. Quant à toi, ne t'évalue pas au-dessus d'un chien et cela sera une excellente mesure de la modestie de la vie. Considérons à quel point cet enseignement et ce témoignage peuvent être essentiels en face de l'*hybris* d'une société qui veut conquérir les galaxies et qui se goinfre insatiablement de toutes les richesses de la terre, se conduisant en effet comme un chien fou et délirant, sans avoir conscience que cette cupidité n'est rien d'autre que l'expression de la chiennerie, qui devrait exactement la ramener à la mesure exacte de sa valeur, et lui faire apparaître l'imminence de sa fin. Car ce délire, c'est ce qui précède la fin, si, comme le montre Qohelet, la modération est ce qui peut assurer la durée.

Ainsi, reconnaissance de notre finitude en face de l'avenir, reconnaissance de la Mort. Mais il me faut rappeler avec force que si ces deux réalités sont constamment liées à la Sagesse chez Qohelet, il s'agit de ce que j'ai appelé les deux piliers de la Sagesse, ou encore de ce qui la rend possible, de ce qui l'autorise, ce qui, s'il vient à manquer, rend vaine cette Sagesse. Ce n'est nullement le contenu de la Sagesse, ce n'est nullement la vérité de la Sagesse. Cela permet la philosophie, mais ne la rend pas vraie.

J'ai envie de terminer ce paragraphe par quelques lignes de Jean Sulivan (*l'Écart et l'Alliance*), tout à fait dans cette visée de Qohelet. Sulivan, citant une phrase de Cioran, dit : « Il ne rime à rien, écrit Cioran, de dire que la mort est le but de la vie — mais que dire d'autre ? Que la vie est le but de la mort. »

177

4. Tests de la Sagesse

Ainsi, les deux piliers de la Sagesse sont la conscience de la finitude et le discernement de la mort en toute chose. Mais où va s'appliquer la reconnaissance de cette finitude ? Qohelet nous la montre dans trois domaines centraux, la parole, l'homme et la femme, et l'avoir. Mais auparavant, il nous faut rappeler que pour lui, cette fragile Sagesse est essentielle. Ce n'est pas parce qu'il a été déçu dans sa quête menée avec Sagesse, parce qu'il n'a rien rencontré de valable et de sûr, qu'il va s'arrêter. Au contraire. Il faut d'autant plus être sage qu'il y a d'amertume et de limite. Sage, connaissant, philosophe, savant, autocritique, exigeant. « J'ai expérimenté tout cela par Sagesse. J'ai dit : " je suis sage ", et cela est loin de moi. Loin est ce qui a été, et profond, profond, qui le découvrira ? Alors je me suis remis, avec mon cœur (courage) à connaître, à examiner, et à poursuivre la Sagesse et la raison, et à savoir que la méchanceté est démence, et la sottise, folie » (VII, 23-25).

Texte admirable. La Sagesse est soumise à la vanité, au rien. Elle me fait découvrir que Tout est Rien. Elle déçoit mes efforts puisque lorsque j'ai décidé d'*être* (moi-même, en moi-même !) sage, je m'aperçois précisément à ce moment que je ne le suis pas. Elle m'apprend le pire, à la fois le mal régnant, et puis l'inaccessible. Loin est ce qui a été (c'est la Sagesse qui me l'apprend !) et je savais que ce qui a été, c'est ce qui sera. Je suis coincé entre un passé inconnaissable et un futur qui n'existe pas, eh bien, c'est dans ces conditions mêmes qu'il faut proclamer, affirmer : je me remets (ayant vécu tout cela !) à poursuivre avec tout mon courage la Sagesse et la raison.

Le même « *et pourtant* » que nous avons rencontré plus haut : en face de l'injustice universelle, *et pourtant,* j'affirme la justice de Dieu. Au milieu des décombres accumulés par ma quête de Sagesse, *et pourtant* je décide de ne chercher que la Sagesse ! Et de savoir qu'elle est autre que la folie. Cette Sagesse-là peut-être va seulement s'exprimer par des paroles, mais la parole n'est pas rien ! De façon très remarquable, chez Qohelet, il y a une seule réalité humaine qui n'est pas déclarée vaine : c'est la parole ! En réalité tout ce qui est *hevel,* vanité, relève, nous l'avons vu, du domaine de l'action. La parole est infiniment plus sérieuse, comme nous le laisse entendre le premier mot de notre texte : Tout est placé sous l'intitulé : « Paroles de Qohelet ». Ainsi après avoir conclu que tout était vanité, Qohelet commence ses paroles : donc la parole n'est pas vanité, sans quoi il se tairait.

Au bout de toute son action, ce qu'il reste de plus important, ayant constaté la vanité, c'est de le *dire.* Ce sont ces paroles commençant par la proclamation du « Tout est vanité », mais s'achevant sur la promesse et l'espérance, sur la déclaration que Dieu est Dieu. Or, il ne faut pas séparer ce début de cette fin. Nous le redirons. Mais pour l'instant, il faut avant tout prendre conscience que si la parole était elle aussi sous le coup de la vanité, alors pourquoi le dire ? Pourquoi la peine de s'engager à nouveau dans un chemin sans débouché ? Si Qohelet parle, c'est parce que seule la parole échappe à la vanité [1]. Elle est la ressemblance entre Dieu et l'homme malgré l'infinie différence. Toutefois, elle risque sans cesse d'être reprise dans la vanité. Et dans tout le livre nous trouvons ces déclarations dures et répétées contre les paroles trop nombreuses. L'abondance de paroles est un mal et un fléau. « La parole folle vient de l'abondance des paroles » (V, 2). Quand il y a excès de paroles, surabondance du discours, alors inévitablement une parole devient folle, dépasse l'intention, la volonté, le sens et produit la même chose que le fou.

Mais ce verset et le verset 6 ont une curieuse relation avec le rêve. Le rêve qui représente ici assurément l'illusion, l'illusion, le piège du fictif et du non-réel. Nous avons déjà dit plusieurs fois combien Qohelet est un réaliste impitoyable. Le rêve lui paraît nocif et dangereux parce qu'il nous empêche de voir cette réalité qu'il essaie de nous dévoiler. Mais le rêve, pour lui, c'est non seulement le songe (ce qui est probablement visé dans le verset 2), mais aussi l'idéalisme, l'esthétisme, l'idéologie, le millénarisme, l'utopie... C'est cela, me semble-t-il, qu'il attaque dans ce verset 6 : « Dans l'abondance de rêves sont les vanités et les paroles en

---

1. Cela m'a fait penser invinciblement à la parole du pauvre Tom dans le *Roi Lear* : « Tant que je *peux dire* " Voici le pire ", alors, le pire n'est pas encore atteint. »

abondance. Mais crains Dieu. » Ces rêves ici détournent de Dieu, puisque très fermement il nous ramène à ce « crains Dieu ». Ils détournent de Dieu en faisant croire autre chose que Dieu. Et c'est bien le propre du rêve que de se faire prendre pour le réel.

Ce n'est pas seulement ici une attaque contre les devins et interprètes des songes, qui sans aucun doute sont aussi visés, et toute science des rêves... Mais je crois que c'est plus étendu. Comme si *toutes* les vanités et *toutes* les paroles surabondantes venaient de cette abondance de rêves. Alors se justifie ce que je disais plus haut et qui pouvait paraître excessif : qu'est-ce qui d'une part détourne de Dieu en proposant d'autres objets de foi, et d'autre part provoque les vanités que Qohelet dénonce (argent, travail, politique, etc.) et un nombre infini de discours, sinon les idéologies, les idéalismes et les utopies. Je crois que c'est cela que vise ici Qohelet. Et, bien entendu, il dévalue la parole qui devient langue de bois ou exaltation délirante, insignifiante dans les deux cas.

Cette abondance de paroles doit nous être un signe très radical qui permet de déceler ce qui est de l'ordre de l'illusion et de la vanité. Mais justement, cette *abondance* peut jouer ce rôle parce que la parole est infiniment sérieuse. Et plus on parle (tu parles, tu parles...) moins on existe. Qohelet n'en a pas fini avec cette condamnation de l'abondance de paroles : « Quand il y a des paroles en abondance, elles font abonder la vanité (nous l'avons vu) : quoi de plus pour l'homme ? » Le torrent des discours est créateur d'un moins être. Ainsi, la seule chose grave est l'inconséquence, l'abus de la parole. Enfin c'est l'imbécile, l'abruti, qui multiplie les paroles (X, 14). Ceci est également important. Dans la mesure où la parole est très importante, elle ne peut être dite n'importe comment. Et celui qui n'a rien à dire va se lancer dans le discours fleuve. L'excès de discours exprime et compense le vide de la vie. Mais il en est ainsi parce que la parole est puissance.

Au fur et à mesure, n'avons-nous pas vu apparaître tout un aspect de ce monde-ci, de notre temps ? La surabondance des informations, des discours politiques, des livres (et, bien sûr, les miens !), des journaux, des théories philosophiques, des paroles de toutes sortes qui, d'où qu'elles viennent, nous font « prendre des vessies pour des lanternes », dénotent la vanité *de toute notre culture et notre civilisation,* au point où elles sont arrivées. C'est pourquoi Qohelet me paraît aujourd'hui décisif comme point d'arrêt pour la réflexion. Le flexion en arrière. Le regard critique par-dessus l'épaule. La parole est une aventure trop grave pour être ainsi produite par les fous. La parole ne doit pas être gaspillée. Par conséquent, il recommande, même envers Dieu, la prudence dans le discours ! « Ne fais pas se précipiter ta bouche et que ton cœur ne se hâte pas de proférer une parole devant Dieu » (V, 1a) ou encore : « Lorsque tu fais un vœu à Dieu, hâte-toi de l'accomplir. Mieux vaut ne pas faire de vœu que d'en faire un et de ne pas l'accomplir » (V, 3-4).

Ce qui peut paraître étonnant, c'est la motivation de cette prudence : « Car Dieu est dans les cieux et toi tu es sur la terre : pour cela que tes paroles soient peu nombreuses » (V, 1b) et sa correspondance : « Ne permets pas à ta bouche de faire pécher ta chair » (V, 5a). Ainsi, la parole est immédiatement mise en relation avec Dieu. Tout usage de la parole est un reflet du mode d'action de Dieu : la parole, reflet de cette révélation que Dieu est parole. Mais ce Dieu est inconnaissable. Toi, sur la terre, sois donc prudent lorsque tu mets en jeu une relation avec lui, un vœu, ou même pas : ta parole, pas forcément prière, simplement parole même adressée à ton prochain, c'est toujours une mise en jeu de Dieu par l'usage de cette création étonnante qu'est la parole, qui est don de Dieu. D'où l'apparition du « péché » à cette occasion. La seule. Tout est vanité, folie, néant, mais une seule chose péché : l'abus de la parole !

Comment ne pas retrouver ces mêmes recommandations, de la part de Jésus, qui semblerait s'être inspiré de ce texte : « Lorsque vous priez, ne multipliez pas les vaines redites, les paroles inutiles comme les païens qui s'imaginent qu'à force de paroles, ils seront exaucés » (Mat VI, 7). Jésus montre toujours la plus grande sobriété dans tout ce qu'il dit [1]. Et réciproquement, il nous montre que la simple parole engage tout l'être ! « Il suffit de dire : *Raca !* à son frère pour mériter d'être puni par le sanhédrin et il suffit de dire : Fou ! pour mériter d'être passé par le feu de la géhenne » (Mat V, 22). La parole est aussi décisive pour Jésus que pour l'Ecclésiaste. Décisive et décisoire. Car la parole est finalement

---

1. Ce qui est l'un des critères à mes yeux d'opposition entre Jésus et les discours gnostiques.

plus efficace que l'action ! Elle entraîne des effets considérables.

Rappelons : « Les paroles des sages dites avec calme sont plus écoutées que les cris d'un chef au milieu des insensés » (IX, 17). Même à la guerre et dans la politique, la parole est souveraine. C'est pourquoi, encore une fois, il faut être circonspect et maîtriser sa langue. C'est sur tes paroles que tu seras jugé ! (contrairement à ce que nous sommes si habitués à croire, que c'est sur nos actes !). Et en fonction de cette parole, Dieu peut détruire ce que tu fais. Si tu parles à tort et à travers. « Pourquoi Dieu s'en prendrait-il à ta parole et détruirait-il l'œuvre de tes mains ? » (V, 5c). En définitive, la parole est toujours relative à la vérité. Elle se situe non sur le champ du « pratico-inerte », mais sur celui de « vérité-mensonge ». Il n'y a pas de demi-mesure. Ou bien elle dit la Vérité, ou bien elle est mensonge, et mène tout l'être dans le mensonge [1]. Ainsi la parole se trouve l'agent par excellence de la Sagesse. Et Qohelet nous montre justement comment ! Par la dénonciation de la vanité et la reconnaissance de la finitude.

Le second test qui nous est proposé, de cette Sagesse à pratiquer, concerne l' « avoir ». Bien entendu, je ne vais pas reprendre le thème bien épuisé (mais qui reste vrai !) de l'opposition entre l'être et l'avoir. Non. Qohelet est plus provocateur que cela : « Jette ton pain sur la face des eaux, car avec le temps tu le retrouveras, donnes-en une part à sept et même à huit, car tu ne sais pas quel malheur peut arriver sur la terre... » (XI, 1-2). Ce commandement (car pourrait-on le prendre autrement ? Et pourquoi les « impératifs » d'un livre de la Sagesse ne seraient-ils pas aussi des commandements de Dieu ?) est ouvertement absurde [2]. Non seule-

---

1. Nous avons examiné cela longuement dans *La Parole humiliée*.

2. Je crois que l'explication assez fréquente selon laquelle : « Confier ton pain à la face des eaux » signifie : « Confie tes vivres (pourquoi les vivres ?) à la mer, c'est-à-dire aux bateaux de commerce, parce qu'il faut savoir risquer son bien pour l'accroître » est parfaitement stupide ! Comment l'Ecclésiaste donnerait-il des conseils de commerce fructueux dans la perspective de sa pensée globale ? S'il y a bien une chose qui lui est étrangère, c'est sûrement celle-là ! La seule source de richesse qu'il accepte, c'est l'agriculture. Mais l'idée d'un « commerce maritime » a été poussée jusqu'au bout par Podechard !

ment il ne s'agit pas d'un ordre, bien connu, de ne pas économiser, de ne pas prévoir (ce que nous dit Jésus, regardez les oiseaux du ciel... les lys des champs...), mais bien plus : il recommande ouvertement le gaspillage sans raison, acte incompréhensible et scandaleux.

Remarquons tout de suite que dans l'ensemble de la pensée de Qohelet, cela ne peut pas justifier l'attitude irresponsable de celui qui gaspille sottement, ou par vaine gloire, ou sans même se rendre compte qu'il gaspille parce qu'il ne sait pas faire autrement, attiré par n'importe quoi et agissant n'importe comment. Ce « jette ton pain » implique au contraire une extrême conscience de l'acte et une volonté, je dirais de désacralisation et de détachement. Il ne saurait être question, à partir de là, de légitimer l'effroyable gaspillage de notre société, le gaspillage de biens qui pourraient être utiles aux autres, et le gaspillage des richesses non renouvelables de notre planète ! Il ne s'agit pas du gaspillage du prodigue, du paresseux, du faible. Qohelet ne vient pas justifier l'attitude humaine d'incohérence contre une attitude humaine d'extrême prévoyance. Il ne prône pas une sorte de « devoir d'imprévoyance ». Il n'édicte jamais un devoir. Il proclame, il faut bien le dire, une parole de Dieu qui s'adresse à un homme, qui, sage et raisonnable, aurait spontanément envie d'économiser et de prévoir, mais qui se heurte à ce roc : Jette ton pain. Apprends à faire les choses dans le moment présent (et nous avons vu que c'est en effet l'une des leçons constantes du sage) et dans la gratuité.

En réalité, c'est la gratuité de l'acte qui est ici décisive. Seul l'acte gratuit, à l'opposé de tout ce que nous avons vu, ne tombe pas sous le coup de la vanité. C'est d'autant plus remarquable que c'est le jugement inverse de ce qui serait habituel. Fais ce geste sans calcul, sans crainte, sans souci. Ce qui t'est le plus indispensable (le pain !), apprends à t'en séparer. Et apprends en même temps à faire les actes jugés le plus sévèrement par le monde. Un acte de cet ordre est nécessairement objet de scandale. Dans un monde où tout doit être utile (du moins en apparence, et selon les critères d'efficacité de cette société), apprends à faire un geste inutile. « Ça ne sert à rien ! » Bien sûr.

Je pense alors à l'immense quantité des actions utiles qui nous enferment de plus en plus dans le désastre, et à ces autres gestes, jugés vains (hippies ou pacifistes non politiques !), à ces prières et à ces dévouements solitaires inutiles qui pourtant sont ce qui permet au monde de survivre. Je pense au *Grain sous la neige* de Silone. Après tout, pourquoi faudrait-il que tout serve ? Apprends à agir sans motivation, simplement parce que Dieu l'a dit ! (A ce moment le sens, la force et l'efficacité de l'acte en question viennent de Dieu, donc incommensurables...) Mais il faut souligner que, dans notre texte, ce mot n'est pas assorti d'une promesse ni de la moindre garantie ! Il n'est nullement dit : « Tu sauveras ton âme. » Non, mais une remarque, que j'inscris dans la ligne de l'ironie de Qohelet : « avec le temps » (longtemps après. Dans le nombre des jours...) tu le retrouveras ! Ce pain jeté, perdu, que tu as vu fuir sur le courant du fleuve, bien sûr tu le retrouveras ! Un jour ou l'autre. Non pas : « Il n'est pas perdu pour tout le monde ! » Pas davantage : « Tu l'auras alors qu'il aura fructifié », et pas plus en vertu d'une sorte de justice mathématique ! Mais après tout, dans les années qui viennent, tu auras encore du pain ! Celui-là ou un autre ! Et nous recroisons une fois de plus le Sermon sur la Montagne ! Le pain économisé aujourd'hui ne te servirait pas dans des années. Comme la manne de la veille pour le lendemain. Si nos boursiers et nos placeurs d'argent pouvaient comprendre cette leçon ! Le pain gaspillé aujourd'hui, mais dans quelques années, tu ne t'en souviendras même plus ! L'un dans l'autre, l'essentiel : « Ne t'inquiète pas, n'aie pas de soucis. » De toute façon, toi aussi, tu suis le même chemin que le pain jeté à la face des eaux, et dans des années, tu le rejoindras forcément !

Cependant, Qohelet nous fait faire un pas de plus. Le premier : « Apprends à gaspiller, à ne pas prévoir, à ne pas retenir, à ne pas te soucier », le second ! « Apprends à donner et à partager. » Ici, nous sommes rassurés. Nous nous retrouvons sur un terrain plus connu, solide pour les chrétiens : celui du don, de l'aide, du secours aux pauvres. Mais en réalité, ceci vient en second : d'abord apprends à te détacher, ensuite tu donnes. Et c'est fort étonnant : car il ne s'agit pas de l'aumône utile et bien calculée : partage à sept ou huit... Après tout, ce que tu as peut servir et même suffire pour sept ou huit. Ce ne sont pas les cinq mille hommes de la multiplication des pains. Mais les cinq pains et les poissons... C'est à notre mesure, même si nous pensons que cela est impossible. Raisonnablement, il n'est pas vrai que ce que j'ai peut servir à sept ou huit, et pourtant... Et puis nous ne sommes pas dans le domaine de la raison ! Sois large, aie « le cœur large » pour accueillir celui qui demande (comme le dit l'épître de Jacques). « Il y a assez de richesses dans les greniers de Dieu. » Si le Sage ajoutait ceci, nous serions bien dans la logique que nous connaissons. « Qui donne au pauvre prête à Dieu. » « Donne, et cela te sera rendu au centuple. » Mais justement, ce n'est pas cela ! Le « motif » est étonnant : « Car tu ne sais pas quel malheur peut arriver sur la terre. » Alors notre Sagesse humaine a envie de dire : « Mais raison de plus pour prévoir, s'assurer, économiser. » Et la raison de Dieu (car vraiment il faut la Sagesse de Dieu pour oser proclamer cela à l'homme !) me dit le contraire : donne aujourd'hui, partage maintenant, parce que demain le malheur peut te frapper. Et alors ?

Alors ! *Demain peut-être tu ne pourras plus donner, tu n'auras plus rien à partager.* On viendra te prier, et tu ne pourras rien. Non seulement tu ne pourras plus aider, mais surtout tu ne pourras plus obéir au commandement de Dieu. Tu ne pourras plus aimer ton prochain. Tout simplement. Car si tu ne peux rien pour l'autre, l'amour est un vain mot (la bonne volonté, quand elle existe, dit Paul, II Cor VIII, 12, est agréable en raison même de ce qu'elle peut avoir à sa disposition, *et non de ce qu'elle n'a pas !*). Ainsi aujourd'hui où cela t'est possible, où tu peux jeter ton pain et partager avec sept ou huit, dépêche-toi, et sans compter, sans mesurer. Sans esprit d'avarice ! Voilà la mise en question de l'avoir par une autre Sagesse.

Toutefois, les versets qui suivent, et que nous avons déjà rencontrés au sujet du travail, nous rappellent que rien en tout cela n'encourage le laisser-aller. Au contraire, si ce que tu as, tu as à le donner, il faut cependant avoir. Et si tout le travail est vain, il faut cependant le faire ! Sans illusion. Là est le grand point. Sans mots grandioses et discours vains. Tout est soumis à l'aléa de ce qui arrive. Quand les nuages sont pleins, l'averse tombe (inutile d'invoquer les dieux pour la pluie, encore une démythisation !). Quand un arbre s'abat, il sera où il s'est abattu. Et que cela soit au nord ou au sud, qu'est-ce que cela fait [1] ! Si tu attends que les circonstances te soient favorables, tu ne feras jamais rien (tu ne

---

1. Avec son parti pris habituel, Lauha (avec beaucoup d'autres) pense que ces versets veulent dire que tout est « déterminé ».

peux pas prévoir l'avenir, tu ne peux pas empêcher l'arbre de tomber où tout l'incline). Tu ne sais rien (et en particulier pas l'œuvre de Dieu). Alors fais ce que tu as à faire. Mais justement pas dans la perspective, dans la vue des objectifs que les hommes recherchent, car là encore aucune prévision, donc aucune prévoyance n'est possible. Fais tout ce qui se présente, sans supputations! Parce que tu ne sais pas ce qui aboutira! N'essaie pas de faire de calculs pour demain : c'est aujourd'hui que tu dois agir et dans tout ce que tu feras, dans ce qui peut réussir, sache que c'est Dieu finalement qui décide.

Certes, *aujourd'hui*, nous pouvons nous glorifier d'être bien plus avancés que Qohelet! Certes, nous savons écarter la pluie et même la faire tomber là où on veut (avec des problèmes). Nous pouvons décider que tel arbre s'abattra à tel endroit ou ne tombera pas. Nous savons quel est le moment où l'embryon commence à vivre, nous savons comment se forment les os dans le sein de la femme enceinte (XI, 5) et à quoi correspond le souffle de vie [1]. Autrement dit, nous sommes bien plus savants que le sage, et ses exemples ne valent plus. Mais remplacez seulement. Quand les circonstances d'une conflagration mondiale ou d'une crise économique sont réunies, elle éclate. Qu'un cancer se développe dans le poumon ou dans l'utérus, là où il est, il sera. Si tu observes indéfiniment les mouvements économiques et ne fais rien, tout ira à vau-l'eau. Et de même que tu ne sais rien de la réalité dernière de la matière (le réel voilé), ou de même que tu ne sais pas la raison de l'innombrable multiplicité des formes de la vie, de même... il suffit de transposer. Et nous sommes toujours ramenés à notre limite, tu ne connaîtras pas l'œuvre de Dieu qui fait tout. Cela, de toute façon, c'est sûr, quelle que soit notre science. (Si du moins on abandonne l'attitude triomphaliste des incroyants plus bêtes que nature qui avaient proclamé lors du premier satellite habité, mais qui viennent de recommencer avec la sonde qui a quitté notre galaxie : « Vous

1. J'ai pris exprès la traduction habituelle mais la plus exacte est peut-être : « Comme tu ignores le cheminement du souffle de vie dans les os, dans la femme enceinte... » Et avec cette traduction nous trouvons notre ignorance actuelle aussi : on n'en sait pas plus à ce sujet qu'au temps de Qohelet! Car si nous savons comment se forment les os, nous ignorons quel est le *cheminement* du souffle de vie, c'est-à-dire son essence et son origine. « De même/et reste alors toujours valable la comparaison/tu ignores l'œuvre de Dieu qui fait toute chose! »

voyez bien, Dieu n'est pas dans le ciel. On ne l'a pas rencontré. »
J'ai la désolation de constater que même des intellectuels ont
formulé cela!)

Alors nous sommes encore livrés à cette ignorance de ce qui
finalement aboutira, et à quoi cela aboutira. Fais tout ce que tu as à
faire parce qu'une chose ou l'autre peut finalement réussir. Est-ce
qu'un mouvement pacifiste établira la paix? Est-ce que nos
méthodes économiques répondront à la misère du tiers-monde?
Est-ce qu'une bête œuvre de charité répondra à des besoins réels?
Est-ce qu'une meilleure administration assurera plus de justice? Tu
ne sais pas. Tout ce que ta main trouve à faire, fais-le et de tout ce
que tu fais, certainement tu finiras par tirer une réussite. Mais
laquelle? Toujours relative, sans autre avantage que, lorsque tu
auras réussi, tu puisses donner aux autres et jeter ton pain à la face
des eaux! Tel est l'avoir, et rien de plus.

Dernier point d'application de cette Sagesse, l'homme et la
femme. J'aurai l'audace de rappeler un texte non évident sur cette
question, contrairement à la plupart des savants exégètes. C'est le
texte sur « mieux vaut être deux que seul » (IV, 9-12). Je le fais
pour deux raisons : d'abord parce que beaucoup sont d'accord,
nous l'avons déjà vu, pour considérer que Qohelet travaille avec la
Genèse sous les yeux. De nombreux textes de lui se réfèrent
explicitement à des passages de la Genèse. Or, ici, ces versets
évoquent irrésistiblement : « Il n'est pas bon que l'homme soit
seul. Je lui ferai une aide semblable à lui. » « Et l'homme dit :
" Voici cette fois celle qui est os de mes os, et chair de ma
chair! " » « L'homme quittera son père et sa mère et s'attachera à
sa femme, et ils deviendront une seule chair. » Et l'unité de
l'homme et de la femme fait qu'à eux deux ils sont image de Dieu.
Ma seconde raison, c'est que nous connaissons, certes, le célèbre
texte sur l'abomination de la femme, qui a été exploité contre elle,
et qui aujourd'hui fait classer Qohelet parmi les horribles phallo-
crates, possédé par le mépris de la femme (VII, 26-29). Or, ceci me
paraît totalement contraire à la structure même de sa pensée telle
qu'elle se dévoile, à savoir la position des contrastes, l'ironie et le
paradoxe constants.

En face du texte si terrible contre la femme, il *faut* qu'il y ait l'autre partie, non pas le contrepoids ou l'équilibre, mais l'avers de ce revers, le oui en face du non, en quoi consiste, dans le paradoxe, la Sagesse. Alors, la nécessité impérieuse que le « deux » se réfère à la femme m'apparaît, sans bien entendu que ceci soit explicite (mais qu'est-ce qui est vraiment *explicite* dans ce livre ? Ne sont-ce pas, justement, des contre-vérités ?) et sans que cela puisse être prouvé philologiquement ! L'Ecclésiaste est un livre qui ne se dévoile pas par une seule méthode, et qui suppose des partis pris. Comme il y invite lui-même ! Donc, premier volet (inséparable du second !) : « Plus heureux ceux qui sont deux que celui qui est seul, parce qu'il y a pour eux un bon salaire en leur travail. Car s'ils tombent, l'un relève l'autre. Mais malheur à celui qui est seul et qui tombe, et qui n'a pas d'aide pour le relever. De plus, s'ils couchent ensemble, ils ont chaud. Mais celui qui est seul comment se réchauffera-t-il ? Et si quelqu'un l'emporte sur celui qui est seul, les deux résisteront devant lui : le fil triple ne se rompt pas rapidement... » (IV, 9-12).

Écartons tout de suite le sens de la dernière image : le fil triple n'indique pas qu'il vaut encore mieux être trois que deux [1], simplement, une corde peut être à un toron ou à trois : il n'est pas possible de faire une corde à deux torons. Donc, fil triple vise en réalité la corde à plusieurs torons. Ceci dit tout parle de deux, du couple. Bien entendu, pas explicitement de la femme. Il pourrait s'agir d'un ami, d'un camarade de travail, ou d'un couple homosexuel. Cela n'a évidemment rien d'impossible. Mais en tout cas il s'agit bien d'un couple, stable, durable. Ce n'est pas un simple compagnonnage de travail, comme le laisse entendre la « corde » qui est faite, torsadée. Il faut pour bien le réaliser considérer la progression : le travail ensemble. L'aide quand l'un est malade. Le partage de la couche. La résistance à un danger extérieur. Je crois que nous avons bien là la description d'un couple, et ses « utilités ». Que l'on n'objecte pas le débat sur le travail, car il était fré-

---

1. Cependant, j'ai trouvé intéressante la remarque de Maillot qui considère que ce « trois » évoque la famille, et fait allusion à ce miracle qu'est le troisième lien : l'enfant qui vient nouer les deux premiers de façon inextricable et leur donner une force qu'ils n'avaient pas ! Et il fait le jeu de mots de traduire ce troisième lien par : fils !

quent que la femme travaille (et non pas dans sa maison seulement !) à des niveaux différents, aussi bien en agriculture que dans des ateliers d'artisanat (tissage), mais aussi à des occupations supérieures (commerce, banque, etc.), sans compter les arts, musique, danse... donc il vaut mieux être deux à travailler qu'un seul.

Nous comprenons particulièrement bien cette affirmation aujourd'hui, où le second salaire est très fréquemment indispensable dans un ménage. Et puis l'aide évidente du soin au malade, du courage que l'on se donne mutuellement, de la résistance possible, tout cela n'entre-t-il pas dans « l'aide semblable à lui » ? Or, sans vouloir forcer le texte, il vient immédiatement après l'évocation du « fils » que l'on n'a pas (v. 8). Peut-être l'absurdité de travailler sans avoir de fils (ou de frère, il est vrai !) évoque-t-elle la nécessité d'être marié, d'être un couple pour avoir un fils. Je ne dis pas que ce soit certain. Seulement ce que je lis. En tout cas, ce qui est certain, c'est le triple jugement, il est *absurde* et *vain* et *mauvais* d'être seul (travailler pour personne, c'est une vanité !). Ceux qui sont deux sont plus heureux que l'homme solitaire : c'est le jugement même de Dieu, et enfin, réciproquement, malheur à celui qui est seul ! Et cela ne vise certes pas une collectivité, un groupe, etc., où l'on est aussi seul, mais réellement le couple. Le couple, à mon sens, l'homme et la femme, forment la possibilité du bonheur (et quelle rare évocation de cette possibilité par Qohelet, qui pour une fois ne dit pas que cela est vanité !) et la certitude d'une force. Quelle joie de lire cela dans un monde si sombre et dans un contexte si rude !

Mais quand nous regardons la réalité du couple aujourd'hui, quel démenti ! Il y a tellement peu de ces couples (que m'importe le mariage officiel) compris à la vie à la mort, pour le meilleur et pour le pire, où l'union des deux est si parfaite que l'un donne toujours à l'autre ce qui lui manque, et d'abord la présence, la chaleur humaine. Où l'un aide l'autre dans le travail et la lutte pour la vie, sans réserve et acrimonie, où chacun est totalement fidèle, car on est deux et non pas trois ! Mais voici qu'un tiers des couples divorcent, que 90 % des hommes ou des femmes sont adultères, que l'on conçoit la relation totale comme un *partnership,* qu'il n'y a plus ni promesse ni sérieux dans cette affaire, la plus sérieuse de la vie. Quand nous regardons la réalité du couple aujourd'hui, nous voici renvoyés à l'Ecclésiaste, et cela aussi est vanité et poursuite du vent ! Si bien qu'il ne faut pas se faire beaucoup d'illusions. Nous devons passer sur l'autre versant et suivre Qohelet pour en venir aussitôt au décapage et au retour à un rude apprentissage. Le couple, c'est merveilleux, malheureusement il y a infiniment peu de chances qu'il se réalise ! En recherchant une fois de plus la sagesse et en traquant la folie, Qohelet rencontre la femme. Et c'est alors (VII, 26-29) que nous nous heurtons à ce mur :

Je trouve plus amère que la mort la femme parce qu'elle est un
traquenard,
Voici ce que j'ai trouvé, plus amère que la mort une femme qui est
une embûche,

que son cœur est un piège et que ses bras sont des liens. Celui qui
est bon devant
quand son cœur est un traquenard et ses bras des chaînes. Qui
plaît au Dieu en

Dieu lui échappera mais le pécheur sera agrippé par elle.
réchappe mais le raté s'y fait prendre.

Vois ce que j'ai trouvé, a dit Qohelet,
Regarde ce que j'ai trouvé, dit le Rassembleur,

en les considérant une à une pour trouver une raison, que mon
âme a cherchée jusqu'à
une à une, pour trouver la raison que je cherche encore mais n'ai
pas trouvée !

présent et que je n'ai pas trouvée : un homme entre mille, j'ai
trouvé, mais une femme,
un homme, j'en ai trouvé
un sur mille, mais une

parmi elles toutes, je ne l'ai pas trouvée. Vois seulement ce que
j'ai trouvé : c'est
femme entre elles toutes, je n'en ai pas trouvé. Regarde seulement
ce que j'ai trouvé :

que Dieu a fait l'homme droit, mais eux ont cherché à raisonner
beaucoup (Pléiade).

*c'est que le Dieu a fait l'homme honnête, mais eux cherchent
beaucoup trop à raisonner* (Lys) [1].

J'ai tenu à donner les deux traductions (entre plusieurs autres !)
parce que l'on comprend tout de suite leur opposition radicale et
combien l'hébreu nous met dans l'obligation de choisir et d'interpréter. Dans un cas, c'est la femme par elle-même qui est le mal
(traquenard, piège, lien, qui tient l'homme pécheur). Dans l'autre,
c'est : le pire de tout c'est la femme *quand* elle est un piège, etc.
Autrement dit ce n'est pas l'être de la femme, ni sa destination, ni
sa vérité qui est ainsi, mais elle *peut* l'être ! Alors comment choisir ?
Il me semble que c'est le texte lui-même (et non la grammaire) qui
donne le sens : quand Qohelet déclare qu'il n'a pas trouvé une
femme entre elles toutes... cela ne peut évidemment pas viser
« la » femme telle qu'il l'aurait décrite ! Par conséquent ce n'est pas
« la femme » en soi qui est piège, traquenard, etc., sans quoi, bien
évidemment, il l'aurait trouvée, et il l'a trouvée ! C'est donc
forcément : la femme est terrible *quand elle devient...* Et voici qu'il
nous déclare qu'il n'a jamais rencontré une véritable femme (non
qu'il veuille dire par là une femme simplement qui ne soit pas piège
et péché), c'est-à-dire la femme telle que Dieu l'a créée, emplissant
son être vrai de femme.

Nous pouvons ici évoquer Dieu pour la femme, puisque le sage
l'évoque au verset suivant pour l'homme. Mais que signifie
finalement cette série de versets (en commençant au 25) qui
paraissent incohérents et que Dhorme qualifie d'obscurs ? Il me
semble qu'il y a une certaine cohérence. Qohelet nous déclare une
fois de plus qu'il poursuit la Sagesse et la raison. Après de

1. Maillot interprète ce texte sur la femme en relation avec les versets qui
précèdent sur l'impossibilité de trouver la Sagesse : « La Sagesse est inaccessible et
aussi versatile qu'une femme. Ce n'est pourtant pas auprès des femmes qu'on la
trouvera ! Bien plus, on ne pourra jamais être sage tant qu'il y aura des femmes ! La
femme contraint le sage à la faute [...], elle lui fait perdre la tête. Elle peut être un
piège pour le plus sage [...]. C'est un délicieux aveu de Qohelet : je me suis toujours
fait avoir, je me suis toujours laissé prendre [...]. Tout ce passage est un hommage
direct à l'amour et à sa puissance. C'est la découverte de Qohelet que le cœur a ses
raisons que la raison ignore... » Par ailleurs : « Qohelet fait ici non le procès de la
femme mais celui de Don Juan [...]. C'est une louange indirecte et inconsciente [?] à
l'amour unique et monogame. » Méditation très remarquable !

mauvaises expériences, il s'y remet. Il veut prouver, nous déclare-t-il, que la méchanceté est une démence (ou bien : selon Lys, que la sottise est une folie, la folie de la méchanceté, ce qui est le plus satisfaisant mais peu conforme à ce texte !), et que la sottise est une folie (ou bien : que l'ahurissement est une illumination ? ou encore la stupidité de la sottise. Les traductions sont multiples, et difficiles à départager).

En tout cas, le sens est simple ! Méchanceté/folie/sottise sont cohérentes. Et dans cette poursuite de la Sagesse, où il découvre très précisément cela, il rencontre la femme. Nouvelle expérience. Mais pourquoi donc la femme dans cette relation avec méchanceté, folie, sottise... Elle semble lui faire apparaître une espèce de sommet de la perversion. Et cela va très loin puisqu'il la déclare plus amère que la mort même (dont nous avons vu la terrible portée !) ; mais pourquoi la femme est-elle cela plus que l'homme, la femme mauvaise (*lorsqu*'elle est piège et chaîne) pire que l'homme mauvais ? Je crois que nous retrouvons la même logique : la parole est le bien par excellence, mais quand elle est pervertie, elle devient un mal plus grave, elle est le péché (précisément parce qu'elle est...). De même ici : la femme devrait être... ce qu'il attend : la Sagesse, et ce qui est plus remarquable, la raison. Mieux que l'homme. Elle devrait être la merveille qui éblouit Adam. Celle qui donne force et qui porte l'homme à son mieux et à sa complétude. Elle est le sommet de la création[1], ce qui devrait résumer tout le bien, tout le beau, toute la sagesse... Et voici que lorsqu'elle devient pour l'homme un piège qui le fait tomber, des liens qui l'emprisonnent, alors c'est bien pire que tout le reste !

Bien plus, la femme qui complète l'homme inachevé forme avec lui l'image de Dieu par l'amour qu'ils se portent. Mais lorsqu'elle remplace l'amour par la séduction, et la liberté de l'amour par la captation et les liens du sexuel, alors elle est plus amère que la mort, et cela se rapporte très directement au Cantique, qui nous

---

1. Je développe ceci longuement dans *L'Éthique de la sainteté*, à paraître ultérieurement. En un mot, je dirai ici que l'argument selon lequel la femme est inférieure à l'homme parce que créée après est stupide : cela voudrait dire que l'homme est inférieur à l'animal ! Au contraire, venant en dernier, la femme est l'achèvement, la dernière perfection apportée à la Création.

annonce que l'amour est fort comme la mort, prophétisant qu'en définitive l'amour (de Dieu !) vaincra la mort. Oui, mais quand ce qui représente l'amour sur terre devient un avilissement et une chiennerie, alors celle qui le transforme ainsi non seulement est vaincue par la mort, mais elle est elle-même plus amère que la mort. Quand le meilleur devient mauvais, c'est pire que tout. Voilà pourquoi Qohelet est si violent.

Il est vrai qu'ensuite vient une phrase énigmatique. On peut lire : « J'ai examiné les femmes une à une pour trouver une raison », ou bien : « J'ai examiné [les choses ou les raisons] pour trouver la raison. » De toute façon, après les expériences auprès des hommes, il constate que celles auprès des femmes sont encore plus décevantes. Et ceci est mis sous le couvert du roi Salomon, qui précisément a multiplié ses expériences auprès des femmes, qui eut sept cents princesses pour femmes et trois cents concubines (il atteint presque les « *mil e tre* » de Don Juan !) (I Rois XI, 3). Et les femmes « étrangères » ont été la cause de sa perte. Non seulement il n'a pas trouvé satisfaction et accomplissement auprès d'elles, non seulement il n'a pas trouvé Sagesse et raison, et l'amour n'a pas été accompli, mais bien plus, les femmes ont détourné son cœur vers d'autres dieux. Il se met à adorer Ishtar, Milkom... des idoles. Et ceci nous renvoie à *hevel*, idole ! Vanité ! Ce fut l'action de ces femmes, mais c'est bien Salomon qui l'a voulu. Et dans notre texte il y a certes un relent de colère contre ce détournement. Plus amère que la mort est l'idolâtrie.

Alors que nous arrivons presque au bout de ce long cheminement de la vanité vers la Sagesse, il faut peut-être revenir au roi Salomon (plus en profondeur que dans l'introduction), évoqué clairement à mes yeux par le péril de la femme. Je crois que si l'on a pu dire que l'Ecclésiaste est écrit en méditant en même temps la Genèse, il me paraît aussi certain que c'est une réflexion sur le règne de Salomon. Le sommet de la monarchie hébraïque, le roi de gloire, le sage, le constructeur, le prince qui a ouvert toutes les relations avec l'extérieur, le détenteur de la connaissance de Dieu (les kabbalistes !), le précurseur de la Royauté du Messie. Or, si l'auteur met son livre sous son nom, c'est beaucoup moins pour obéir à cette tradition que, respectueux des convictions historiques, j'ai admise, que pour mettre en cause ce roi Salomon. Le règne grandiose de Salomon? Vanité, buée, poursuite du vent. Il a couru après la Sagesse, et lui, le roi sage, n'a rien trouvé du tout. La preuve finale qu'il n'a rien trouvé, c'est justement qu'il est tombé dans le piège de la femme. Tout notre discours, c'est ce que Salomon aurait pu dire s'il avait été vraiment sage, mais nous tenons ce discours à sa place précisément parce que lui n'a pas été capable de le tenir. Tel est le fin mot.

Nous voyons apparaître un Qohelet encore plus iconoclaste que nous ne le supposions. Ce ne sont pas seulement des traditions, des théologies, des idées, des sermons que Qohelet met en question. C'est un homme, le héros, le modèle, celui vers qui tout Israël tournait les yeux avec vénération, espérant le rétablissement d'une telle monarchie. C'est Salomon même qui est réduit à rien par Qohelet (qui manifeste déjà une certaine audace en s'assimilant à lui!). Scandale bien plus grand qu'un débat théologique. Dieu seul, et c'est tout. Même pas de Salomon comme exemple, promesse ou médiation! Décidément une fois de plus Qohelet pointe vers Jésus : Salomon même dans toute sa gloire... Quand même, comparer Salomon à une fleur sauvage et sans lendemain... C'était un choc, déjà annoncé par Qohelet.

A la rigueur, dit-il ensuite, j'ai pu trouver un homme sur mille (un homme dans sa plénitude, dans son accomplissement) mais je n'ai pas trouvé une femme sur elles toutes. Est-ce à dire que l'homme soit meilleur que la femme? C'est une lecture trop directe, immédiate, simpliste qui y conduirait! Mais non! Cela veut dire que la vocation adressée à Adam (tu travailleras, tu garderas, tu adoreras...) est une vocation relativement simple, qu'il est possible pour le masculin d'accomplir. Alors que la vocation adressée à la femme est infiniment plus complexe, plus élevée, plus subtile, plus difficile. Et c'est pourquoi à la rigueur on peut finir par trouver un homme selon le cœur de Dieu, mais jamais la femme n'arrive à accomplir la plénitude de son ordre, d'ailleurs contradictoire en lui-même. Alors que reste-t-il? Une conclusion inattendue! Dieu avait fait cet homme (et j'aimerais, quoique grammaticalement ce ne soit pas évident !, l'entendre au sens plein : l'homme fait du masculin et du féminin une image de Dieu en deux êtres différents [1]) droit, juste ; cette aventure du couple image de Dieu était possible, « mais voici l'homme s'est mis à beaucoup raisonner ». Ceci est tout à fait extraordinaire : Qohelet nous dit qu'il cherche la raison, et ensuite il déplore que l'homme se soit mis à beaucoup trop raisonner. Et que ceci achève et explique la perversion, et que ceci se rapporte en définitive à la relation entre l'homme et la femme et à l'action de la femme (piège, etc.). Or, ce n'est pas ce que l'on accorde en général à la femme, de trop raisonner !

Je crois qu'au contraire cela est tout à fait cohérent : Dieu a créé un couple dans lequel la relation est immédiate, directe, la relation de l'amour transcende les différences et aussi suppose la reconnaissance de l'immédiat en l'autre (voici la chair de ma chair !) et la reconnaissance de l'inconditionné (par la foi). Au lieu de cela, après la rupture entre l'homme et Dieu, qui entraîne la rupture entre la femme et l'homme, celui-ci va tenter de retrouver le rapport et le sens des choses par le raisonnement. Raisonnement qui n'est pas la raison que cherche Qohelet. Car le raisonnement (ici encore son excès !) n'est ni science ni philosophie, il est détour, avec une apparence de rigueur et de rectitude. Il est accès par le chemin le plus long au cours duquel on ne cesse de risquer d'errer. Il est fracture. Car pour raisonner, il faut briser, en petites unités sur lesquelles raisonner, un tout qui pouvait être saisi autrement. Il entraîne la division d'opération en opération, d'une marche qui eût pu être souple et aisée. Il donne de fausses sécurités parce qu'il a réduit les données de façon à ce qu'un seul chemin apparaisse comme le nécessaire et le bon. Il suppose une médiation permanente envers tout, il exclut l'immédiateté. Et par cette série de caractères, le raisonnement à l'excès, appliqué à toute chose, détruit le rapport humain, la relation possible et par conséquent est une aliénation. N'en avons-nous pas connu de ces hommes

---

1. Et ceci ne vise absolument pas l'androgyne : un être ayant en lui les deux sexes, idéal de la grécité ! C'est le contraire de la pensée biblique, car l'important ce n'est ni la division ni l'unité entre les sexes, mais l'amour. Et l'amour suppose *deux êtres différents*. Pour l'androgyne, c'est l'amour de soi. Pour l'homosexuel, l'amour du même au même qui est, dans les deux cas, la mort.

prisonniers de leur raisonnement exclusif, incapables à la fois d'établir avec les autres une relation non rationalisée, et de vivre sur un mode différent de ce que le raisonnement leur fait prendre pour la vérité ? Il est bien clair que, loin d'assurer une voie droite, le raisonnement (qui au xixᵉ siècle a donné le rationalisme !) détourne de l'autre, et d'une autre vérité. Alors, ayant cherché une femme pour assumer ce qui était le modèle voulu par Dieu, Qohelet trouve au bout la sécheresse du raisonnement qui comble à sa façon le vide de la perfection.

Il nous reste une dernière remarque possible, non obligée. Nous avons marqué trois tests de cette Sagesse en formation, la parole, l'avoir, l'homme et la femme. Or, il est, me semble-t-il, significatif que pour chacun de ces thèmes (qui ne sont pas, nous le savions d'avance, traités de façon dogmatique et tout d'une pièce, mais en souplesse, et avec une habile répartition des fragments dans un puzzle complexe), chaque fois tout se termine par une perspective sur Dieu. Pour la parole, après avoir dénoncé la surabondance des paroles, le Sage conclut : « Mais crains Dieu » (V, 6). La crainte de Dieu est la limite vraie de la parole, ce qui doit nous empêcher d'abuser de ce don et, chaque fois que l'on parle, on est ainsi appelé à se souvenir que c'est Dieu qui est la Parole. Au commencement était le Verbe... C'est la source et la limite de notre parole. Et c'est le dernier mot de Qohelet sur elle ! Quant à l'avoir, tout se ramène à : « L'œuvre de Dieu qui fait tout » (XI, 5) (que nous retrouverons). Tant pour ce que nous avons que pour ce que nous faisons, nous avons à le ramener à cette vérité dernière, que finalement (« en dernière instance » diraient des savants), c'est bien Dieu qui est le maître d'œuvre, et le vrai possesseur de ce bien que tu as à donner largement. Pour la femme et l'homme, nous venons de voir que le dernier mot c'est que Dieu a fait l'homme droit (juste, honnête). Ainsi, chaque chemin nous ramène à ce point décisif. Ce que Dieu fait. Cette importance rend tout à fait vaine l'idée, déjà récusée plus haut, que ces invocations à Dieu ont été ajoutées par un pieux copiste pour rendre le livre moins scandaleux et faciliter son acceptation dans le Canon. Cela fait partie des raisonnements vains... Ces remarques pointant toutes vers Dieu nous amènent à notre dernier thème central, Dieu lui-même. Qui est Dieu pour Qohelet [1] ?

Assurément, je pourrais terminer cette réflexion sur la Sagesse par une évocation de Jésus-Christ. Comme le dit Maillot : « Il n'y a pas de réponse intellectuelle, conceptuelle aux problèmes existentiels [...]. Dieu ne nous a pas donné un système, une sagesse pour résoudre les énigmes de notre existence, mais Jésus-Christ. L'Existence seule répond à l'existence. La Sagesse n'est pas une pensée ni des concepts, mais une personne : Jésus-Christ. » Dans notre foi, ceci est vrai. Car « Jésus-Christ a été fait *pour nous Sagesse,* justice, et sanctification et rédemption » (I Cor I, 30). Mais c'est alors un bond par-dessus l'abîme. Et dans la mesure où j'essaie d'écouter Qohelet, je ne le fais pas ici. Mais, à défaut de ceci, après avoir montré la possibilité de la Sagesse et ses points d'application, je ne puis m'empêcher de songer à cette méditation que Thornton Wilder prête à César : « Je mourrai probablement de la dague d'un fou. Les dieux se cachent, même pour choisir leur instrument. Nous sommes tous à la merci d'une tuile qui tombe. Nous devons avoir l'image d'un Jupiter qui déplace des tuiles pour les précipiter sur un vendeur de limonade ou sur César. Le jury qui condamna Socrate à mort n'était pas fait d'augustes instruments ; pas plus que

1. Et l'on mesurera encore plus combien la présence d'Elohim est indispensable pour sauver Qohelet de la banalité, si on compare l'Ecclésiaste avec par exemple le médiocre nihilisme de Cioran, ou avec la facticité de Bettencourt. Celui-ci, dans *Le Bal des ardents* (Paris, Lettres vives, 1983), dénonce la vaine ambition d'expliquer l'univers. Il répète (en moins bien !) l'Ecclésiaste. Il souligne, comme tant d'autres, les contradictions de la vie, et finalement constate que nous sommes sur terre, non pas pour travailler ou souffrir, mais pour rien, pour le plaisir... pour « danser avec ce feu qui prend dans nos plumes, avec cette mort qui mord dans nos vies, qui nous talonne, danser quand même avec le sourire et dans le regard, la lucidité tremblante, un peu folle des jeunes étoiles... ». Mais voilà qu'à l'encontre de l'Ecclésiaste, Bettencourt considère que Dieu n'est rien. Il est seulement ce « néant, ce rien qui nous habite et nous conduit à créer comme à détruire », il est un maître de ballet... Aussi, dit-il, ne faut-il pas servir Dieu mais s'en servir, en tirer le meilleur usage... « Pour l'amuser, le désarmer et l'occuper par des créations pacifiques où son appétit de sang et de feu se convertira... » Et nous voici donc revenus à la platitude et la banalité. Se servir de Dieu ! Quelle innovation, quelle invention de génie, par un homme qui se prend pour tel, et ne sait pas que depuis quelque deux cent mille ans, c'est très exactement la pratique humaine qui fait de Dieu son factotum ! Et, précisément, c'est la récusation radicale de cette constante diversion qui donne à Qohelet sa profondeur et sa vérité !

l'aigle ou la tortue qui tuèrent Eschyle. Il est probable qu'à ma dernière minute de lucidité, je recevrai encore la preuve que ce monde procède avec le même manque de logique que le ruisseau qui charrie des feuilles [1]... » Et j'aurais aussi bien pu prendre un texte de Camus. La Sagesse n'est ni vaine ni impossible mais elle ne saurait répondre à la question qui nous est posée par la vanité : le monde et la vie sont-ils ou non *décisivement absurdes* [2] ?

Épilogue

Si nous adoptons un vocabulaire moderne, nous pourrions dire que Qohelet fait apparaître la « crise ». Crise de la morale et de la philosophie, crise des mœurs et des grandeurs de l'homme, crise des fondements de la vie collective, crise de la politique. Crise à la fois de l'homme et de la société, crise de l'immédiat et du permanent. Cette révélation de la crise est tout à fait essentielle, puisqu'elle fait apparaître soudain la présence, la force et la forme de ce qui, en temps ordinaire, demeure caché, invisible. Il avance une pensée qui est plus que moderne, puisqu'en définitive au lieu de considérer le désordre, le non-sens, l'incohérence et la contradiction comme des accidents, comme un mal qu'il faut éliminer et comme un événement secondaire ou aléatoire, Qohelet montre tout ceci comme un trait inhérent à la vie humaine et à la vie sociale. Il intègre le désordre et la contradiction dans l'être « normal » de l'humanité. Ceci est proprement extraordinaire. Et c'est pourquoi il a été si longtemps ou bien rejeté et obnubilé, ou bien interprété dans un sens moralisant, normalisateur : il fallait qu'il soit conforme à la « norme ». Or, la norme de la vie humaine c'était l'ordre, la paix, la non-contradiction, la conciliation, les lois (morales, naturelles, politiques, et plus tard scientifiques). C'était la régularité, la cohérence et la bonne entente. Dès lors, la perturbation, le désordre étaient l'anormal, l'accidentel qu'il fallait chasser à tout prix, qu'il fallait réduire et expliciter.

---

1. Thornton Wilder, *Les Ides de Mars*, Paris, Gallimard, 1951.
2. Décisivement : c'est-à-dire quelle que soit la décision que l'on puisse prendre.

Mais voici que précisément la pensée moderne, en physique comme en biologie, en sociologie comme en philosophie, nous a conduits à considérer le désordre, l'accident, le « bruit » (dans la communication) non pas comme gênants et paradoxaux, mais comme existentiels, fondamentaux et révélateurs. C'est ce que Qohelet avait déjà effectué. Ce qui est, ce qui n'est ni le normal, ni le raisonnable, ni le bon, mais l'absurde, le paradoxal et le contradictoire. Il le fait apparaître non seulement dans ce qu'il dit, au premier degré, mais dans sa façon même de construire son discours et de proclamer les contradictions de l'être. Il fait apparaître toutes les lacunes, les « béances », la béance de notre savoir, la béance de la réalité sociale, la béance de l'être. Si on veut aller au-delà de l'homme raisonnable et sain (idéal grec), ce qui implique l'exclusion du désordre, des ruptures d'équilibre, de ce que nous serons tentés d'appeler du Mal, il faut concevoir l'homme et la société comme des systèmes capables d'avoir des crises, c'est-à-dire « un système complexe comportant des antagonismes, sans quoi la théorie de la société [et la compréhension de l'homme — J. E.] est insuffisante et la notion de crise inconcevable » (E. Morin).

Qohelet nous décrit exactement cela, en mettant en lumière tous les dérèglements, et sa force sera de les révéler de telle façon qu'on est obligé de les considérer comme partie intégrante de l'événement humain. En faisant apparaître de cette façon la crise dans sa totalité et sa complexité, Qohelet nous oblige (et c'est pourquoi il est si pénible !) à accepter qu'il existe un révélateur de la réalité, et un « effecteur » révélateur, car cette crise fait apparaître le caché (et ce que la psychanalyse essaie de faire réapparaître). Ainsi, Qohelet révèle la crise, et la crise révèle le profond, « ce qui est profond, profond » (tel est bien l'objectif de Qohelet !). Mais la crise est aussi un effecteur : c'est dans la mesure où on prend conscience de cette réalité-là que l'exigence apparaît de changer et faire changer ! La crise met en marche tout ce qui peut apporter changement, transformation, évolution... Et tel est bien l'objectif de Qohelet, qui paraît si peu compréhensible : « La situation est absurde et tout effort est vain. Cela n'est pas une raison pour se décourager, mais au contraire tout ce que ta main trouve à faire... » Ainsi, en réalité, Qohelet sort du domaine de la pensée simple, directe, qu'elle soit de la sagesse juive ou de la philosophie grecque pour conduire à une *connaissance complexe* (E. Morin).

Pensée de crise — Je crois que le terme est particulièrement bien choisi. *Krisis* : d'abord triage, division, séparation, et c'est bien ce que fait le roi de Jérusalem, il procède à un triage de toutes les valeurs, de toutes les certitudes, et il estime que tant que l'on n'a pas procédé à cette poursuite du vent, rien n'est fait, on ne peut rien commencer, et on n'a pas le droit de parler.

Ensuite : jugement, sentence, et, de fait, il a accumulé les Sentences, il est un spécialiste de ces sentences, de ces jugements exemplaires qui ont fait de Salomon le modèle de la parfaite équité. Mais il faut comprendre que si Salomon est le grand énonciateur des Sentences, c'est aussi dans la mesure où il était le juste juge, qui formulait le bon jugement dans des cas concrets, et à partir de là il pouvait dire la sentence vraie. Ainsi la formule sentenciaire n'a sa vérité que dans la mesure où elle est issue du jugement qui clôt un long procès. Mais nous avons vu que Qohelet déroule toute sa méditation comme un long procès — d'abord avec lui-même.

En troisième lieu, *Krisis,* c'est la décision, le moment décisif, le tournant. Nous revenons à ce que nous disions, à savoir que la crise n'est pas un accident dans une morale ou une société qui *par ailleurs* marchent si bien ! Elle est au contraire le moment de la décision, le moment décisif, celui où il faut s'engager. Voilà Qohelet ! Car à cet instant, à ce tournant se situe ce qui permet le diagnostic. Longtemps on a enseigné en médecine qu'il fallait attendre la crise de la maladie pour pouvoir porter un diagnostic. La crise est bien en effet, toujours, ce qui permet de faire le diagnostic sur une vie d'homme comme sur la société. La mort est la dernière crise, et c'est bien à partir d'elle que nous pouvons porter le diagnostic décisif. Ainsi, faire apparaître la crise n'est pas du tout quelque chose de lamentable, négatif, nocif, au contraire. Au lieu d'être seulement la découverte d'un avenir bouché et d'incertitudes, la découverte de la crise fait apparaître la possibilité d'un diagnostic vrai, et l'exigence d'avancer pour un changement. E. Morin a pu dire que la crise « correspond à une régression du déterminisme propre au système considéré ». Ainsi, la découverte de la crise est une progression de la liberté. En situation de crise, l'homme se trouve dans une indétermination qui permet le jeu de sa liberté. Et c'est bien aussi ce qui est inscrit dans tout l'Ecclésiaste !

A cette croisée des chemins où nous sommes arrivés se dresse pour nous une interrogation menaçante. Nous avons dit que la révélation de la crise manifeste celle-ci comme effecteur. Il faut changer la situation. Mais ne risquons-nous pas de trouver des solutions arbitraires, artificielles, ou pire encore systématiques ? Est-ce que le processus est bien celui que nous avons indiqué, ou bien l'auteur n'avait-il pas en poche la solution qu'il gardait en réserve, pendant qu'il *jouait* à faire apparaître la crise ? En d'autres termes, et plus banals pour des chrétiens, n'y aurait-il pas dans l'Ecclésiaste une sorte d'escroquerie : Vous voyez, le monde ne vaut rien, l'homme non plus, la philosophie pas davantage, et quand on a fait table rase, on sort sa carte victorieuse, Dieu ! Dieu la solution, le bouche-trou, l'explication aisée. Avec Dieu, il n'y a plus de crise, avec Dieu, il y a une réponse à tout...

Nous connaissons bien hélas cette apologétique qui a fait fureur pendant des siècles et qui opposait la vie mauvaise de l'homme sans Dieu à la vie heureuse de l'homme avec Dieu. Ou encore qui prêchait le péché pour conduire l'homme à accepter la grâce. Et après tout, quand je parlais des trois fils qui composaient le tissu, la vanité, la Sagesse, Dieu, n'avons-nous pas chez Qohelet cette même démarche ?

Il faut ici être très précis et ne pas se hâter sans réfléchir. En aucun endroit on ne peut trouver la démarche qui consiste à « tirer » Dieu de l'expérience de la vanité. Il ne s'agit chez Qohelet ni d'une démonstration ni d'une argumentation. Il n'établit aucun lien de cause à effet. Il n'apporte jamais Dieu comme une réponse à la question posée, ou que nous supposons car, en définitive, jamais il ne pose de question ! Il procède par le constat brutal du réel. Dieu ne lui est d'aucune utilité dans sa démarche, il n'est même pas une consolation adéquate, nous verrons pourquoi. Ce qui apparaît dans la construction, étape par étape, de ce livre, c'est qu'il y a opposition et confrontation entre un « C'est comme ça » et un « Mais moi je dis... ». Dieu n'est pas une suite cohérente du discours, il est la contradiction. Il n'atténue rien de la rudesse, de la radicalité du constat. Dieu ne sert pas à rendre acceptable ou tolérable, que ce soit le scandale de la mort ou celui de l'injustice. Qohelet ne dira jamais que « du point de vue de Dieu », il y a un

201

ordre supérieur, ou encore que les choses sont moins tragiques, ou qu'il y a un sens. Nous en restons à l'absence de signification de tout cela. Et il faut que Dieu ne soit pas utilisé, pour éviter qu'il entre comme la pièce manquante dans le puzzle philosophique, ou comme l'attestation idéaliste consolante devant la vanité. Le Dieu de Qohelet n'est jamais utilisable. Mais il est sans cesse présent en tant que contradiction. Il augmente même la gravité de la situation puisque, inaccessible, il est cependant présent ! Mais pas à notre disposition.

« Dieu est dans le ciel et toi tu es sur la terre. » Voilà le fin mot de l'incompatibilité, voilà pourquoi on ne peut pas accuser Qohelet de faire un *Deus ex machina* ou une solution.

Il faut revenir sur la différence d'attitude de Qohelet entre le constat et l'affirmation. Quand il proclame sans cesse au sujet de Dieu : « Mais moi je dis » ou bien « Mais moi je sais... », il se situe sur le plan de la proclamation et de la décision. C'est le témoignage et non l'apologétique qui est ici en jeu. En face de cette proclamation, on croit ou non, on fait confiance ou non. Mais tout ce que peut faire Qohelet est justement de l'ordre de la décision qu'il prend, et il invite l'auditeur à prendre lui aussi sa décision. Il ne le conduit pas par la main sur un chemin raisonnable vers l'acceptation aisée d'un Dieu consolant. Il nous conduit à l'abîme de la vanité. Et là il y a une décision à prendre. Mais qui ne permet ni de combler l'abîme ni de sauter par-dessus. L'abîme reste abîme même si Dieu est reçu et cru. C'est la situation de l'inconditionné, pour parler comme Kierkegaard. Dieu est l'inconditionné. Le croyant doit accepter cela, et prendre sa décision, de façon inconditionnée également, c'est-à-dire sans cause et sans raison. (C'est d'ailleurs cette exposition essentiellement « théologique » qui a fait croire à des exégètes naïfs que les textes sur Dieu étaient des adjonctions postérieures.)

Ainsi, la proclamation de Dieu par Qohelet n'est destinée ni à convaincre ni à résoudre. Une fois de plus, cela est, parce que cela est. C'est tout. Mais il faut alors en terminant, et pour bien montrer que ceci n'est pas une faiblesse, rappeler une opposition faite par Bertrand de Jouvenel et à laquelle je me suis souvent référé. L'opposition entre le problème et la situation existentielle. Pour qu'il y ait problème, il faut que les données du problème soient connues, que l'on ait toutes les données et que l'on puisse faire un énoncé se concluant par une question précise : dans ce cas, il suffit d'un raisonnement exact utilisant toutes les données, pour arriver à CQFD, c'est-à-dire la *solution* du problème. Mais une situation existentielle ne peut jamais être posée comme un problème. On n'a jamais toutes les données, il n'y a pas cohérence entre les facteurs, il ne peut y avoir un « énoncé » de la situation, et par conséquent quels que soient les efforts de rationalisation, on n'arrivera jamais à *une solution!* Dans toute situation existentielle, politique ou individuelle, il ne peut y avoir qu'une décision. Il faut *trancher*. Couper le nœud gordien. Avec l'aléa que cela comporte et la part d'incertitude. Ainsi en présence de la situation existentielle ultime, aucune solution n'est possible, il ne peut y avoir que la décision. C'est bien pourquoi Qohelet ne cherche pas à convaincre raisonnablement de l'existence ou de la réalité de Dieu. Il est totalement fidèle à l'ensemble de la Révélation. Le Tout Autre est le Tout Autre, je peux seulement te dire qu'Il est et qu'Il t'attend.

3
Dieu[1]

J'aimerais commencer ce passage *(pesah)* par deux textes qui me semblent dans le droit fil de la pensée de Qohelet. « Je ne sais pas qui — ou ce qui — a posé la question. Je ne sais pas quand elle a été posée. Je ne sais pas si j'y ai répondu. Mais j'ai un jour répondu *oui* à quelqu'un ou à quelque chose. Dès cet instant, j'ai acquis la certitude que l'existence a un sens et que ma vie a par conséquent un but » (Hammarskjöld) et le complémentaire : « Je sais que ce monde existe, que je m'y tiens, tout comme mes yeux sont dans leurs orbites. Qu'il y a en lui quelque chose de *problématique,* ce que nous appelons son sens. Que ce sens ne réside pas en lui, mais en dehors de lui. Croire en Dieu signifie reconnaître que rien n'est réglé avec les données du monde. Croire en Dieu signifie reconnaître que la vie a un sens... » (L. Wittgenstein)[2].

1. *Élohim*

J'ai rencontré plus de trente[3] références significatives à « Dieu » dans cet Ecclésiaste. Je pense que ce nombre, dans un livre si court, est déjà décisif. Il est évident que si on enlève tout ce qui concerne

1. L. Gorsen, *La Notion de Dieu dans l'Ecclésiaste,* Ephemerides Theologicæ Lovanienses, 1970 ; H. P. Muller, *Wie Sprach Qohälet Von Gott,* Vetus Testamentum Leyden, 1968 ; A. Dumas, *Nommer Dieu,* Paris, Éditions du Cerf, 1982 ; Gershom Scholem, *Le Nom et les Symboles de Dieu,* Paris, Éditions du Cerf, 1983.
2. Je n'ai pas le mérite d'avoir choisi ces textes, je les ai rencontrés dans la très belle méditation de H. Zahrnt, *A l'ouest d'Éden,* Paris, Éditions du Cerf, 1983.
3. Lys a compté 40 textes relatifs à Dieu, en 222 versets, deux fois plus, dit-il, qu'il n'y a de citations de la vanité !

Dieu dans ce livre pour en faire un texte de sagesse profane, on le désarticule entièrement. En disant cela je ne fais nullement de l'apologétique ! Simplement une lecture droite, raisonnée, tout aussi critique qu'une autre, tout autant défiante de mes a-priori. Mais il est déjà une remarque introductive décisive : dans notre texte, Dieu est *toujours* appelé Élohim [1], jamais par le nom où il s'est révélé à son peuple, le Tétragramme saint. Il y a là évidemment un parti pris de l'écrivain. Élohim, rappelons-le, est le mot qui désigne Dieu « en général », certains diront « la divinité », ce que je n'aime pas beaucoup car nous entrons ici dans le champ des religions quelconques. Il est le Dieu qui a créé (Genèse I), il est le sujet de la cosmogonie. Avec bien des différences par rapport aux divinités des peuples qui entourent Israël, mais nous n'avons pas à les souligner, sauf deux toutefois : Élohim est un mot au pluriel, alors que les verbes dont il est le sujet sont au singulier (en général). Autrement dit, c'est un Dieu multiple qui est Un. C'est le Dieu qui, à la limite, englobe toutes les formes possibles de divinité, mais qui reste l'Unique, et son action est toujours décidée en lui-même [2]. Cependant, il est, comme les autres dieux des religions diverses, situé à l'origine et on peut, lui, le contempler dans ses œuvres. Toutefois, il présente une autre singularité, lors de la création de l'homme et de la femme avec qui il établit une relation spécifique.

N'insistons pas. Malgré ces différences, il serait possible, s'il n'y avait dans la Bible qu'Élohim, d'inscrire ce Dieu dans le Panthéon, de le faire figurer sans problème dans l'histoire des religions. On pourrait traduire Élohim par le mot à tout faire, signifiant tout et n'importe quoi : Dieu. Ainsi, on peut parfaitement admettre qu'en disant Élohim, on dit la même chose que le musulman disant Allah.

---

1. Lys souligne que dans notre texte l'auteur emploie ce mot à l'état absolu, en soi, et non en relation, et de préférence avec l'article, ce qui « le dépersonnalise encore » (32 fois sur 40). Il ne dit jamais : mon Dieu. Mais ici aussi cet Élohim est toujours un singulier, malgré sa forme (marqué par le verbe quand il est sujet ou par l'emploi d'un possessif dont il serait l'antécédent).

2. Cette formidable présence de Dieu, constante, dans tous ces méandres, interdit de s'accorder avec M. Gilbert (et tant d'autres !) quand il écrit que cette croyance « ne lui est d'aucun secours, dans la nuit : il ne nie pas [...] pas plus qu'il ne renie la morale dont il ne voit pourtant pas le sens » (M. Gilbert, « Vo Qohelet », in *Morale et Ancien Testament*, Paris, Cerfaux-Lefort, 1976).

Mais une telle attitude restrictive d'une part et laxiste de l'autre est précisément impossible par rapport au Dieu biblique, car Élohim s'est révélé en tant que IHWH. Il a transmis son nom. C'est Élohim IHWH. Il n'est pas *un* dieu. Il est celui-là, et voici que l'histoire dans laquelle entre IHWH n'a aucune commune mesure avec les légendes, les mythes, les cosmogonies, les épopées relatifs à tous les dieux. Si bien que quand on lit Élohim, il faut garder en tête qu'il est Celui-là, et non pas identique à un dieu, à une divinité. Élohim, dieu lointain, absolu, sans référence. Mais IHWH, le dieu qui se révèle, qui entre dans notre histoire, qui participe à l'être de l'homme. Mais cela *aussi* en tant qu'Élohim. (Alors dire le nom du Dieu d'Israël n'a rien à voir avec dire Allah.)

Cependant, il est donc tout à fait significatif que Qohelet n'emploie que ce mot, Élohim, seul, mais dans le sens d'un Dieu personnel et non point d'une divinité non qualifiée. Il faut d'abord comprendre ce parti pris. Il me paraît évident. Sans aucun doute, il s'agit d'effacer le particularisme hébreu. Il dira tout simplement dieu ou même la divinité. Mais, ce faisant, pratique-t-il la même tactique que Paul dans son discours à Athènes, partant de la divinité, du dieu inconnu dans lequel tous les Athéniens peuvent se reconnaître pour les conduire comme par la main à Jésus-Christ, qui est ce Dieu inconnu ? Est-ce pour « parler comme tout le monde », utilisant le langage des religions, pour arriver à faire passer son message, et le faire entendre ? Ceci paraît le plus évident. Mais cela suppose résolue la question du destinataire !

A qui parle Qohelet ? Est-ce que c'est un écrit destiné aux Grecs, aux non-Juifs, à être répandu comme une espèce de tract dans tout cet Orient méditerranéen ? Est-ce une apologie ? (Mais de quoi ? de la religion juive ? évidemment pas ! de la Révélation reçue en Israël ? précisément nous en avons souligné la contradiction !) Est-ce une nouvelle philosophie à présenter dans un congrès de philosophes ? Bien sûr, non ! Et déjà, mettre ce texte sous le couvert du nom de Salomon le prouve amplement. Mais non ! C'est un texte destiné aux Juifs, toutes les références supposent que l'on connaisse la Torah (par exemple Genèse I et III), et de même les citations de « Jérusalem », etc. Quel espoir aurait eu cet écrivain de percer dans le monde grec sous ces patronymes ? Mais alors, si c'est un texte hébreu (araméen ?) destiné à ses concitoyens, pourquoi cette exclusion systématique du nom de la Révélation ou plutôt du synonyme allusif qui le représentait ?

Je me suis demandé si précisément il n'y avait pas chez Qohelet déjà une façon de protester justement *contre le Synonyme,* contre Adonaï, etc. Dans la mesure où il passe au crible les usages, les proverbes, la sagesse coutumière, n'a-t-il pas aussi voulu mettre en cause cette façon toute formelle de respecter le troisième commandement, en ne prononçant plus du tout le « Nom » ? Est-ce qu'il n'a pas voulu dire : ce pseudo-respect du Nom cache une simple hypocrisie ? Ne pas prendre le Nom en vain ne peut pas signifier : le remplacer par un autre ! C'est puéril ! Alors si vous voulez vraiment éviter de le prononcer, soyons cohérents, allons jusqu'au bout, et supprimons-le tout à fait, qu'il n'en soit plus question et parlons simplement d'Élohim en éliminant ce qui est spécifique aux Juifs !

Cela me paraît insuffisant. Corrosif, oui, mais il est plus profond que cela. J'écarte aussi une explication aisée : il aurait été influencé par les mœurs de son temps, par les façons de parler, et il se serait inconsciemment mis au même niveau culturel que tous les peuples environnants. Autrement dit, il aurait importé en Israël la façon païenne de considérer la divinité. Je crois ceci tout à fait impossible de la part d'un homme aussi lucide, aussi autocritique, ne cessant de passer en revue ce qu'il a fait ou non, ce qu'il a connu comme influences aussi. Il ne peut pas avoir imité les autres sans le savoir ! D'autant plus qu'à l'encontre de toutes les autres religions, il maintient, nous allons le voir, la spécificité de cet Élohim. Alors quel est le but de cet emploi exclusif ?

Il me semble en apercevoir deux. Le premier est relatif à l'un des objectifs de ce livre : lutter contre l'influence de la philosophie grecque en Israël. Il s'agit pour lui de démonter les faiblesses de cette philosophie, d'en manifester la vanité, et d'attester qu'elle est soumise elle aussi à Dieu, même si elle prétend être totalement indépendante et rationnelle. Elle est donc toujours relativisée. Il ne citera pas IHWH dans ces conditions, parce que ce serait prétendre que la philosophie grecque est mesurée au Dieu spécifique d'Israël, et ceci pourrait alors être contesté. Il va citer le Dieu qu'après tout chacun est susceptible de reconnaître. Mais il en tire des conséquences étonnantes, et bouleversantes ! Qui en réalité viennent de ce que Dieu est... IHWH !

L'autre motif va plus loin. A mon sens, Qohelet veut dire, dans son livre, que ce qu'il décrit, ces expériences, cette critique, ces échecs, ne sont pas spécifiquement ceux du peuple hébreu, d'un sage juif. Il veut être universel. C'est la réalité même de tout le monde. C'est vrai pour le Grec et pour le Perse, c'est vrai pour le bédouin et l'Égyptien. Cet échec de la vie, cette limite, cette absence de sagesse, ces conduites aberrantes, c'est cela l'homme (et je dirai : d'aujourd'hui comme du IIIe siècle avant J.-C. !). Mais alors, il ne faut pas qu'on puisse lui objecter que tout cela vient de la spécificité de IHWH, renvoyant cette analyse, ce décryptage à un esprit juif mal tourné. Non. La mesure, c'est Élohim, un dieu qui présente tous les caractères d'une de vos divinités [1]. Acceptez-le puisque vous aussi vous avez des dieux. Ceci adressé aux autres. Mais j'ai dit que c'est d'abord adressé à son peuple. La révélation, ici, c'est que la sagesse qui vient d'Élohim est une sagesse universelle que vous, Juifs, pouvez proposer aux autres. Ce qui est décrit là, c'est la réalité même de tout homme, c'est la réalité du monde entier, et vous pouvez le dire ainsi — expérience universelle, référée au dieu, qui est finalement le dieu des goyim aussi bien que d'Israël.

Car cet Élohim est en même temps, qu'on le veuille ou non, IHWH ! Et de lui nous savons que nous ne savons rien. *Le* Dieu, *Un* Dieu, et Un Dieu unique pour Qohelet. Banal en Israël, mais insurmontable obstacle auquel il renvoie en effet. « Car l'Unique, plus encore que l'infini, échappe à nos prises. La méthode expérimentale ne lui est pas applicable. La logique ne peut le déduire de rien ni l'induire de quelque chose » (Nothomb). L'unique est parfaitement inconcevable pour nos esprits, qui, lorsque nous avons posé un, nous amènent inévitablement à deux.

---

1. Ce qui correspond alors à l'emploi d'Élohim avec l'article et à la traduction parfois effectuée de « la divinité » (par exemple D. Lys pour V, 1). Mais j'ai déjà dit que cette traduction me gêne en ce que le concept est bien trop flou et inconsistant. Une hypothèse ingénieuse de cette formule m'a été présentée : d'une part cela pourrait être une marque de l'influence égyptienne, car dans la littérature égyptienne les textes de Sagesse ne parlent pas de tel ou tel dieu, mais, en face du polythéisme, ils mentionnent « le dieu », affirmation de monothéisme dans le cadre d'un courant de pensée non théologique mais philosophique : le dieu par rapport à l'humanité. Mais, d'autre part, cette même formulation pourrait signifier une affirmation de monothéisme (*le* dieu, il n'y en a qu'un, l'Unique !) en face du polythéisme cananéen toujours présent et actif au IIIe siècle !

Eh bien non : il n'y a pas deux. Un. Et c'est pourquoi Qohelet est si radicalement non égyptien et non grec. Qohelet en parle sans cesse, et nous allons le suivre pour déceler cette présence, mais dès l'abord, la première certitude, c'est que nous ne pouvons rien dire au sujet de ce Dieu en lui-même. Il est différent de tous les autres dieux de toutes les religions au sujet desquels on savait tout. On ne peut ni saisir, ni analyser, ni connaître, ni rencontrer cet Élohim, dont on saura seulement sa relation avec nous.

Il est un Dieu inconnu et précisément en nous rapportant à Salomon, nous trouvons au début de sa grande prière pour la Dédicace du Temple cette déclaration : « L'Éternel veut habiter dans l'obscurité » (I Rois VIII, 12). Et l'acte de Salomon construisant le Temple est un acte d'obéissance, et non pas un acte d'appropriation ni de localisation de ce Dieu. Un Dieu qui habite dans l'obscurité. Comment ne pas l'opposer à la proclamation que tout est vanité « sous le soleil » ? Tout ce qui est éclairé par la lumière du soleil est dans l'ordre de la vanité, de l'inutile, du stérile. Mais le Dieu qui peut donner sens est précisément au-delà du soleil, dans l'obscurité insondable pour l'homme. Il est véritablement inconnaissable par l'homme. « Et même si le sage dit savoir, il ne peut pas trouver » (V, III, 17). Il peut nous paraître arbitraire, et prendre ses décisions à l'encontre de ce que nous appelons « justice » ou « bien », mais ce que nous avons d'abord à accepter, c'est que nous n'avons aucune qualité, aucune capacité pour en juger.

Terrible Qohelet : « Il y a un mal que j'ai vu sous le soleil et qui est grand pour l'homme : voici quelqu'un à qui Dieu donne richesse, ressources et gloire, à qui rien ne manque pour lui-même de tout ce qu'il désire, mais à qui Dieu ne laisse pas le pouvoir d'en manger, car quelqu'un d'étranger le mange : cela est vanité et souffrance mauvaise. » Et c'est Dieu qui l'a fait, dans une décision incompréhensible, comme pour Job. Il est devant nous, arbitraire. Mais que savons-nous ? Quelle est la fin ? Il ne faut pas séparer les décisions de Dieu les unes des autres, car c'est le même qui donne, tout, abondamment, et qui a fait l'homme droit. « Qui es-tu, homme, pour juger ? »

Paul fait ici écho à Qohelet. « Au jour du bonheur, sois heureux, et au jour du malheur, *comprends* : celui-ci, de même que celui-là, c'est Dieu qui l'a fait. Si bien que l'homme ne peut rien découvrir de ce qui sera après lui » (VII, 14). Et d'ailleurs, quel que soit ton jugement, tu ne pourras rien changer à cette réalité : « Vois l'œuvre de Dieu : qui pourra redresser ce qu'il a courbé ? » Arbitraire — absolu — inconnu — inexplicable [1]. Après avoir connu la vanité des explications naturelles de ce qui se passe, sa rigueur nous oblige à reconnaître l'impossibilité d'utiliser Dieu comme explication, comme système, comme Cause suprême, etc.

Il me semble essentiel de montrer ici que, ce faisant, Qohelet ne parle pas de Dieu mais qu'il interdit d'en parler ! Il ne dit pas du tout : Dieu est ainsi ou ainsi, il veut dire, et c'est la compréhension liminaire pour tout ce qui suit : nous, hommes, n'avons pas le droit de nous servir de Dieu pour notre satisfaction, qu'il s'agisse de philosophie, de science, de théologie, d'autosatisfaction morale, de justification, etc. Dieu est parfaitement inutilisable, impossible à insérer dans nos concepts, nos systèmes ou notre conscience. Il est toujours autre et ailleurs que là où je prétends le fixer. Je sais seulement que je me heurte à lui, que c'est bien lui qui est derrière cet absurde que je suis capable de discerner et en partie de cerner. Et c'est justement cette situation que Qohelet a tenté de rendre par le paradoxe et par l'ironie. Dieu mon obstacle [2].

On est alors tenté par ce que l'on a appelé la théologie négative. Mais précisément cela ne va pas non plus dans la mesure où on prétend en faire une *théologie*. C'est encore un discours sur Dieu, un moyen de le faire entrer dans nos catégories. Mais il y a une réalité dont Qohelet reste totalement convaincu, à savoir que ce Dieu caché, obscur, s'approche de l'homme, est proche de lui, pénètre cette vie, et qu'il est impossible de l'éliminer. Plus l'homme tente d'exclure Dieu de son action, de ses expériences, de sa

---

1. Lauha résume parfaitement ceci en disant que Qohelet affirme la souveraineté et la transcendance de Dieu, et ainsi établit « une opposition radicale à l'égard de toute religiosité immanente et de toute prière panthéiste ».

2. Pour D. Lys, cela veut dire que l'on ne peut que vivre dans l'attente de la libre grâce de Dieu. Cette sagesse est expérience et non révélation. Refus de théodicée. Refus des supercheries rassurantes. Le problème de l'homme est un mystère dans sa relation à Dieu. L'homme ne peut en reconnaître que les limites en sachant qu'il y a un sens, mais qu'il est impossible à définir, et il cite Visscher : « Son respect de la souveraine liberté de Dieu est si grand qu'il lui est impossible de vouloir se servir de Dieu comme d'un chiffre ou d'une fonction dans un calcul, ou de vouloir prouver l'existence de Dieu ou de vouloir justifier son gouvernement. »

Sagesse, de sa science, et plus Dieu devient énorme, d'une présence écrasante. C'est précisément quand j'ai une préconception de son rôle qu'il apparaît comme arbitraire [1]. C'est lorsque j'ai une philosophie ou une Sagesse, qu'il apparaît comme incompréhensible. C'est lorsque j'ai une morale établie et une définition de la justice qu'il apparaît comme injuste... mais proche de nous! Telle est la seule certitude. Que Salomon évoquait aussi dans sa prière de Dédicace. Et cet Élohim, Dieu pour toutes les nations, n'est en tout cas jamais inclus dans une des religions de ces nations. Et surtout, il n'est pas le Dieu des philosophes (des sages!) ni le Dieu mécanicien et horloger! Ceci étant acquis, il ne faut pas faire silence sur ce Dieu! Il ne faut pas se détourner en déclarant que s'il en est ainsi, autant ne pas s'en occuper. Car si tu ne t'occupes pas de Dieu, c'est lui qui s'occupera de toi. Ce que nous vivons étrangement dans ce monde-ci, où l'absence proclamée par nous de Dieu (ou sa mort!) se traduit par une présence accablante, celle du pouvoir de l'homme dont nous sommes tous terrifiés [2].

Mais cet arbitraire de Dieu nous paraît plus scandaleux encore lorsque Qohelet identifie l'homme à l'animal! Après avoir parlé des injustices qui accablent l'homme par l'homme. « J'ai dit en

1. Dieu nous paraît effectivement arbitraire dans ses choix et ses décisions, comme le montre Qohelet, quand nous avons une préconception de ce que devrait être Dieu! C'est ce qui apparaît clairement par exemple chez Pedersen quand il assimile ce Dieu au sort, au destin (II, 14 — II, 21 — IX, 11). « Un sort aveugle frappe l'homme » (IX, 20). Dieu n'est lié par aucune loi, c'est l'arbitraire pur! Déclaration remarquable : mais si Dieu était lié par une loi (comme les dieux grecs par le Destin ou le Temps), serait-il encore Dieu? Puisqu'il y aurait quelque chose « au-dessus de lui »? Et Pedersen continue ses confusions en introduisant le hasard : « Dieu offre ses dons au hasard. » Si bien qu'il n'est rien d'autre qu'un « despote », et que le despote humain, le roi, n'est que la réplique du despote divin (VIII, 2)! (Cf. Pedersen, « Scepticisme israélite », *Revue d'histoire et de philosophie religieuse,* 1931). Lys me paraît bien plus exact en soulignant que tous ces textes manifestent non pas l'arbitraire mais la grâce... et qu'il s'agit du *bon* plaisir de Dieu (à comprendre non pas comme le despotisme mais : le plaisir bon) « qui donne quand et comme et à qui il veut sans avoir à en rendre compte à personne, ni à un principe ni à l'homme » (Visscher).

2. Je pense à la parabole extraordinaire de Gilbert K. Chesterton, *Le Nommé Jeudi,* Paris, Gallimard, 1979.

mon cœur, c'est pour que Dieu les éprouve et pour qu'ils *voient* qu'ils sont eux-mêmes [ou bien : en eux-mêmes, ou bien : pour eux-mêmes] des bêtes. Car le sort des fils de l'homme et le sort des animaux, c'est un sort identique. Telle la mort de ceux-ci, telle la mort de ceux-là et un souffle identique est à tous deux. La supériorité de l'homme sur l'animal est nulle, car tout est vanité. Tout va vers un lieu identique, tout vient de la poussière et tout retourne à la poussière. Qui sait si le souffle des fils de l'homme monte vers le haut et le souffle des bêtes descend en bas vers la terre ? » (III, 18-21).

Texte fondamental qui établit d'abord l'extrême distance entre l'homme et Dieu, et l'identité de l'homme et de l'animal (qui correspond bien à Genèse I et II). Le souffle, c'est le souffle de vie, ce qui rend vivant, l'animal comme l'homme. Cependant il s'agit bien de *ruach*, avec l'ambiguïté que l'on sait ! Non pas la spiritualité, l'image de Dieu, etc. Donc, pas de question : l'homme est un animal[1]. Après tout, cela ne me paraît pas tellement extraordinaire : puisque l'homme ne se comporte pas en tant qu'image de Dieu, il n'est rien de plus qu'un animal. La marque de ceci, c'est précisément ce sort commun marqué par la mort. L'homme, même avec la *ruach*, ne peut en rien prétendre s'égaler à Dieu. Il ne sait rien d'une survie, et c'est précisément la marque de la distance avec Dieu, que l'homme lui-même a voulue et établie en se prétendant l'égal de Dieu ! On se demande pourquoi les chrétiens ont été tellement scandalisés par les hypothèses scientifiques et Darwin qui nous le répètent, après l'Ecclésiaste ! L'un comme l'autre sont soumis à un même sort. L'identité du sort également entre le sage et le fou (II, 14), entre le juste et le

---

1. Nothomb est très hostile à ce texte de Qohelet, qu'il estime faux par rapport à l'institution de la création. Il est vrai qu'en Gen II, 19 les animaux sont faits avec la terre alors que l'homme est fait poussière *hors de* la terre. Les animaux sont dans la pesanteur. L'homme est formé légèreté, hors de la pesanteur. Ceci est sans doute vrai, mais tous deux sont également soumis à la mort. Autrement dit, dans leur origine, il y a une différence majeure, dans leur destin terrestre, ils aboutissent au même échec. Et ils ont forcément reçu le même souffle de vie, la même *ruach*, puisqu'il n'est pas question de l'Esprit de Dieu, mais « seulement » de ce qui les rend des êtres vivants (Gen II, 7 et 19). L'ennui, c'est que dans ce texte de Genèse, « le souffle », c'est *nishmat hayim*. Nothomb, *L'Homme éternel. Nouveau regard sur l'Eden,* Paris, Albin Michel, 1984.

méchant ou le pur et l'impur... (IX, 2). Un sort identique. Mais ceci n'a rien à voir avec le destin ou la fatalité.

Ce sort est simplement la mort. Et parce que l'on bute irrémédiablement sur la mort, à partir de là l'homme est obligé de se poser la question de son identité avec l'animal qui connaît le même sort. (Comme nous l'avons vu plus haut, p. 145.) Mais il ne peut pas y apporter une réponse définitive : il reste devant la question : Qui sait ? (v. 21). Tu ne peux pas prétendre que ton esprit aura un sort différent (montera vers le haut !) du souffle vital de l'animal (descendra vers la terre). On ne peut rien affirmer à ce sujet. La différence, certaine, entre l'homme et l'animal ne permet pas de conclure à une différence qualitative absolue. Nous restons, Qohelet nous oblige à rester, devant la question : « Qui sait ? » Et il n'y a pas ici de révélation qui tienne ! Seulement, cette œuvre-là de Dieu, ce blocage et cette insoluble question, Qohelet en tout cas est capable de nous en donner le sens ! C'est parce que l'homme est injuste, parce que là où devrait être proclamée la justice règne l'injustice. Parce que l'homme ne reflète en rien la justice de Dieu. Alors, du moment que l'homme se comporte avec méchanceté envers l'homme, du moment qu'il a effacé lui-même cette fonction et cette relation à Dieu, alors il faut qu'il réalise qu'il n'est qu'un animal, se comportant comme n'importe quel animal. Et ceci, c'est le jugement de son injustice.

Toutes les prétentions de l'homme sont abolies. Et puisque son souffle de vie lui sert à la méchanceté, pourquoi prétendrait-il à une destinée supérieure à celle de l'animal et à « monter vers le haut » ? L'œuvre de Dieu, ici encore, manifeste sa puissance, sa distance, son incogniscibilité. En somme, on peut résumer ainsi le mouvement : puisque l'homme ne se comporte pas en tant qu'image de Dieu, il n'est rien de plus qu'un animal. Et ce qui le manifeste, c'est qu'il y a entre eux un sort commun, une issue commune marqués, signifiés par la mort. Ainsi l'homme ne peut en rien prétendre s'égaler à Dieu. Il ne sait rien d'une sur-vie possible, d'un au-delà, auquel il n'appartient pas. Tout, à cause du mal, établit la distance avec ce Dieu[1].

---

1. G. Von Rad fait une remarque très importante sur ce thème : la méchanceté, l'injustice, c'est une épreuve que Dieu envoie à l'homme. Mais au lieu d'en tirer une

Dieu fait tout. Et cette vérité, affirmée à plusieurs reprises, prend des facettes singulières. Tout est fait pour toujours, et il n'y a rien à ajouter, rien à retrancher (III, 14). Il réalise le commencement et la fin, de l'univers, de chaque existence, de chaque événement. Il fait que la réalité puisse exister. La conduite de Dieu est constante. Tu ne peux prétendre ni ajouter quelque chose ni retrancher quoi que ce soit (par tes soucis, peux-tu ajouter une coudée à ta vie?...) et dans l'avenir infini, il n'y aura rien non plus à retrancher. Car tout est bien. Le monde ainsi fait a sa face visible, mais en réalité il est impénétrable. C'est cela la constante affirmation de Qohelet. Tu dois *savoir* que tout est fait par Dieu, mais tu ne peux en rien ni l'expliquer ni le com-prendre. Tu ne peux pas rendre droit ce qui a été fait tordu. Tu ne peux (malgré les apparences de ton efficacité) changer ce qui est. Ce qui n'existe pas ne peut pas être appelé par toi à l'existence (I, 15). Les défauts du monde étant ce qu'ils sont, tu ne peux faire semblant qu'il n'y en ait pas et tu ne peux les redresser véritablement !

leçon de morale comme les autres écrits bibliques, Qohelet caricature cette idée « d'épreuve divine » (qui se trouve au verset 18), courante à son époque, en donnant un autre sens à l'épreuve, au « criblage » de l'homme par Dieu : ceci sert à renvoyer l'homme à sa condition de faiblesse, à montrer à l'homme son néant, car il ne se différencie pas de l'animal. Quant à Maillot, il dit très justement à propos de cette ressemblance que la supériorité paradoxale de l'homme, c'est précisément de pouvoir découvrir cette ressemblance avec l'animal. Cela dit, il insiste sur la démystification de l'humanisme, de l'éternité de l'âme, et souligne avec Sartre et Camus que toute mythification est un asservissement de l'homme. Pour Qohelet, la grande question est : comment ne pas tricher en ne se laissant pas aliéner par des valeurs prétendues éternelles ? Enfin, il souligne que cette radicalité de la mort permet une bonne compréhension de la promesse de l'Évangile sur la vie éternelle qui n'est pas une évasion, ni une négation de la vie actuelle ni une antivie... mais notre vie actuelle dans sa totalisation. Daniel Lys soutient que le thème central est celui du sort, du hasard. Nous sommes, animaux et hommes, des êtres accidentels. Nous sommes nés par hasard. « L'homme n'est qu'incertitude », rappelle-t-il selon Hérodote. Et, pour lui, le thème central de ce verset est le « Qui sait ? ». Personne n'est capable de dire s'il y a une différence, s'il y a une âme de l'animal. Et ceux qui affirment l'immortalité de l'âme chez l'homme doivent la prouver. La philosophie ne peut pas répondre, car tout ce qu'elle peut c'est reconnaître la réalité de la mort... Le « Qui sait ? » doit mettre un point final, montre-t-il, aux discussions qui pouvaient exister au sujet de ces diverses questions. « C'est l'interrogation au sein de l'interrogation. » Elle est modèle d'humilité...

La réalité fondamentale, celle où se situe la relation entre le Créateur et le monde, est inconnaissable et impénétrable. Nous pouvons seulement « savoir » qu'il y a cette action de Dieu, pas plus. « Au jour du bonheur, sois heureux, au jour du malheur réfléchis. Dieu a fait l'un comme l'autre, de façon que l'homme ne sache rien de son avenir » (VII, 14). Le réel est aussi inconnaissable que l'avenir à cause de la toute-puissance de Dieu. « Ce que Dieu fait, l'homme ne peut pas arriver à y accéder. [...] L'homme cherche, cherche, mais il ne comprend pas » (VIII, 17). Ce n'est pas une condamnation de la recherche, de la volonté de comprendre... mais il faut bien d'abord réaliser que si c'est Dieu, le Tout Autre, qui fait, comment pourrions-nous savoir et pénétrer ?

Qohelet donne non pas une leçon de pessimisme, de désespoir, de découragement, pas du tout, simplement la vue claire de ce que peut signifier : « Dieu est au ciel et toi tu es sur la terre ! » La distance. L'incommensurable. L'altérité. La vraie Sagesse est de se laisser instruire par le réel (et c'est constamment la leçon de Qohelet... qui est pourtant celle de la science moderne !) Et la vraie Sagesse ne consiste pas à proclamer droit ce qui est courbé, mais à le connaître, éventuellement savoir l'utiliser au lieu de le changer ! Qohelet ne cherche pas l'origine mais le comment vivre dans ce monde-ci [1]. Il s'attaque aux magiciens et sorciers. Il s'attaque aux faux prophètes (et de nos jours c'est le double courant du faux prophétisme des politiques, et l'*hybris* des techniciens). Apprendre que ce réel ne peut être nié, changé fondamentalement, parce que, dira-t-il : ce que Dieu fait l'est à perpétuité et rien de ce que l'homme fait ne peut atteindre le fond du problème ni changer cette œuvre, à moins de l'anéantir.

Ceci, Qohelet ne le dit pas. C'est moi qui l'ajoute. S'il s'agit d'anéantir, alors, l'homme ne le fait pas seul : il est aidé, sinon guidé par la puissance même du néant. Ainsi, très abruptement, Qohelet nous déclare : « Dieu fait tout » (XI, 5). Nous n'en avons pas fini, car au fond nous voici une fois encore rassurés ; cela correspond bien à ce que nous pensions de Dieu. Oui, mais... il

---

1. Et à ce sujet, Maillot dira parfaitement : « Dieu ne nous a pas donné un système, une Sagesse pour résoudre les énigmes de notre existence, mais Jésus-Christ. L'Existence seule répond à l'existence. La Sagesse n'est pas une pensée ni des concepts, mais une personne : Jésus-Christ » (*op. cit.*, p. 149).

faut lire cette déclaration dans cet ensemble des v. 1-6 : d'une part jette ton pain à la surface des eaux, partage... et ensuite travaille, travaille à tout, « ne laisse pas reposer tes mains, car tu ne sais pas ce qui réussira, ceci ou cela, ou si les deux ensemble sont bons ». Et la déclaration : « Dieu fait tout » se trouve entre les deux. Pleine de force. D'une part, si tu ne fais rien, si tu ne sèmes pas, si tu regardes les nuages, alors : tu ne connaîtras pas l'œuvre de Dieu qui fait tout. C'est étonnant. Dieu fait et cependant, j'ai à faire ! Dieu fera réussir l'une ou l'autre chose, ou les deux. Mais il faut qu'elles soient faites, par moi, par toi ! L'homme ne peut pas ne pas agir puisque Dieu fait tout. Et Paul redira la même chose dans Phil II, 12-13 : « Travaillez à votre salut avec crainte et tremblement *car* c'est Dieu qui produit en vous le vouloir et le faire » (et Maillot raccourcit en disant : car c'est Dieu qui fait tout !).

Si tu ne fais rien, tu seras incapable d'apercevoir l'œuvre de Dieu, parce qu'à la vérité peut-être n'y en aura-t-il pas ! Et tu n'as pas plus à te préoccuper des voies et moyens de cette œuvre par Dieu que tu ne connais « le cheminement du souffle selon les os dans le sein de la femme enceinte ». Mais cette grande déclaration est aussi relative au verset 2 : Distribue ce que tu as, car tu ne sais pas le malheur qui peut arriver sur la terre. Alors nous sommes orientés vers cette référence unique et dernière. Ta vie est inscrite dans le cœur de Dieu (nous y reviendrons). Laisse Dieu prévoir pour toi. Ne l'encombre pas. Laisse Dieu faire son œuvre au travers de toi (mais en effet au travers de *toi,* ton action est nécessaire !). Et nous arrivons à une clé de voûte de toute l'œuvre : tu ne peux pas connaître le détail pratique de ce qui est bien ou pas, de ce qui doit être fait ou non, de ce qui réussira ou non, c'est la mesure de vanité de la Sagesse. Mais tu peux savoir que, globalement, Dieu fait tout.

Dieu fait tout ! Nous voici une fois de plus en présence du radicalisme de Qohelet. Il ne répartit pas entre des choses bonnes qui seraient de Dieu, et d'autres, mauvaises, qui auraient une autre origine. Dieu fait tout. Quelle ironie encore, ou quelle contradiction ! Voici que nous avons passé en revue tout ce qui est absurde, vain, sans signification, et nous faisons naufrage sur ce Dieu fait tout. Non plus, ici, seulement l'œuvre secrète que Dieu fait et que nous ne pouvons pas connaître comme au chapitre III, 11, mais justement, ici, après avoir commencé de la même façon : Tu ne peux pas savoir ce qui se passe dans tous les mystères de la Création (et même si tu le sais, tu n'es pas plus avancé !), nous débouchons sur cette affirmation brutale, presque à la fin du livre ! Tout ce que nous venons de critiquer... Dieu fait Tout. Cela peut être un mur pour nous signifier : « Cesse donc de t'interroger » (et c'est bien dans la ligne de ce passage : Ne te demande pas avec anxiété s'il faut faire ceci ou cela. Tu ne sais pas ce qui réussira, car c'est Dieu qui fait tout). Mais nous ne pouvons pas le limiter ainsi. La déclaration est trop abrupte. Limite : tu ne connaîtras jamais l'œuvre de Dieu. Mais inévitablement pour nos esprits rebelles (et pour l'esprit rebelle de Qohelet qui ne déclare pas ceci en vain), la question : « Donc Dieu fait aussi l'absurde, la folie, le mal, la souffrance. » Et voilà. Il fallait bien en venir là.

Certes, le mal et la souffrance ne sont pas le pivot de la réflexion de Qohelet, contrairement à Job. Ce n'est pas *la* question. Mais, indirectement, si. Lorsqu'il nous place dans cette contradiction : « Tout est Inconsistance. Dieu fait Tout. » D'innombrables philosophies et théologies se sont construites pour répondre à cette impossibilité. D'innombrables questions absurdes du genre de : « Si Dieu fait le Mal, il n'est pas bon. S'il est bon et ne veut pas le mal, il n'est pas tout-puissant. » Ou encore : « Ou bien Dieu est universel, alors le mal est en lui, ou bien le mal existe hors de lui, mais alors Dieu n'est pas Tout ! » Et enfin : « Si la création était bonne, d'où vient le mal, et quand on voit comment marche le monde, on doit se dire que Dieu est un bien mauvais fabricateur. »

Il ne s'agit pas ici, en quelques lignes, de répondre à ces lieux communs ni de prétendre élucider le « problème » du mal ! D'autant plus que nous sommes placés dans la situation horriblement inconfortable de faire de l'apologétique et de devenir des « avocats de Dieu » chargés de justifier l'action de Dieu devant la raison humaine (ce que font les amis de Job, et ce pourquoi ils sont précisément condamnés !) ou encore d'*expliquer cette action* de Dieu, ce qui va directement à l'encontre de toute la révélation de Qohelet ! On peut quand même, en évitant toutes ces sottises, faire quelques remarques : deux qui sont de méthode. La première, c'est qu'il faut éliminer la notion de cause qui hante nos cerveaux : tout a une cause et Dieu est la cause des causes. Logique qui vient de la philosophie grecque, renforcée par la science du XVIIIe siècle, mais qui n'a rien d'hébraïque ni de biblique ; Dieu ne peut pas être considéré comme une Cause. La seconde, c'est que *nous* faisons du mal et de la souffrance un *problème* (qui donc doit avoir une solution logique satisfaisante), alors que précisément la pensée biblique (chez Job en particulier) récuse fondamentalement la formulation du mal en tant que problème. Le mal n'est pas une affaire intellectuelle, mais existentielle. C'est l'*existence* de tout, la Création, l'homme et Dieu qui est en cause, et une réponse philosophique ou scientifique à l'affaire n'a aucun intérêt. C'est le débat central de Job (*je* souffre) et de ses amis (le « problème du mal » se résout ainsi...). Donc, nous devons purement et simplement récuser toutes nos petites questions en tant qu'elles sont de curiosité intellectuelle.

Et maintenant, une remarque de type philosophique : le mal est un élément indispensable pour le fonctionnement de la création. Sans la mort il n'y a pas de vie. La vie se nourrit de la mort. « La création est une grande roue qui ne peut se mouvoir sans écraser quelqu'un. » Et ceci se trouve aujourd'hui largement répercuté dans les sciences. L'idée de désordre (nécessaire pour la création de l'ordre). L'idée de bruit (nécessaire pour la richesse de l'information), etc. Le mal nécessaire, mais précisément Qohelet nous a conduits par la main au travers des méandres, des absurdités du monde et de l'homme, manifestant que, précisément, le mal qui est inhérent partout transforme tout en vanité, fumée, poursuite du vent : cela est un mal dit-il, et non pas la condition heureuse du meilleur des mondes possibles !

Écartons enfin deux « arguments » théologiques, celui du péché originel[1], qui en réalité n'explique rien mais a servi d'oreiller de paresse à des générations, et celui du mal comme punition ou avertissement venant de Dieu, qui est aussi un aspect d'une interprétation impossible à retenir en face des affirmations de Jésus (sur l'aveugle-né, sur les Galiléens massacrés, sur la tour de Siloé, etc.). Donc, rien de satisfaisant. Et en effet, rien ici ne peut être satis-faisant. On ne peut, dans l'existentiel du drame du mal, dire : « Ça y est, c'est assez, on peut s'arrêter, on a trouvé ! » Mais pour nous en tenir seulement à Qohelet (qui a éliminé la discrimination claire d'un bien et d'un mal !), que nous disent ces textes ? Non pas

---

1. Comme dernière étude, je renvoie à la remarquable analyse de Maillot sur le péché, le péché originel et la mort dans son commentaire aux Romains.

que Dieu fait directement chaque événement, chaque circonstance. Le Tout, ce ne sont pas des détails accumulés. Non, ici comme en III, 11, c'est Dieu qui fait *le Tout*, l'Ensemble, la Globalité, l'Universel, le Tout créé... Et, de ce fait, chaque élément ne peut être compris que rapporté à ce Tout, replacé dans l'ensemble de ce Tout. Ceci est constant dans Qohelet... Il faut tout voir en même temps, et ne pas porter un jugement sur ce Dieu qui tient le Tout. Car nous, précisément, nous ne le connaissons pas.

La seconde grande leçon de Qohelet, c'est qu'il s'agit ici comme en III, 11, d'insister sur le « faire » et, ici par exemple, le « fait Tout » vient en conclusion du : Tu ne sais pas où tombera l'arbre, tu ne sais pas quel est le chemin du souffle, tu ne sais pas comment se forme le fœtus (et si tu le sais aujourd'hui cela n'enlève rien au mouvement de la pensée...). De même, tu ne connais pas le *processus* selon lequel Dieu fait Tout. L'accent n'est pas mis sur « beaucoup de choses » mais sur la totalité, et sur faire, œuvrer. Autrement dit, simplement : « Mes voies ne sont pas vos voies, mes pensées ne sont pas vos pensées. » Mais je crois que si l'on considère notre texte dans son entier, il dit aussi que nous ne savons pas quelle est la relation de chaque circonstance avec tout l'univers (le principe de non-séparabilité des physiciens modernes ?). Comment donc pourrions-nous juger ? Et ici nous retrouvons : comment distinguer la folie de la sagesse ?

Ainsi, restant dans la ligne de Qohelet, nous n'avons pas répondu au « problème » du mal, mais nous avons tracé notre limite et notre impossibilité. Forcément, en tant que chrétien je suis attiré par une autre dimension, qui n'est ni une réponse ni un apaisement. Ce Dieu qui fait le Tout, c'est ce Dieu qui s'est donné à connaître, qui s'est lié à l'homme, et pour le chrétien ce Dieu qui s'est donné en Jésus-Christ. Il a tout fait dans le sens du : « Tout est accompli », et non pas dans le sens de : « la machine est montée ». Bien entendu, Qohelet ne parle pas de Jésus-Christ ! Mais je crois que le Dieu de Jésus était bien le Dieu de Qohelet, et pas seulement celui d'Abraham et de Moïse. Et si ce Dieu était celui de Jésus, alors la relation est à double sens. Car le Dieu que désigne Qohelet a voulu être celui de Jésus. Celui qui a tout fait en et par Jésus. Mais s'il en est ainsi, tu peux jeter ton pain... car ton avenir est déjà assuré, déjà joué dans l'acte accompli par Dieu en Jésus-Christ. Cet avenir est déjà choisi par Dieu pour toi, il est assuré dans ce fait que Dieu a donné son Fils unique. Voilà notre avenir. A condition de savoir que ce n'est pas moi qui franchis par mon pouvoir ou ma sagesse la frontière de la mort. Tu peux donc avancer, sans crainte, sans angoisse, sans désespoir dans le sort commun de tous les hommes, dont parle si rudement Qohelet. Mais aussi dans l'histoire unique qui est la tienne (et dont aussi Qohelet se préoccupe !), en te libérant chaque jour des « richesses injustes », parce que maintenant tu as été placé dans ce Tout que Dieu a fait, et pour ta part tu as choisi ce qui précisément ne peut pas t'être enlevé. Comme l'on comprend alors un des seuls traits de lumière dans notre obscurité, lorsque nous lisons : « Il ne songe guère aux jours de sa vie, parce que Dieu l'occupe à la joie de son cœur ! » (V, 19). Il s'agit certes de l'homme qui a des richesses et qui jouit de son travail, mais cela va bien au-delà ; ce n'est pas cette banalité : aux jours du bonheur on ne songe ni à la mort ni au malheur à venir, c'est bien plus fort : c'est *Dieu qui l'occupe à la joie de son cœur*. Ce n'est pas seulement un bonheur humain, mais la plénitude du don de Dieu qui emplit le cœur humain de joie précisément quand il sait que cela est don de Dieu.

2. *Contradiction*

Nous voici placés à nouveau devant le « malgré tout ». Car cette joie, cette confiance il s'agit de les vivre malgré la réalité. Les justes qui meurent, les méchants qui sont récompensés ou loués par les hommes, la vie qui est vanité, et pourtant, nous l'avons déjà rencontré (VIII, 10-13 et 17) : « Bien que je sache, moi... » Mais quelle que soit la Sagesse de l'homme, il ne peut pas sonder l'œuvre de Dieu : « J'ai vu concernant l'œuvre de Dieu que l'homme ne peut pas découvrir l'œuvre qui se fait sous le soleil, et l'homme se fatigue à chercher et il ne trouve pas. » Donc ce n'est pas dans le domaine de la connaissance, de la science, ni de la philosophie que peut se situer la relation à Dieu. Il faut autre chose (et forcément, nous penserons à la foi !) qui se dessine en creux dans toute la description de l'Ecclésiaste, éliminant progressivement ce que nous croyons savoir, ce que nous croyons tenir, ce que nous donnons comme sens à notre vie ! Une autre relation à ce Dieu qui est autre que ce que nous pensons. Mais qui nous apparaît comme une étonnante compensation. Je dis ce mot exprès, parce qu'il est justement l'accusation portée contre la foi ! Chercher une compensation à ce qui nous manque. Mais voici, elle n'est pas du tout ce qu'une futile controverse donne à croire, et la « compensation » n'est ni une solution, ni un équilibre, ni une réponse, ni un contrepoids... car justement nous voudrions avoir tout cela, et ce Dieu dont parle Qohelet est... autre ! J'en trouve le modèle dans le grand poème sur le temps (III, 1-11) :

« Il y a pour tout un moment
et un temps pour toute chose sous les cieux :
temps pour enfanter et temps pour mourir ;
temps pour planter et temps pour arracher le plant ;
temps pour tuer et temps pour guérir ;
temps pour abattre et temps pour bâtir ;
temps pour pleurer et temps pour rire ;
temps de se lamenter et temps de danser ;
temps pour jeter des pierres et temps d'amasser des pierres ;
temps pour embrasser et temps pour s'abstenir d'embrasser ;
temps pour chercher et temps pour perdre ;
temps pour garder et temps pour rejeter ;
temps pour déchirer et temps pour coudre ;
temps pour se taire et temps pour parler ;
temps pour aimer et temps pour haïr ;
temps de guerre et temps de paix.

Quel profit celui qui fait quelque chose a-t-il à travailler ? J'ai vu le souci que Dieu a donné aux fils d'homme pour qu'ils s'y occupent. Il a fait toute chose belle en son temps, et en plus il donne dans le cœur des hommes le désir de l'éternité sans que l'homme puisse déceler l'œuvre que Dieu a faite du commencement jusqu'à la fin [1]. »

_____

1. Ce texte a provoqué de grandes divergences de traduction. Ce qui est certain, c'est qu'il y a ici trois mots hébreux visant tous trois le temps. Le premier, en III, 1a, est déjà contesté quant au sens, certains (Dhorme) y voient la désignation du moment, d'autres (Lys) au contraire une durée (une saison). Le second (v. 1b-8) désigne précisément un moment, une occasion (mais je préfère : « un temps », car ce mot correspond bien à ce sens). Enfin, le troisième concerne l'éternité (v. 11),

221

Je crois qu'il ne s'agit nullement ici d'une méditation sur le temps, mais, comme souvent, d'une opposition présentée entre une réalité fondamentale de l'homme et le plus fondamental encore qui est de Dieu. Entre l'occasion, le moment, l'enchaînement des moments, des temps, et puis le désir d'éternité, qui vient de Dieu. Il nous faut méditer ce grand texte riche d'un extraordinaire enseignement. Il commence donc par affirmer qu'il y a une saison pour tout. Et je crois qu'il faut l'entendre dans deux sens. D'abord, comme l'a si bien noté André Bouvier, « il n'y a pas de temps pour rien ». Ainsi Qohelet nous redit encore qu'il n'est pas un nihiliste, il ne vante pas le rien. Il ne préfère pas le rien aux activités de l'homme! Certes non! Il déclare simplement qu'il n'y a aucune place pour ce rien. Pas de place dans la vie, pas de place dans le temps. L'homme n'a pas à se vouer à cette néantisation, négation, autodestruction. Certes, tout est *hevel,* vanité, fumée, non pas néant.

Ensuite, c'est qu'il y a *toujours* un temps possible pour les innombrables activités de l'homme. Il y a toujours une place pourvu qu'il y ait action, et que toute réalité, toute action reçoit son temps[1]. Et cela encore peut être dédoublé. D'abord, en effet, quelle que soit l'œuvre en question, il y a un temps possible[2]. Et

---

encore, nous le verrons, ne faut-il pas mettre sous ce mot ce à quoi nous sommes habitués...

Ce texte a aussi donné lieu à l'imagination tortueuse des exégètes! Un exemple : « les pierres », ce serait une tactique de guerre qui consiste à ramasser des pierres pour les jeter dans le camp ennemi! Quant à Lauha, il assimile le « temps » à la fatalité! L'homme n'est libre en rien et ses possibilités sont réduites par des murs infranchissables!

1. Maillot, en appliquant aux temps modernes, en tire d'abord la leçon qu'il faut savoir prendre le temps. Que le chrétien a tort de toujours dire : « Je n'ai pas temps. » « Sans se rendre compte qu'ils transforment le temps restitué, racheté par le Christ pour eux en un temps perdu. Le Christ est avant tout un homme qui a retrouvé le temps. Le temps d'être un homme parmi les hommes [...] ; un chrétien a *tout* le temps! Il ne faut pas " manquer de temps "... » Et il y a une dénonciation de l'activisme qui justement ne sait plus trouver le temps de rien...

2. Comme D. Lys le fait remarquer, s'il y a un temps favorable à chacun de ses actes, c'est que les moindres choses ne sont pas exclues du temps offert à l'homme, que chacune y a son poids possible (ou son insignifiance), mais aussi que la liberté n'est pas totale puisque, pour ses actes simples, il faut quand même le moment adéquat... (*op. cit.,* p. 330). Von Rad montre bien que le terme employé signifie : le temps opportun, l'occasion et la possibilité. Mais cela va plus loin que la simple

quand nous entreprenons ceci ou cela, il faut savoir qu'il y a ce temps. Mais aussi, sur le plan personnel, nous avons à nous souvenir sans cesse que *nous,* chacun de nous, avons du temps. Si âgé, si malade que nous soyons, il faut maintenant être rassuré : il y a un temps pour toute œuvre sous le soleil. Dis-toi : « Tu as du temps devant toi. » Exactement le temps que Dieu donne à chaque œuvre. Et après tout, si tu as commencé et que tu meures avant la fin, cela peut être fini par un autre. Tu ne sais pas. De toute façon (nous l'avons vu !) tu ne connais pas ton héritier ! Mais Paul reprend ceci indirectement en proclamant : Paul a planté, Apollos a fait pousser, et c'est Dieu qui a donné le fruit. L'important ce n'est ni Paul ni Apollos, mais Dieu ! Et justement, c'est Dieu qui apprécie chaque œuvre et lui donne son temps ! Voilà donc un premier bouquet de leçons que nous avons à entendre.

Vient alors la grande séquence des vingt-huit possibilités d'œuvres. Des quatorze couples. Et l'on est tenté de penser à $28 = 7 \times 4$, c'est-à-dire une totalité sans faille et sans adjonction possible de tout ce que peut faire l'homme. Et après tout, cela ne semble pas tellement faux. Dans l'ordre des actions et des sentiments, on peut chercher quoi ajouter à ces vingt-huit points. Toute la vie de l'homme, toutes ses activités se ramènent exactement à ces vingt-huit « ouvertures ». Sans doute trouverons-nous que « ramasser des pierres » n'a guère d'importance, ni en jeter.

Nous aimerions cependant encore une fois dire qu'il y a bien plus de nos jours ! La science (mais il y a un temps pour *chercher,* un mot qui vise toute recherche), et la technique (mais il y a un temps pour *construire,* et un pour guérir, et un pour coudre, et un pour tuer... toutes activités éminemment techniques), et l'accumulation du capital ? Toute l'économie ? Or, c'est justement ici le sens de « amasser » des pierres... Pourquoi ne s'agirait-il pas en réalité d'accumuler (or, argent) et de constituer un capital ? L'important

---

observation d'un temps favorable aux semailles ou à la moisson : il y a des temps « mauvais », aucune chance n'est donnée à la parole (Amos V, 13). Mais aussi, ce texte nous apprend deux choses, selon Von Rad : ce qui était une limite peut devenir une occasion (savoir discerner le bon moment), et si l'homme est appelé à reconnaître les temps fixés par Dieu, cela ne signifie pas « prédestination déterministe » mais au contraire : savoir ce qui vient de Dieu et ce qui implique la liberté de l'homme.

n'est pas le mot pierre mais le mot : amasser [1], et « garder » peut très bien viser l'accumulation... d'argent ! Bien entendu, je ne tiens pas essentiellement à ces extensions. Elles me paraissent évocatrices. Et nous avons déjà rencontré « Rien de nouveau sous le soleil ». Quant à l'activité politique, elle me paraît tout entière dans la guerre et la paix ! Et pour les sentiments ou les événements de la vie de l'homme, quoi d'autre que naître, mourir, pleurer, rire, se lamenter, danser, s'unir, se séparer, se taire, parler, aimer, haïr. Je crois que tout est dit. Je crois que tout l'homme, toute société, toute époque est à l'intérieur de cette vue de Qohelet.

Il me semble que là encore nous avons à recevoir deux leçons. La première, c'est que nous n'avons pas de jugement moral à porter. Le sage ne nous dit pas : il est bien de faire la paix ou d'aimer, il est mal de faire la guerre et de haïr. Il constate que telle est toute la réalité de la vie de l'homme. Il constate qu'il y a un temps pour chacune de ces activités, chacun de ces sentiments. Il ne juge pas. Il ne conseille pas. Dieu a donné un temps à chaque chose. Qu'elles nous paraissent bonnes ou mauvaises, nous avons à les prendre en compte, nous avons à ne pas les oublier. La guerre est là. Elle a eu, elle a, elle aura son temps, son occasion, sa saison. Si vous voulez considérer l'homme, il faut *tout* considérer. Car Dieu, lui, considère tout.

Incidemment, je voudrais remarquer qu'à notre époque on considère plutôt, on exalte de préférence l'aspect que nous pouvons juger ici négatif. Regardez. Écoutez nos œuvres d'art, il n'y est question que de mort, de destruction, de désintégration, de ruptures, de déchirures, de haine et de guerre. Tout film, toute émission de télé contient cela. On dit : mais c'est que le monde est comme ça. Qohelet sait mieux : bien sûr, le monde est comme ça, et puis exactement le contraire ! Il ne faut oublier ni un cheval ni l'autre. Sans quoi on est menteur. Et notre « information » est menteuse ! Ces couples sont contradictoires. Cela veut dire, nous

---

1. J'ai été très heureux d'apprendre dans D. Lys que mon intuition à ce sujet n'était pas fausse ! Le verbe employé pour « amasser », déjà employé dans l'Ecclésiaste au chapitre 2, 8 et 2, 26 a pour objet l'or et la richesse, et que cela est son sens le plus normal ! Et, en outre, le sens n'est pas de ramasser quelque chose par terre mais d'accumuler, de thésauriser, de vouloir posséder en quantité (*op. cit.*, p. 329). Ce qui d'ailleurs manifeste le caractère dérisoire de ces actions de l'homme lorsqu'elles visent... des pierres !

l'avons vu, qu'il y a place pour l'un et l'autre, et qu'il en sera toujours ainsi. Tout cela est dans l'ordre du temps des choses possibles.

Ainsi, non seulement il y a là une récusation des choix moraux, ou de la possibilité d'établir une morale à partir de données de fait, mais ces versets ferment la porte à nos prétentions de choisir telle ou telle action, telle conduite, pour *leur valeur propre*. Cela ne peut être ni en considérant le fait à l'intérieur de lui-même avec ses propres critères (la science par exemple) ni en le situant dans l'histoire que nous pouvons établir leur excellence. Il n'y a aucune supériorité à planter plutôt qu'à arracher, à rire plutôt qu'à pleurer. Ce texte exclut qu'un acte ait son sens en lui-même, ait une valeur en soi, et qu'il puisse être considéré de façon permanente comme meilleur. Il nous est donc interdit de prendre au sérieux de façon absolue une action, une réalité données, particulières. Même si nous les jugeons excellentes. Nous préférons guérir que mourir, mais il y a eu des civilisations de la mort. Nous préférons la paix à la guerre. Mais c'est une affaire purement particulière en un siècle et un temps donnés. Sparte ou les nazis préféraient la guerre à la paix. Ainsi se trouvent exclus nos jugements de valeur éternels et définitifs ! Même une morale de l'instant ou de l'ambiguïté devient impossible et non fondée quand on tente de lui donner une base naturelle, car nous ne sommes pas seulement ici livrés à la succession des temps ! Mais aussi bien cela ferme la porte aux significations secondes, intellectuelles, esthétiques, au-delà de l'éthique, que nous pourrions ajouter à l'action ou trouver en elle ! Et cependant, il faut redire sans cesse que cette affirmation rigoureuse n'est pas celle d'un sceptique. Elle ne conduit ni à l'indifférence (tout égale tout, n'importe quoi...) ni au désespoir (à quoi bon ?). Car il se conclut dans notre perspective : *Dieu a fait toute chose belle en son temps*. Ainsi chaque chose, quelle qu'elle soit, vaut la peine d'être vécue. Oui, même la mort. Et cela nous scandalise. La guerre. La rupture. Les pleurs. La haine... Ce n'est pas possible ! Même la mort vaut la peine d'être *vécue* (d'où l'importance de la question posée de nos jours lorsque se produisent l'acharnement thérapeutique et le véritable internement du mourant à qui on fait totalement perdre conscience de sa mort...).

Rien n'est absurde, rien n'est inacceptable. Chaque chose, c'est dur à dire et à entendre, est faite par Dieu belle et valable. C'est un défi à notre jugement, à notre sentiment, et quand on songe à la réalité du monde moderne, on est obligé de se dire : Mais comment a-t-on pu soutenir une folie pareille ? Nous allons y revenir. Mais par ailleurs, cela peut être un extraordinaire encouragement, dans la mesure où ce sont aussi les choses que *nous* faisons qui sont ainsi qualifiées. Une fois encore, nous recevons cet encouragement. Ce ne sont pas seulement les choses que Dieu fait, mais les nôtres qui sont rendues bonnes, belles, valables, par Dieu, et cela doit être justement un encouragement à faire tout ce que notre main trouve à faire...

Il faut enfin accueillir chaque nouveau moment, chaque nouvelle aventure, chaque nouvel accident, avec cette certitude qu'il y a là aussi une validité et savoir la découvrir. Car elle y est. Ainsi un total esprit critique, mais aucun pessimisme ! Toutefois, il y a cette limite remarquable : chaque chose est faite belle *en son temps,* qui correspond à : il y a un temps pour chaque chose. Et ce temps est un don de Dieu, fait partie du don. *Un,* pas n'importe lequel. Cela paraît une évidence : il y a un temps pour planter, bien sûr. Comme au bout de neuf mois il y a un temps pour enfanter... Mais voici que nous devons l'entendre de tout le reste. Il y a aussi un temps non plus seulement « naturellement » favorable, mais mystérieusement, miraculeusement, un temps pour pleurer, un temps pour déchirer et même un temps pour haïr et pour faire la guerre... Et je crois justement que Qohelet ne parle pas de la bonne saison pour planter, de l'observance de cet ordre naturel, mais *du discernement du temps que Dieu a imparti à cette action.* Et je crois qu'alors nous rencontrons deux orientations.

D'abord le temps où la chose est belle est un temps de Dieu. Et dans son action cet homme doit essayer de trouver comment faire lui-même, dans son temps, l'œuvre voulue belle par Dieu dans le sien. Comment discerner le temps de Dieu ! Comment faire une œuvre juste au moment où elle est rendue belle par Dieu, et où il reprendra cette œuvre pour l'assumer, et comment exprimer même dans les moments « négatifs » cette beauté de Dieu. Il y a des morts qui sont ainsi. Donc tout n'est pas à faire n'importe quand, n'importe comment, nous sommes appelés au discernement. Comment choisir parmi les possibilités qui s'ouvrent celle qui, non pas entre dans le plan de Dieu, mais sera transformée par lui de telle façon qu'elle devienne belle et puisse participer au Royaume ?

Or, cela est d'autant plus difficile sinon impossible que le temps de Dieu, nous ne le connaissons pas. Mais nous n'avons pas à nous plonger dans des scrupules et des affres de conscience. C'est ainsi et pas autrement. C'est une possibilité qui est toujours ouverte devant nous et doit nous emplir de courage au lieu de nous paralyser.

Il ne faut pas non plus, envers Dieu, faire comme celui qui ausculte le ciel, qui calcule le vent pour trouver l'occasion naturelle favorable, et qui, bien entendu, pendant tout ce temps ne fait rien ! Mais la dernière certitude qui nous vient de ce texte c'est que, « en son temps », cette beauté qui vient de Dieu ne peut être discernée que par celui qui accomplit la chose, qui la vit à ce moment-là, qui y participe totalement, et non pas, jamais, par celui qui reste à l'extérieur et qui la voit seulement, qui la regarde, qui, encore pire, n'en a que le spectacle (télévisé !). Aucune chose n'est jamais belle pour celui qui y est étranger. Il n'y a pas de beauté objective et dans une sorte de curiosité ou d'indifférence.

Je pense à une phrase admirable de la liturgie de Pomeyrol au sujet de : Heureux ceux qui ont le cœur pur car ils verront Dieu... : « Leurs yeux ouverts, ils voient Dieu en tout. » Il faut avoir le cœur assez pur pour le voir et discerner son action. Mais tout, en ce temps choisi par Dieu qui devient le temps de cette chose, qui est décidé par Dieu, a sa beauté [1].

Nous avons essayé de montrer le sens du caractère contradictoire et en apparence paralysant de ces « couples ». Mais il faut faire une autre remarque : il y a dans chacun un positif et un négatif, ce qui fait qu'il apparaît finalement une annulation. Ainsi ces couples en quelque sorte s'annulent ! pleurer, rire, chercher, perdre, etc. (Pas tout à fait cependant car tuer n'est pas compensé par guérir...). Et ces compensations sont parfois positives, parfois négatives ; négatif : planter/arracher, embrasser/se séparer, chercher/perdre, garder/jeter, aimer/haïr, mais parfois positif : tuer/guérir, abattre/bâtir, pleurer/rire, se lamenter/danser, déchirer/coudre, guerre/paix. Je laisse de côté : enfanter/mourir, jeter et amasser des pierres, se taire/parler... pour des raisons que l'on entendra

---

1. Au sujet de la guerre, j'ai cité ailleurs une leçon de Pierre Maury qui m'avait scandalisé quand j'étais jeune, me disant que c'était pendant la guerre de 14-18 qu'il avait vu les actes les plus admirables, de dévouement, de solidarité, de pitié, d'amitié, de courage, de capacité à dépasser la haine... oui, même la guerre !

aisément ! Donc, il ne dit nullement que tout ce que nous faisons est voué à l'échec ou à l'annulation. Il dit aussi bien l'inverse : tout ce que nous détruisons sera reconstruit. Ce que nous jugeons mauvais finira par déboucher heureusement... Travaux contradictoires, mais travaux quand même ! Et, comme disaient autrefois les gens de ma région, « de toute façon, faire et défaire, c'est toujours travailler ».

Malheureusement, il n'y a pas de solde positif ou négatif. Dans la vie et dans l'histoire de l'homme tout se compense. Et dès lors, après ce panoramique, on comprend la question qu'il peut poser (v. 9) : Quel profit finalement y a-t-il à se donner tant de mal, à tant travailler ? De toute façon, sur le plan de l'humain, de la civilisation, de l'histoire, il ne reste rien, de positif ni de négatif. Pas de profit. Ni pour celui qui fait la guerre, ni pour celui qui fait la paix. Pas d'avoir qui tienne sans son contraire, et pas même, nous l'avons déjà vu, une trace historique éternelle et indiscutable. On a oublié ceux qui sont d'hier. On a oublié ceux qui ont amassé ou perdu, ri ou pleuré...

Mais ne perdons pas de vue ce que Qohelet nous a dit indirectement : il n'y a pas de temps ni d'occasion pour le rien [1]. Or, il exclut en même temps le mouvement dialectique auquel on pourrait être tenté de se rapporter ! Quand il présente ces quatorze couples contradictoires, il ne donne absolument pas ouverture sur un *mouvement* qui serait l'histoire et qui ordonnerait un progrès. Il y a un temps... c'est comme ça. Ces temps se succèdent. Il n'y a ni logique ni combinaison. Et je crois que c'est aussi pour cela qu'il n'y a pas un ordre constant dans cette énumération (soit allant toujours du positif vers sa négation, soit l'inverse), il n'y a pas non plus de troisième terme (aboutissement ou synthèse) et il n'y a pas davantage progression dans l'énumération, on a l'impression que ces couples sont écrits « au fil de la plume ». Alors... eh bien, ce qui m'impressionne, c'est justement ce refus de se faciliter les choses, de les « expliquer » artificiellement. Évidemment, en tant que chrétien, je suis alors tenté de viser au-delà et d'entendre,

---

1. Il va de soi que je suis en désaccord total avec Dhorme quand il écrit que tout ce texte veut dire que « l'homme est le jouet des événements et qu'il est incapable de saisir le sens de ce que Dieu fait ». En tout cela au contraire, c'est bien l'homme qui agit et vit : il n'y a pas d' « événements » sans l'homme !

après cette honnête et rigoureuse série, annoncer la récapitulation de toute chose. C'est-à-dire que tout ce qui a été l'objet de l'histoire humaine sera finalement réuni, réintégré dans l'ensemble appelé Jérusalem Céleste, parce que tout vient se situer dans la mémoire de Dieu, rien n'est perdu *pour lui,* et ce qui nous est promis c'est cette récapitulation par Jésus-Christ qui fera apparaître le sens de tout ce que furent chaque œuvre et chaque vécu de chaque homme et de tous [1]. Assurément, ceci est l'intervention de la proclamation d'espérance chrétienne. Ce n'est pas dans notre texte. Celui-ci nous laisse dans l'expectative qui est *tout* ce que nous pouvons savoir et vivre. Cependant, il ne nous laisse pas uniquement dans cette expectative, car il pointe aussi vers un ailleurs avec les deux affirmations qui (à mon sens!) le concluent!

Dieu fait deux dons à l'homme. Il lui donne du souci (j'ai vu le souci [2] que Dieu a donné à l'homme... et ensuite une grande diversité de traductions : pour qu'ils s'en soucient, pour qu'ils travaillent, pour qu'ils s'y occupent). Et puis : Dieu a donné le désir de l'éternité.

Le souci de l'homme! Comme il est insupportable. Et pourtant, de façon certaine, Qohelet nous dit, au moins à deux reprises, que c'est Dieu qui donne le souci à l'homme : les traductions sont souvent embarrassées ici. Préoccupation — occupation. Mais il semble bien qu'il s'agisse pourtant vraiment du souci en (I, 13) et (III, 10). Mais pas n'importe quel souci. Il est évident que ce n'est pas du tout celui dont Jésus, dans le Sermon sur la Montagne, nous recommande de nous débarrasser. Souci de la vie matérielle, anxiété pour le lendemain, préoccupation des affaires et de la vie économique... Non, ce n'est en rien un don de Dieu, alors. Tout au contraire! C'est l'enfermement de l'homme dans une prison, une torture intérieure qu'il s'invente à tort, mais que la foi doit nous apprendre à laisser de côté. Vivez sans ce souci-là. Mais non pas

---

1. J'ai longuement développé ceci dans *Sans feu ni lieu* et dans *L'Apocalypse, architecture en mouvement.*
2. Ou bien : le travail, l'occupation, etc. Mais tous ces mots comportent une consonance de *préoccupation* et de *souci.*

comme l'inconscient, non pas comme l'insouciant ou l'indifférent !
Dieu nous demande bien d'être présent à ce monde. Et il fait don à
l'homme de *ce* souci !

Nous en voyons d'abord l'aspect « réflexion, philosophie,
Sagesse ». Je me suis mis à étudier et examiner par la Sagesse tout
ce qui se fait sous les cieux (donc la forme critique et cognitive !).
C'est un souci difficile (mauvais, dit l'un, malin, dit l'autre...) que
Dieu a mis dans le cœur de l'homme. Pour être vraiment homme,
on ne peut pas faire autrement que de tenter de regarder,
comprendre, examiner, analyser toute la réalité, et c'est un lourd
souci. Mais ça vient de Dieu. C'est même un *don* de Dieu : chose
étonnante. Et qu'il faut situer. Il me semble que cela dérive de la
rupture de l'homme Adam avec Dieu. Si cet homme séparé de la
source de vie et de vérité était tombé dans l'inconscience, la mé-
connaissance du réel, s'il n'avait pas exercé la distanciation
critique, il serait très exactement devenu un animal, avec les deux
disqualifications que Dieu refusait : absence de liberté, absence
d'amour. Bien loin d'être comme un Dieu, il aurait régressé en
perdant l'esprit. Le don de Dieu, c'est cette intervention de
l'intelligence et du souci de comprendre. Situé dans la « connaissance du bien et du mal », c'est l'aptitude à devenir autre qu'une
expression du Malin !

Cette connaissance, à son tour, permet de différencier le « bien »
et le « mal » que le Malin prétendrait nous apporter, du véritable
bien, qui est communion avec Dieu. Toujours la question critique.
Et voici que Qohelet nous déclare que cela ne conduit qu'à
constater la vanité. C'est parfaitement cohérent, l'homme s'engage
dans mille voies, cette intelligence spécifique donnée par Dieu qui
est un lourd souci pour l'homme permet de les examiner et l'on
conclut... Le sens de tout ce qui se passe nous échappe mais nous
avons sans cesse le souci de le saisir. Il y a un désir infini de
comprendre. Le pire serait, comme le dit Kierkegaard, de proclamer : « Eurêka ! » Et la souffrance, dit-il encore, vient moins du
savoir que de ne pas arriver à savoir ! Car ce savoir insaisissable
(Sagesse et science) porte à la fois sur : comprendre et sur : vivre.
Or, c'est pratiquement la même chose qu'il répète dans notre
texte : J'ai vu le souci que Dieu a donné aux fils de l'homme pour
qu'ils s'en chargent (III, 9). Et ce souci, c'est précisément de
constater que toutes les occupations peuvent être légitimes (pour-

tant ne vaut-il pas mieux la paix que la guerre, aimer que haïr !). Tout dépend du moment ! Le souci, c'est de constater que de l'immense labeur contradictoire des hommes ne sort finalement aucun profit. Mais savoir ces deux choses, c'est positif ! C'est précisément ne pas aller dans l'inconscience de ce que l'on fait. C'est bien un don de Dieu, même s'il est plutôt rude, amer et s'il nous ébranle en profondeur.

Quant à l'autre don, qui achève sur une explosion de lumière, aussitôt maîtrisée, cette dure Sagesse : « Il a mis dans le cœur de l'homme le désir de l'éternité[1]. Sans que l'homme arrive à découvrir ce que Dieu accomplit du début à la fin. » Je pense que cette proclamation que Dieu met dans le cœur de l'homme le désir de l'éternité est à la fois conclusive et récessive. Conclusive en ce que avoir constaté que l'homme se livre à une multitude d'occupations diverses, contradictoires, dont chacune a un temps mais n'a qu'un temps (est forcément temporaire !), nous conduit à constater que cet homme n'est jamais satisfait de ce qu'il a accompli, recommence indéfiniment, et puisque planter ne l'a pas satisfait, alors il faut abattre, et puisque déchirer ne l'a pas satisfait, alors il faut coudre...

Cette insatiable activité vient de ce que l'homme désire autre chose, enfin quelque chose qui serait stable, comme avec le désir de la Sagesse, il aspire à quelque chose qui serait bon et vrai. Quand on a constaté cette variabilité de l'histoire et des civilisations, comment ne pas conclure qu'il y a dans le cœur de l'homme quelque chose qui est en permanence insatisfait. Un désir d'éternité. Mais cette déclaration est en même temps récessive, dans la mesure où c'est à partir de ce désir d'éternité que nous mesurons ce qui est fugace, ce qui a un temps mais n'a que cela, et qui ne peut

---

1. Je conserve la traduction traditionnelle, malgré la très grande diversité des traductions : celles qui suppriment le « désir » ou le « sens » pour dire : mettre dans le cœur de l'homme *l'éternité* (mais ceci me paraît dangereusement orienter vers l'immortalité de l'âme que Qohelet récuse) ; celles qui interprètent *olam* par « monde » (Barucq) (démontré inexact par Neher) ; celles qui remplacent éternité par secret (Maillot) (il a mis dans le cœur de l'homme le secret sans lequel l'homme ne peut découvrir l'œuvre de Dieu, ce qui me paraît aller à l'encontre de la tension contradictoire de Qohelet). Tout cela me paraît bien moins en concordance avec l'ensemble... Delitzsch conserve le « désir de l'Éternité », très critiqué par Lauha qui trouve que cette formule est un « anachronisme idéaliste » !

nous satisfaire, non parce que c'est contradictoire mais parce que tout fuit entre nos mains. C'est à cause de ce désir-là, de cette pensée de l'éternité, peut-être de cette espérance-là qui vient de Dieu que nous exigeons sans cesse un amour qui serait éternel, une vie qui aurait un sens que nous voudrions peut-être absolu, et que nous sommes tentés de mépriser ce qui est relatif.

Or, voici que c'est Dieu qui en même temps et de la même façon donne à vivre des choses relatives, comme bonnes (et nous n'avons pas à les rejeter !) et qui place dans le cœur ce « temps caché », ce désir d'éternité [1]. Ce double mouvement de Dieu semble contradictoire, mais en réalité c'est une question qui nous est posée. Une question que chacun de nous doit entendre comme je l'ai entendue, et c'est une question que Dieu pose lui-même dans cette contradiction de notre être. Mais alors, vraiment, la réponse est hors de ma portée. Elle n'est pas dans la Sagesse, et tout le reste est vanité ! Dieu seul peut donner la réponse. Et si c'est une question que Dieu pose en nous, alors c'est aussi en nous que Dieu répond. Je rencontre Jésus-Christ. Dieu en l'homme dans cette contradiction. Mais rappelons-nous toujours que cette réponse-là n'est ni métaphysique ni théologique !

Elle n'est pas donnée dans la généralité, dans l'absolu, dans l'abstraction. Elle n'est pas la solution d'un problème ! Cette venue de Dieu dans un (un seul !) homme est un événement précis et

---

1. On peut alors avancer prudemment une hypothèse au sujet de cette affirmation : « Ce qui a été, c'est ce qui sera », et au sujet de ces mouvements circulaires qu'il décrit au chapitre I. Nous avons déjà dit qu'il ne s'agit pas de temps cyclique, contrairement à l'apparence. Mais, bien plus, n'est-il pas possible d'avancer qu'il y a là l'expression de la permanence, du non-changement à partir de la vue, du désir, de l'impatience de l'éternité ? Remarquons en effet que, dans ces textes mêmes, il y a les éléments de permanence : une génération vient, une génération s'en va — *la terre subsiste à perpétuité* — l'eau circule sans cesse, les fleuves, etc., *et la mer n'est jamais comblée*. Il n'y a rien de nouveau et cependant l'œil n'est *jamais rassasié*. L'oreille n'est *jamais comblée*. Ce sont les expressions de ce désir d'éternité, et c'est cela qui donne la clé de ce : « Rien de nouveau sous le soleil », et non pas l'idée simpliste d'une philosophie du temps cyclique. Quant à Nothomb, il rattache ce désir d'éternité à son interprétation de la « poussière », qui est promesse d'éternité, et qui fait que « l'homme qui se sait mortel se sent immortel », et que au-delà de l'instinct sexuel ou de l'instinct de conservation il y a l'instinct d'éternité qui donne à l'homme le sentiment qu'il est invulnérable, et que « nous ne croyons jamais à notre propre mort ».

localisé, une réalité qui se situe aussi dans le temps. Et qui ordonne le temps, et lui donne un sens. Et notre rencontre avec Jésus-Christ est un événement précis et localisé, un moment de l'Histoire et un moment de notre histoire personnelle qui se situe au milieu de ces choses diverses et contradictoires qui constituent notre vie. Et c'est à partir de là, à partir de cette réponse que Dieu donne en son Fils à notre désir, que nous avons à vivre concrètement.

C'est ainsi que les deux mouvements de notre texte se rejoignent, car c'est dans chacun de ces moments, que Dieu fait beau en son temps, qu'à la fois joue la mise en question par le désir d'éternité, et à la fois intervient la présence du Christ vivant, qui n'est pas un phénomène stupéfiant et miraculeux. Elle est vivante, c'est-à-dire présente dans les fluctuations de la vie. En définitive, cette soif d'éternité n'est rien d'autre que la poursuite de la vie ! « Face à la mort inévitable, la vie elle-même est une contradiction, car la vie veut vivre et non mourir. La *soif de la vie est soif d'éternité* » (Moltmann[1]). Et l'une se trouve inséparable de l'autre !

Une note pour terminer : il ne faut pas faire d'erreur au sujet du mot éternité. C'est pour éviter cette erreur que beaucoup de traducteurs affaiblissent la traduction. Mais je crois que c'est priver le texte de sa force et le remède me semble pire ! Il ne faut pas charger ce mot « éternité » de notre conception, de toute la métaphysique de « l'idée » d'éternité, construite à partir d'une opposition entre temps et éternité. Ce n'est pas la perspective d'une entrée dans un inconnu ni d'une dimension inconnaissable et impensable pour l'homme. Ce n'est pas l'infini au sens grec ni un « éternel présent », mais une durée indéfinie. Il n'est pas question d'une immobilité ni d'un arrêt du temps[2] et d'une entrée dans un

---

1. Moltmann, *Trinité et Royaume de Dieu*, Paris, Éditions du Cerf, 1984.
2. Cette relativisation du terme éternité coïncide avec le fait que, en hébreu, il n'est peut-être pas question d' « eschatologie ». On a remarqué que ce qui a été traduit *eschatos* c'est en hébreu *aharon* : ce qui vient après. Ainsi, dans notre livre, à deux reprises on a ce terme : *ha aharônim* (I, 11 et IV, 16), qui est traduit par *hoi eschatoi* en grec, mais que nos traductions françaises donnent : ceux qui viendront après (et non pas les derniers, ceux de la fin des temps).

qualitatif incommensurable, ni d'une absence de changement! Il est très curieux que des concepts de cet ordre aient pu s'infiltrer dans le christianisme, puisque, si nous considérons par exemple l'Apocalypse, les visions que décrit Jean sont toutes des visions qui impliquent une durée (chanter, alterner les acclamations et les prosternements, l'existence de fleuves qui coulent, etc.). Et il est inutile de dire que c'est là une marque d'incapacité philosophique ou d'infantilisme : cela est cohérent avec la pensée juive, qui est réelle et non pas abstraite, vivante et non pas mathématique.

Que l'absolu, l'infini, l' « éternité » soient représentables mathématiquement, certes, mais justement la pensée juive et à sa suite la pensée chrétienne sont *historiques* et ce n'est pas l'entrée dans la Jérusalem céleste qui change cela. C'est *toujours* l'histoire de « Dieu avec l'homme », mais qui se poursuit autrement. Ainsi, le désir que Dieu met au cœur de l'homme n'est pas celui d'un arrêt, mais d'une vie, d'une durée indéfinie, illimitée, d'un *temps total*, qui n'a véritablement pas de fin, ni concevable ni assurée. Et ce désir, l'homme le porte en lui pour lui-même, pour ceux qu'il aime, pour son œuvre. Pour le vivant. Car ce désir est identique à la volonté de vivre, ce qui vient contredire le fait qu'il y a un temps pour chaque chose, qui prend fin rapidement, et pour son contraire qui ne durera pas davantage.

Ce désir ne s'exprime pas dans une pensée « judéo-chrétienne », précisément, ce qui est important, c'est de se rendre compte que cette immensité de temps, les hommes appartenant aux sociétés et aux cultures les plus différentes en portent le désir! Lorsque Hitler parle du Millénium du Reich, c'est cela. Lorsque Marx déclare que nous avons vécu jusqu'ici la préhistoire de l'homme et que son histoire commencera avec l'instauration du communisme, et aussi que dans cette société il ne pourra plus y avoir de mutation dialectique sans que pourtant l'histoire soit abolie; lorsque les Vietcongs chantaient *Dix Mille Ans à Oncle Ho;* lorsque les Égyptiens embaumaient les corps pour leur permettre de faire un voyage d'une durée indéfinie... tous exprimaient le même désir d'éternité! C'est-à-dire non pas de l'éternité métaphysique, mais d'une durée sans fin, si bien que l'on peut dire que le temps n'est plus le maître de l'homme. Chronos est vaincu.

Ces désirs spontanés ne sont pourtant pas identiques à ce que nous pouvons entrevoir dans l'Écriture! Nous avons vu dans la première partie qu'il n'y a ni passé ni avenir. Reste seul le présent. Et c'est dans ce présent que nous pouvons rencontrer Dieu. Là seulement. « Dieu, où, quand pourrait-il être, sinon dans l'instant ? Commencement absolu. Voir l'Évangile comme une succession d'instants. Aujourd'hui. Aujourd'hui. A l'instant même. Vivre *sub specie æternitatis,* c'est vivre au jour le jour » (Sulivan).

Concevoir la durée comme un présent, et le présent comme une histoire. On ne peut sortir de Qohelet que cette certitude-là. Et c'est dans l'ordre de ce qui était promis au moment de la Création ! Car le temps et l'espace créés les deux premiers jours sont les cadres de la vie destinée à l'homme, non pas ses maîtres : c'est lui le maître de la Création ! Ainsi, l'homme veut retrouver sa vie telle que créée. Et en opposition, ce qu'il constate, c'est la fugacité, l'instabilité, la contradiction, la disparition de ses œuvres... désir de l'Éternité. Mais rien de plus qu'un désir, c'est-à-dire que, pour l'homme, l'accès à ce temps sans commencement ni fin, à cette durée indéfinie est un supplice de Tantale, c'est lui qui commande la rigueur absolue du « pessimisme » de Qohelet ! Ce désir est irréalisable par lui-même. Et en prendre conscience, nous le savons, est une partie de la Sagesse. Mais maintenant nous faisons un pas de plus : en prendre conscience, c'est accéder à une certitude au sujet de Dieu. Cette contradiction entre ce qui est et ce que l'homme désire, attend, espère, c'est une attestation que Dieu est là dans le silence, l'absence, l'ignorance de l'homme.

Ainsi ce que l'homme attend n'est pas une éternité sans qualification, sans signification, valable par elle-même, ce n'est pas l'expression d'un retour vers une origine (qui précisément est cachée !) ni d'une paranoïa, c'est l'appel secret que Dieu a mis au cœur de l'homme. L'appel vers un tout autre, que l'homme ne peut ni cerner, ni saisir, ni inventer. Ainsi, le fin mot de cette Sagesse, attestant sans pitié le réel, est un accès à cet autre monde. Cette rigueur ne donne pas naissance à une théologie négative, mais, à une théologie existentielle, s'il faut la qualifier. Dire que nous ne savons rien de Dieu n'est pas intéressant ! Dire que nous portons un creux, une déchirure, une rupture, une béance et que l'homme *n'est pas* un organisme physiologique rotatif, un homme neuronal nous conduit au plus profond de la vérité. Avec quelle force certains théologiens modernes (Dumitriu, Nothomb...) nous rappellent que : « Tout désir est un manque, et tout manque, toute absence, implique quelque part une présence. Un manque ne correspond pas à un vide mais à un plein. »

Il ne faut cependant pas négliger une autre face du mot hébreu traduit par éternité (*olam*). Tous les spécialistes le rapprochent de la racine « Lem », cacher, que nous retrouverons. L'éternité, c'est ce qui est caché pour l'homme. Ce qui est ignoré, pas seulement un temps caché ni une œuvre cachée, mais « ce qui » est caché en opposition avec tout le visible et le concevable de nos œuvres et de nos mains. Et par conséquent, même si nous pouvions avoir l'impression de dominer le temps par les mathématiques par exemple, ou l'impression de connaître effectivement la totalité de l'histoire humaine, dans tous ses détails, ce ne serait pas encore cette éternité. Parce qu'elle est aussi cachée que le Dieu qui l'a mise dans le cœur de l'homme et qui le conduit sur ce chemin de la Sagesse... Nous sommes alors amenés à considérer l'œuvre de Dieu dans l'Ecclésiaste. Mais auparavant, timidement le chrétien avancera ici sur la pointe des pieds pour attester, en face de cette question, de sa foi. Au désir d'éternité de l'homme, Dieu a répondu en Jésus-Christ. Le seul qui comble ce désir, parce qu'il est Dieu incarné, Dieu avec nous, l'Éternel dans l'homme. Mais cette réponse n'est pas donnée dans la généralité, dans l'abstrait, dans le ciel ! L'incarnation est un événement précis et localisé. En *un* temps. Un temps de l'histoire et un temps de mon histoire qui s'inscrit dans « il y a un temps pour tout ». Mais cette fois autrement, car il y a eu ici un temps pour le Tout, qui s'est inscrit sans contrepartie dans la succession des contraires. Et le temps absolu a traversé nos temps relatifs, et l'amour absolu a englobé les choix circonstanciels et particuliers qu'il nous était donné de faire, leur apportant un sens et nous donnant la paix.

Enfin on peut prendre comme contrepoint et en même temps (par la phrase finale) comme commentaire de notre texte celui de Kierkegaard : « Marie-toi, tu le regretteras. Ne te marie pas, tu le regretteras également. Marie-toi ou ne te marie pas, tu regretteras l'un et l'autre [...]. Ris des folies du monde, tu le regretteras. Pleure sur elles, tu le regretteras également. Ris des folies du monde ou pleure sur elles, tu regretteras l'un et l'autre. Que tu ries des folies du monde ou que tu pleures sur elles, tu le regretteras dans les deux cas. Crois une jeune fille, tu le regretteras. Ne la crois pas, tu le regretteras également. Crois une jeune fille ou ne la crois pas, tu le regretteras également. Que tu croies une jeune fille ou que tu n'en fasses rien, tu le regretteras dans les deux cas. Pends-toi, tu le regretteras. Ne le fais pas, tu le regretteras également. Pends-toi ou non, tu regretteras l'un et l'autre. Que tu te pendes ou que tu n'en fasses rien, tu le regretteras dans les deux cas. Tel est, messieurs, le résumé de tout l'art de vivre. Ce n'est pas seulement par intermittence que j'envisage tout *æterno modo,* comme dit Spinoza : *je suis* constamment *æterno modo.* Beaucoup croient aussi vivre de la sorte quand, après avoir fait l'une ou l'autre de ces choses, ils unissent ou médiatisent ces contraires. Mais ils sont dans l'erreur, car *l'éternité véritable ne se trouve pas derrière une alternative, mais devant.* Leur éternité serait donc aussi une douloureuse succession dans le temps puisqu'ils auront à consumer un double regret. Ma règle de conduite est alors d'intelligence facile, puisque je n'ai qu'un seul principe fondamental que je ne prends même pas pour point de départ ! Il faut distinguer entre la dialectique de la succession propre à l'alternative et celle basée sur l'éternité que j'indique ici [...]. Mon départ éternel *est* mon arrêt éternel [...]. Je ne m'arrête pas *maintenant,* je me *suis* arrêté au moment où j'ai commencé [1]... »

3. *Le Dieu qui donne* [2]

Nous venons de parler de ces deux dons mystérieux faits par Dieu à l'homme : le souci de chercher la Sagesse et le désir d'éternité. Mais... « Dieu a mis dans le cœur de l'homme le désir de l'éternité, bien que [ou : sans que — ou : malgré quoi...] l'homme ne puisse pas saisir l'œuvre que Dieu fait, du commencement

1. Kierkegaard, *L'Alternative, op. cit.*
2. Il est extraordinaire de constater que, pour les auteurs qui considèrent que les textes relatifs à Dieu sont des correctifs d'un pieux glossateur, Dieu n'est presque rien chez Qohelet. Ainsi, par exemple, Lauha assimile le Dieu de Qohelet au Destin (*op. cit.,* p. 59) !

jusqu'à la fin. » Ainsi reste la distance infinie, et aucune science ne parviendra par une connaissance toujours plus approfondie de la réalité à combler cette distance, entre ce qui est, que nous pouvons analyser, et puis ce que Dieu accomplit et qui est *son* œuvre, dont la réalité en question fait partie (nous avons vu : Dieu qui fait tout...), mais comme la partie d'un ensemble, dont la vérité profonde excède nos savoirs. « Car mes voies ne sont pas vos voies et mes pensées ne sont pas vos pensées dit le Seigneur. » Et quand Paul exalte le mystère dans lequel les anges même voudraient pouvoir plonger leurs regards (mais n'y arrivent pas !). Le mystère qui finalement est accompli avec toute cette œuvre de Dieu, du commencement à la fin, en Jésus-Christ, et qui est le mystère de l'amour incommensurable et infinissable de Dieu. C'est cette œuvre que notre désir ne peut ni saisir ni deviner. Car, même pour le meilleur chrétien, l'œuvre que Dieu fait en Jésus-Christ est insaisissable.

Nous ne savons pas ce qu'est l'amour de Dieu. Quelle en est l'immensité. Cet amour qui est au commencement et qui est à la fin. Cet amour qui provoque la création pour aimer et être aimé. Cet amour qui recueille toute vie d'homme, toute œuvre d'homme. Cet amour qui *pardonne tout* et qui *ne périt jamais*. Bien entendu, en écrivant ces lignes, j'excède de beaucoup ce que Qohelet a dit ou voulu dire ! Mais il me conduit comme par la main vers cette découverte-là, double découverte. Que je ne connais pas toute l'œuvre de Dieu non parce que c'est trop grand ou trop complexe (perspective rationaliste...), mais parce que qualitativement Dieu accomplit une œuvre qui n'est pas conçue comme nos œuvres (dont il vient d'être question !) dans l'aléatoire, le quantitatif et le contradictoire. Il n'est pas question de l'amour dans Qohelet. Mais c'est justement cela qui me paraît significatif de sa reconnaissance que nous ne pouvons pas saisir ce que nous désirons au-delà de tout.

Car que désirons-nous d'autre et de plus, en définitive, que d'aimer et d'être aimé ? D'avoir cette incroyable sécurité et ce risque tremblant *d'être aimé*, et cette prodigieuse expansion, cet épanouissement de tout, d'aimer. Ce n'est pas une invention occidentale et chrétienne, exprimée de mille façons, cela aussi nous le trouvons partout, l'amour sexuel étant un signe particulier de cette puissance qui nous anime. Et l'amour politique, aussi. Avec leurs errements, parce que sans ressourcement à l'amour unique. Mais il est bien significatif d'entendre génération après génération répéter cette banalité selon laquelle l'amour nous fait entrer dans l'éternité (même s'il ne s'agit que de l'orgasme !). L'amour donne la conviction à celui qui aime et est aimé qu'il est invincible, immortel, et que ce qu'il vit en cet instant est éternel. Ce n'est pas de façon tout à fait arbitraire que j'établis cette relation entre le Dieu d'éternité et puis l'œuvre insaisissable que Dieu a faite... Qohelet est trop radical et trop profond pour se contenter ici du simplisme que l'œuvre de l'homme est fragile et que l'œuvre de Dieu est éternelle ! Non. Mais il nous a dit en quoi consistait l'œuvre de l'homme. Et devant l'œuvre de Dieu il se tait, l'évoquant seulement de façon indirecte.

Lorsque j'ai fait pénétrer ici l'amour, ai-je été infidèle à Qohelet qui, certes, n'en parle pas, et ne nous dit rien d'un rapport de cet ordre avec Dieu, pas plus qu'il ne parle de l'Alliance, de la Torah ? Je crois que non, car il y a une dimension première de l'œuvre de Dieu qui est affirmée tout au long de ce livre : le don. Dieu, dans l'Ecclésiaste, est *avant tout* celui qui donne [1]. Et c'est pourquoi je ne peux pas être d'accord avec ceux qui, se fondant sur l'absence du Tétragramme ou sur la présence de l'article devant *Élohim* (le dieu), pensent qu'il se situe hors du cadre de la révélation à Israël, ceux qui ramènent le dieu dont il est question à une quelconque divinité, « la divinité ». Le Dieu qui *avant tout donne* est bien celui qui fut de toujours celui de ce peuple. Dieu qui a donné la liberté, qui a donné la loi, qui a donné l'Alliance, qui a donné sa Parole, qui a donné un fils à Abraham... A quoi bon rappeler toutes ces certitudes ? Mais dans l'Ecclésiaste est affirmé autre chose : à savoir que ce Dieu, le même, n'a pas réservé ses dons à son peuple, il a donné à tout homme [2].

---

1. D. Lys l'a évidemment parfaitement vu et a compté que la racine NTN (= donner) se trouve 28 fois dans Qohelet, dont 15 fois comme acte de Dieu ; qui plus est, *l'apparition du mot* Dieu est liée au don : 1, 13 et 2, 24 : on ne parle de Dieu *que pour dire qu'il donne.*
2. Il est d'autant plus important de souligner ce Don, que Qohelet n'accepte pas aisément qu'il en soit ainsi. Au contraire ! Maillot (sur IX, 1-3) a raison de souligner

Avant de parcourir les divers dons que rappelle Qohelet, il nous faut réfléchir un instant sur cette insistance. Dans ce don, comme chaque fois bibliquement que Dieu donne, c'est Dieu qui prend l'initiative, c'est-à-dire qu'il commence par donner, le reste suivra. Il pose le commencement de tout par un don. C'est lui qui déclenche l'histoire et non pas l'homme par sa volonté. Ensuite, l'homme pourra jouer à partir du don, ou des dons que Dieu a faits. Mais, bien plus, il s'agit toujours d'un *véritable* don. C'est-à-dire qu'il est fait sans condition, et sans réciprocité. Ce n'est jamais le mécanisme du « don/contre-don » qui est mis en mouvement. Ce n'est jamais un don qui implique un « si... ». Ce n'est pas davantage un don qui exigerait même de la reconnaissance. Celle que Dieu attend est parfaitement gratuite, également, et Dieu ne peut se réjouir de cette reconnaissance que si elle est la libre joie d'un cœur qui s'exprime sans devoir. Le don ne crée pas la morale, ni la contrainte, ni la réciprocité. Par conséquent, il n'y a pas ici de « salut par les œuvres ». Par son insistance sur le don, Qohelet nous renvoie de façon indirecte au salut donné par Dieu librement à l'homme (mais bien sûr librement ne veut pas dire arbitrairement ! Simplement : sans condition !)[1]. Peut-être faut-il faire ici un petit détour vers une des (nombreuses !) perversions de notre siècle. Aujourd'hui on considère, après de nombreuses et confuses études prétendument scientifiques, sociologiques, psychologiques, psychanalytiques, que le don crée une relation humiliante et d'infériorité. Celui qui donne se glorifie (hypocritement, toujours) de ce qu'il a fait, il s'attribue une bonne conscience à bon marché. Celui à qui on donne est humilié par ce don. Il ne peut pas « rendre », donc il est le plus faible et le plus dominé. Le don, moyen de supériorité et de domination. Moyen d'autant plus vicieux qu'il a l'apparence du bien et permet à celui qui donne de ne se poser aucune question sur ses motifs, sur ce faux bien, sur sa volonté de puissance, etc. Tel est le discours bien souvent entendu, et qui bien sûr s'applique au dieu chrétien. Et l'on proclame avec

---

que Qohelet enrage que Dieu soit ainsi maître de tout, qu'il donne amour et haine, que la sagesse ne puisse rien expliquer. « Il voit la grâce, mais à l'envers. » La morale, la religion ne peuvent plus se fonder sur une rémunération divine. Cette gratuité est un mal insupportable pour Qohelet !

1. Car ce don est celui de l'Inconditionné !

verdeur que l'on ne « réclame pas la charité mais la justice »...

Or, il faut dénoncer le caractère parfaitement pervers de cette interprétation. Bien entendu, il est vrai que parfois on a « fait la charité » (comme on dit aujourd'hui « faire l'amour » !) par autojustification et par mépris. Il est vrai que parfois on donne pour affirmer sa supériorité. Il est vrai que parfois celui qui reçoit se sent humilié... Je dis : parfois. Et je peux préciser : *chaque fois qu'il n'y a aucun rapport humain vrai*. Lorsque le don est inséré dans la trame d'un rapport humain, lorsqu'il est soit la conclusion soit le point de départ d'une relation suivie, lorsqu'il est une vraie donation toujours symbole du don de soi à l'autre (et non appel d'une réciprocité), alors cette interprétation psychosociologique, marxo-structurale, est un pur mensonge, et à son tour une hypocrisie justifiant le fait que, soi-même, on ne donne rien et on ne fait rien ! Exiger le droit, mon droit, prétendre que « l'on me doit », vouloir tout transformer en relations juridiques, c'est entrer sans qu'on le sache dans la logique du capitalisme qui établit tout en « doit et avoir ».

En vérité, cette critique du don, le refus de la relation du don, c'est le refus de la relation humaine engageante. Mais précisément lorsque Dieu, lui, agit par le don, il s'engage lui-même (comme il s'est engagé dans l'Alliance, et alors parce qu'il donne tout son amour, il peut se déclarer un Dieu jaloux). Et la dénonciation du don faux, bien avant nos modernes critiques nous la trouvons chez Paul dans le célèbre texte : « Quand bien même je donnerais tous mes biens aux pauvres, quand je donnerais même mon corps pour être brûlé, si je n'ai pas l'amour cela ne signifie rien. » Qui dira mieux ?

Ainsi, ce texte situe dans son exacte perspective le don qui vient de Dieu. Créateur d'une *vraie* relation humaine avec l'autre, une relation qui n'est plus fondée ni sur l'orgueil, ni sur l'intérêt, ni sur la domination, mais sur la vérité et l'abandon de soi pour l'autre. Mais ce don exprimant la plénitude de l'amour, cela s'appelle la grâce. (Gratuit, le don !) C'est ici que la grâce est présente dans Qohelet : dans la multiplicité de cette reconnaissance que Dieu donne. Mais ces dons ne sont pas théologiquement qualifiés. Ils ne sont pas dans l'ordre des bienséances religieuses ! Nous avons dit que Qohelet ne rappelle pas les grands dons du Dieu d'Israël à son peuple. Ce qu'il nous apporte est tout différent. Nous avons déjà rencontré le don du souci pour l'homme. Souci de progresser, de changer, de chercher, de comprendre. C'est une difficulté, reconnaît Qohelet ! Mais cette difficulté même qui *constitue* l'homme. Nous avons rencontré également le don du désir de l'éternité. Cela aussi est constitutif de l'homme. Ne pas se contenter de l'instant présent. Considérer que l'œuvre qui tombe dans l'oubli, c'est un désastre. L'oubli des générations. Et puis constater que l'on ne peut pas prévoir l'avenir. Rien de l'avenir. C'est aussi un désastre. Et l'homme est fait de cette soif de durable, d'un temps illimité, d'une vie qui ne serait pas bloquée irrémédiablement. Autrement dit, lorsque Qohelet constate cette double vanité de l'impuissance à durer, de l'impuissance à créer une œuvre toujours nouvelle, lorsqu'il proclame : « Ceci est vanité et poursuite du vent », il dit en même temps : « Pouvoir le constater et le dire, c'est un don de Dieu. »

Ainsi, son expérience de la vanité est don de Dieu. Et peut-être ici pourrais-je évoquer ce que je disais sur le « génitif » de vanité des vanités : peut-être est-ce ici le sens : déclarer que tout est vanité, c'est alors (à cause du don de Dieu !) encore une vanité ! C'est maintenant cela qui est l'architecture même de l'homme. Cette constatation montre un cheminement remarquable à partir de Genèse II et III. Il est bien évident que, dans la communion entre le créateur et sa créature, dans le « Tout entier présent » qui était livré à Adam, celui-ci n'avait ni souci de comprendre (l'immédiateté était alors la vérité), ni désir d'éternité. Tout était très bon. Mais avec la rupture, il y a deux issues possibles, ou bien l'homme meurt de sa rupture, ou bien, restant en vie, mais ayant rompu avec le vivant, il mène une vie de délire ou une vie animale. Il se prend pour Dieu ou il est bête brute en tout point comparable à l'animal sans le savoir !

De cette situation tragique, Dieu tire parti. Et comme cela nous sera montré cent fois dans la Bible, Dieu s'accommode de l'état de fait institué par l'homme. Il s'en accommode mais ne veut pas que l'homme s'effondre (son reproche à Caïn avant le meurtre : pourquoi ton visage s'est-il effondré !). Il veut que l'homme ait encore sa place spécifique, différente, et lui assigne un rôle nouveau. Cet homme n'est plus le chant d'amour, mais il est engagé par Dieu dans un cheminement surprenant. Il est stupide de dire, comme ce fut la mode un certain temps, que c'était grâce à la chute *(felix culpa !)* que l'homme avait pu devenir homme et créer l'Histoire ! Qohelet nous apprend que Dieu a donné à cet homme différent des qualités nouvelles pour affronter cette situation inattendue. Sans ces dons, c'était l'insignifiance. Mais ces dons sont seulement des possibilités. Souci de chercher. Désir d'éternité. Nous savons bien que ce sont des marques décisives de l'homme dans ce monde et cette histoire, et voici que le négateur radical, l'esprit critique le plus lucide et intransigeant vient nous dire que *cela* est don de Dieu. Sans aucune illusion. C'est-à-dire que ce sont des exigences, des appels, non pas des moyens ni des solutions. Sans aucune illusion, en ce que le plus souvent ces dons nous conduisent à la vanité, nous engagent à la poursuite du vent ! Et pourtant si on ne le fait pas, on n'est pas un homme, tout simplement ! Premiers dons de Dieu.

Ensuite viennent toutes les réussites, pourrions-nous dire ! Qohelet recommande de bien manger, bien boire, se réjouir, se donner du plaisir quand c'est possible (II, 24, III, 13). Mais cela est un don de Dieu ! Et tout de suite ceci met cette jouissance sur un autre plan que celui des post-épicuriens. Car si en prenant du plaisir nous prenons vraiment conscience qu'il s'agit là d'un don de Dieu, cela entraîne la double conséquence d'abord d'une certaine gravité dans ce que nous sommes en train de faire, ensuite on ne peut pas prendre n'importe quel plaisir, jouir de n'importe quelle façon. Dès lors, nous devons prendre garde à deux déviations trop aisées : le formalisme (on fait une petite prière pour remercier Dieu avant de se mettre à table et ensuite on se saoule confortablement) ou l'angoisse de se sentir au cours d'un bon repas sous l'œil d'un juge sévère et impitoyable, devant qui toute erreur est inexpiable.

Double erreur qui ne correspond en rien à la prise de conscience que la joie, la jouissance, le bien-vivre sont des dons de Dieu. Mais, ceci écarté, nous avons à prendre très au sérieux cette joie, ce plaisir parce qu'ils sont dons de Dieu, et, les prenant au sérieux, ni les gaspiller vainement, ni tirer cette jouissance de n'importe quoi qui serait le contraire de la volonté de Dieu ! Là est la question ! Tout ce qui enivre et fait jouir ne peut pas être automatiquement don de Dieu. La drogue ou l'avilissement dans l'ivrognerie ne le sont pas. Alors, il faut, parce que la joie est don de Dieu, savoir juger ce qui peut la procurer, ne pas la refuser mais non pas l'accepter de toutes mains ! « Car qui mangera et qui jouira en dehors de moi ? » (Sinon grâce à moi ?) C'est la limite, indiscernable objectivement, inexplicable dans le discours entre un vrai et un faux.

Pour le comprendre, il faut remonter à celui-là qui le donne, et à partir de lui jeter le regard sur ce qui est... Don de Dieu encore le fait que le travail puisse donner du bonheur ! (Tout homme qui mange, boit et goûte le bonheur *par tout son travail,* cela est un don de Dieu ; III, 13, V, 17.) Une fois encore, Qohelet détruit nos préjugés, nos idées toutes faites ! Il va de soi pour nous que, d'une part, le travail entraîne forcément un résultat, un gain, un profit, et, d'autre part, que l'homme qui travaille « gagne ainsi sa vie », qu'il peut grâce à son travail manger et boire. Eh bien non, dit le sage, le travail peut être parfaitement stérile. Et ce serait même la règle, la normale ! Et quand ce travail porte fruit et donne une œuvre, c'est une espèce de miracle, qui devrait nous amener à nous extasier. Perte complète de ce don chez l'homme moderne, qui ne sait plus s'émerveiller de ce qui éclot dans et par son travail, qui ne sait plus rendre grâce parce que ce travail n'a pas été stérile, et qui juge que tout lui est dû, et quand par hasard son travail est stérile, alors il exige explication et compensation !

Deux réactions opposées sur fond de deux conceptions de la vie opposées ! L'une, « pessimiste », qui se remplit de joie quand un bonheur arrive, quand une réussite a lieu, l'autre, exigeante et saturée, qui considère que tout doit réussir et qui se remplit d'acrimonie et de haine devant un échec. Qohelet nous dit sans ambiguïté quel est le choix de Dieu ! Mais bien plus, celui qui trouve un bonheur dans le travail, c'est un don de Dieu. Voici donc un nouveau contresens de notre grande société ! Et un contresens dont nous n'arrivons pas à nous dépêtrer ! Car nous vivons avec l'idée que le travail vertu doit donner le bonheur et nous vivons, en fait, un travail accablant, monotone, ennuyeux, sans intérêt, vide, répétitif... tout ce que l'on sait. Ce n'est pas la peine d'insister. Cette contradiction est l'un de nos drames. Mais tout s'éclaire si on accepte que ce travail, peine par lui-même, puisse être l'occasion d'un bonheur : éclatante réussite. Alors il faut en être reconnaissant. Tout bonheur dans et par le travail mérite action de grâce qui ne peut être adressée qu'à Dieu. Car « trouver le bonheur dans son travail est un don de Dieu » !

Ceci nous conduit à plus épineux ! « Tout homme à qui Dieu a donné richesses et ressources et *à qui il a donné le pouvoir d'en profiter* [...] cela est un don de Dieu » (V, 17-18). La richesse don de Dieu ? Cela est bien connu, et bien dangereux. Au nom de cette maxime, les puritains ont établi leur fortune, avec la double déviation bien primaire : « On va de façon dévorante accroître sa richesse, on va tout faire pour l'Avoir, et nous nous assurons un don de Dieu » ; ou bien : « Si je fais fortune, c'est que je suis un élu de Dieu. » On sait tout le parti que Max Weber a tiré de ce point de départ. Après tout, ce n'est pas plus scandaleux que de déclarer que la jouissance est un don de Dieu ! Mais de même que plus haut, ici nous avons à en tirer les conséquences. *Si la richesse est un don de Dieu,* si je la reconnais pour telle, est-ce que je peux vouloir me l'acquérir par n'importe quel moyen ? Est-ce que vraiment Dieu admettra *que ce soit son don si tu t'enrichis par le meurtre ?* De même, si elle est don de Dieu, est-ce que je puis en faire n'importe quoi ? Est-ce que je puis aller contre l'amour soit pour l'accumuler soit pour en user ? N'y a-t-il pas un usage conforme à la volonté de Dieu, un usage de la fortune qui exprimerait que je reconnais en elle (même si je l'acquiers par mon travail !) un don de Dieu ?

Il me semble tout à fait certain que, de même que pour le plaisir, nous avons constamment à porter un jugement sur cette richesse et son usage. L'erreur centrale d'où dérivent toutes les autres vient de ce qu'on peut appeler une mécanisation de la révélation de Dieu, ou une légalisation de l'esprit. C'est-à-dire tenir des raisonnements logiques à partir d'une réalité spirituelle, dire ainsi : « S'il y a jouissance ou richesse *donc* c'est un don de Dieu » (n'importe quelle jouissance, la plus vile, la plus bestiale, la plus contraire à la volonté de Dieu, n'importe quelle richesse...). Alors que le chemin que montre Qohelet, qui est celui de la Révélation, c'est apprendre à discerner dans une jouissance ou une richesse qu'il s'agit d'un don de Dieu, avec les conséquences que nous avons soulignées plus haut. Et c'est alors une véritable ascèse. Ainsi, discerner le don de Dieu et trouver joie dans ses œuvres, c'est ce qu'il y a de mieux pour l'homme [1].

1. D. Lys, *op. cit.*, p. 404-405.

Mais notre texte de V, 18 ajoute une nouvelle perspective : parlant de la richesse, il ajoute que « Dieu lui laisse le pouvoir d'en profiter ». Cela, évidemment, répondant à la vanité de la richesse accumulée ou du pouvoir qu'on est obligé, par la mort, de laisser à un héritier dont on ne sait rien. Poursuite du vent, travail pour qu'un inconnu profite de votre travail... Un homme qui a tout, « mais à qui Dieu ne laisse pas le pouvoir d'en manger, car quelqu'un d'étranger va le manger, cela est vanité et souffrance mauvaise » (VI, 2). Et ceci est l'exacte réplique à II, 26 où l'on voit Dieu distribuer à un autre les richesses que l'homme a accumulées par son travail, sa passion de l'argent, par son obsession de l'Avoir. Ironie terrible de ce texte : Dieu donne à celui-ci la passion de gagner la richesse, et ensuite il la lui enlève et la donne à n'importe qui ! Comme réponse à la divinisation de la richesse. Ainsi, voir le don de Dieu dans le fait que l'on peut profiter du fruit de son travail, et des enfants qui grandissent, et de la richesse qui est donnée : c'est-à-dire d'une certaine durée qui nous est accordée dans le bonheur. Apprendre à reconnaître, à discerner ce don, à voir que ceci *est un don,* et de là à en devenir reconnaissant.

Chaque jour heureux devrait pour nous provoquer une action de grâce. Voilà ce que dit Qohelet et qu'il répète comme un véritable refrain, au moins autant que le « Tout est vanité ». (J'ai loué la joie ! [...] Et cela accompagne l'homme dans son travail *durant tous les jours* de sa vie que Dieu lui a donnés sous le soleil » (VII, 15). Et ceci met alors en lumière une attitude fréquente dans l'Ancien Testament, reprise dans le Nouveau, et abandonnée par les théologiens, celle du « regarder comme », « tenir pour », ou du « comme si ». Je crois que Qohelet ne dit pas brutalement : c'est un don de Dieu. « Je vois » ou « je sais » que c'est un don de Dieu, et je crois que les textes où il nous est dit de façon directe : « c'est un don de Dieu » doivent être lus, entendus dans cette perspective.

Or, ceci est premier qui nous fait passer d'un mode de penser ontologique à un mode de penser existentiel. Les choses ne « sont » pas, mais je les vois, je les conçois, comme telles, je les interprète. Ce que Qohelet nous donne, ce n'est pas l'acte de Dieu *in ipso,* mais comment il le reçoit et le lit. Et je crois que ceci est fondamental. « Moi, j'interprète cela comme un don de Dieu », un autre peut y voir tout autre chose, ou rien du tout, cela n'a pas d'importance. Et je retrouve cette orientation pour quantité d'autres révélations[1]. Ainsi, les choses où les actions ne *sont* pas quelque chose d'objectivement établi mais font nécessairement l'objet d'une « lecture », qui aboutit pour le croyant à une confession de foi. Je crois que... rien au-delà. Et cette extraordinaire clarté d'abord insiste sur le fait que toute ontologie est antibiblique (et ceci met en question une part... de la théologie !), ensuite nous révèle notre liberté que Dieu respecte : « Je livre cela entre vos mains, vous pouvez le vivre différemment, vous pouvez le recevoir de façons diverses, c'est votre liberté, donc votre responsabilité. » Le seul acte possible est donc celui du témoignage fondé sur la foi et non celui de l'enseignement automatique et catéchétique.

Ensuite, cela nous répète que nous avons tout à interpréter (comme Jésus parlant en paraboles !). Et nous sommes placés au milieu des événements du monde dans le devoir de la libre interprétation, à nos risques et périls. Recevez tous les actes de votre vie comme don de Dieu, vous vivrez avec un sens, une joie. Autrement, vous ne rencontrerez que vanité, sottise. Mais c'est *vous* sous le soleil qui ferez que cela est vanité.

Or, les dons de Dieu ne sont pas épuisés ; nous enchaînons : « Va, mange avec joie ton pain et bois de bon cœur ton vin, car Dieu a déjà agréé tes œuvres, qu'en tous temps tes vêtements soient blancs et que l'huile sur ta tête ne manque pas. Profite de la vie avec la femme que tu aimes, tout au long des jours de cette vie fugitive qu'Il t'a donnée sous le soleil... » (IX, 7-9). Et voici deux nouveaux dons : Dieu agrée tes œuvres (et tu as à l'apprendre), et une femme que tu aimes. Tu ne connais pas le sens de ce que tu fais, mais voici, tout est sous une lumière nouvelle à partir du moment où tu reçois la certitude que Dieu agrée tes œuvres, les reçoit et les aime. Mais c'est une pure générosité de la part de Dieu. Aucune de nos œuvres n'est « digne » de lui ! Et Salomon, que Qohelet connaît bien, le sait mieux que quiconque, lui qui a reconnu que ce grand Temple était rien pour y recevoir la « présence-absence » de Dieu. Mais cela est la révélation même de Dieu, « j'accepte tes œuvres ». Comme Paul nous disant que le Saint-Esprit porte à Dieu nos prières, en les transformant parce qu'elles seraient totalement inadaptées devant et pour Dieu !

---

1. Ceci sera développé au sujet des choses impures dans *L'Éthique de la sainteté*.

Dieu agrée tes œuvres et maintenant te voilà libre et indépendant pour les faire ! Tu peux faire un choix par toi-même et non te plier à une loi rigoriste... Car c'est toi qui es agréé, reçu, pardonné, aimé, et tes œuvres le sont, non pour leur réalité, mais parce qu'elles viennent de toi. Et tu dois, même dans les difficultés de la vie, même avec les dures constatations de Qohelet, te vêtir de vêtements blancs, parfumer ta tête... Comment alors ne pas évoquer la parabole du festin, où le seul qui soit jeté dehors est celui qui n'a pas mis l'habit de fête. C'est-à-dire celui qui n'a pas reconnu que cette invitation était un don. Tout est don de Dieu, comme tout est grâce. Voilà la vraie fête. Un don.

L'autre : la femme que tu aimes. Ainsi, Qohelet qui proclame qu'il n'a pas trouvé une femme entre mille te dit que tu peux aimer en vérité et que Dieu te donne les jours nécessaires pour cet amour. Ainsi, ce n'est pas seulement l'amour et la femme, mais c'est une fois encore la durée pour aimer et vivre avec elle qui est don de Dieu. Ta vie est fugitive mais elle peut être merveilleuse dans l'amour si tu sais que chaque heure ainsi remplie, ainsi vécue, est un don de Dieu, donc une présence de Dieu, une amitié de Dieu, une proximité du Seigneur qui t'a tendu la main... Voilà les dons de Dieu. Nous pouvons peut-être nous trouver déçus de ce que rien ne vise ni ne concerne l'au-delà, le salut, la vie éternelle, la résurrection... Non, tout cela est sur cette terre, sous le soleil, tout cela porte sur notre vie.

Nous avons déjà vu que Qohelet ignore la résurrection, ou (certainement !) l'immortalité de l'âme. Des théologiens ont alors déclaré que, ce qui le désespère, c'est que tout soit compris et conclu dans notre existence, rien au-delà. Je ne pense pas que l'on puisse tirer cela de Qohelet. Il se veut rigoureusement concret, réaliste, il a fixé son champ sur ce que l'on peut « voir » de la vie humaine. Le reste ne le concerne pas. Il est absolument critique. Le fait que ce soit radical et pourtant tolérable implique qu'il y ait une autre dimension, que nous rencontrerons dans l'épilogue. Mais il a l'honnêteté de ne pas faire entrer Dieu dans son jeu avec les compensations aléatoires de l'au-delà.

Il y a cependant une brève allusion à une sorte de « récompense » : « Il a *donné* à l'homme *qui est bon devant lui*, Sagesse, science et joie, et au pécheur, il a donné comme travail [occupation] de rassembler et d'amasser pour donner à celui qui est bon devant Dieu » (II, 26), ce qui évoque : « On ôtera à celui qui n'a pas et on donnera à celui qui a... » de Jésus. Ainsi, il y a une sorte de « récompense » pour celui qui est bon et de punition pour l'autre. Mais enfin, ce « don », c'est Sagesse, science, joie (non point salut, ou bien pas davantage honneurs, fortune, réussite...). Don purement intérieur qui se situe pendant la vie, mais qui quand même transforme la vie. Quant au « méchant », il est en effet passionné par le gain, l'accaparement, la conquête, et Dieu les lui enlèvera. Mais je crois que cela se situe juste dans le champ de la parabole des talents... et que ce don n'est en rien une sorte de jugement de Dieu pendant la vie, qui ferait que le riche injuste serait dépouillé par Dieu au profit du pauvre juste. D'ailleurs, il sait bien que ce n'est pas comme cela que ça se passe ! Et il l'a dit à plusieurs reprises. Il n'y a nullement ici une reprise de la « thèse », de la doctrine traditionnelle, du bon rendu heureux et prospère par Dieu, etc. Voir Job. Mais il est alors fort possible de lire le texte en inversant : Dieu a donné Sagesse, science et joie et cela a permis à cet homme d'être bon devant Dieu, et il redouble alors ce don parce que l'homme en effet a été bon. Et voici encore la parabole des talents. Il conclut de façon énigmatique : cela *aussi* est vanité et poursuite du vent ! Donc même ce que nous pouvons appeler ici jugement de Dieu... c'est vanité, car cela ne suffit pas à donner un sens définitif à notre vie[1].

---

1. Nous pouvons indiquer ici que, pour D. Lys, les versets 24-26 du chapitre II renvoient à l'œuvre de la grâce. Lys traduit : « Il n'y a pas de bonheur pour l'homme qu'à manger, boire et faire régaler son appétit dans sa besogne : ça aussi, moi j'ai constaté que ça dépend de la Divinité. Oui, qui mange, qui se délecte sinon grâce à moi. Oui, à un homme qui lui plaît, elle donne philosophie, savoir et jouissance. Mais au raté, elle donne le souci d'accumuler et d'entasser pour donner à qui plaît à la Divinité. Ça aussi, c'est fumée et pâturage de vent. » Et il intitule ces versets : « Nécessité de la grâce ». J'ai insisté sur le don, mais le passage à la grâce avec tout le contenu théologique que cela comporte me paraît peut-être un peu abusif. « La leçon finale n'est pas la modération, mais la grâce. La dimension verticale intervient dans l'horizontale où l'homme était acculé à l'impasse du non-sens. Dieu a le premier et le dernier mot, qu'il s'agisse de philosopher ou de se régaler. Qohelet aboutit à la grâce par le scepticisme. On jouit par grâce... l'insécurité même de la jouissance fait précisément découvrir la dimension qui manquait pour trouver le sens au creux de l'absurde. Quand il est donné à l'homme de jouir, cela indique la présence d'un Autre, qui a un plan par rapport auquel se définit le sens de toute chose... Ainsi, jouir est un signe, dans son irrationalité même : le signe que Dieu est là. » Mais cela peut être très aventureux. Et... pas du tout dans la ligne du réalisme

Cependant, il y a aussi maintenant une dimension eschatologique indiscutable s'il n'y a pas de promesse de résurrection individuelle. Nous l'avons déjà rencontré, mais il faut le souligner encore ici, car, parmi les dons de Dieu, il y a la promesse de récapitulation. Il faut y revenir, avec le texte, à mes yeux, très explicite : « Ce qui fut déjà, est, et ce qui doit être a été *et* Dieu recherche ce qui fuit. Ce qui existe a déjà été. Ce qui existera, existe déjà, *mais* Dieu recherchera ce qui a fui » (III, 15). Or, ceci achève le grand texte sur « il y a un temps pour tout ». Dieu met au cœur de l'homme le désir de l'éternité. Ce désir est un don. Mais jamais l'homme ne peut le combler et le satisfaire. Ce sera Dieu qui répondra à ce désir en cherchant ce qui a fui. Tout ce qui a échappé à l'homme dans cette succession de temps se retrouve dans la mémoire de Dieu. Rien de ce qui nous fuit n'est perdu. Le « ce qui a été, sera. Ce qui est, a déjà été » ne produit pas le désespoir si nous savons que *tout* est repris en Dieu. Tout, pas forcément conservé pour le Royaume de Dieu. Mais tout de nouveau présent. Et ce « Dieu recherche ce qui fuit » s'incarne dans le don dernier, à savoir la Jérusalem céleste qui remplira la totalité de notre attente et assumera la totalité de notre œuvre au cours de cette histoire étrange et déroutante de l'humanité.

---

impitoyable de Qohelet ! Jamais l'homme qui jouit n'y voit un signe de la grâce : il y faut la Révélation et la Proclamation... de Qohelet pour le savoir ! De même, « c'est de cet absurde même que Dieu va faire jaillir le sens [...] montrant que l'effort humain est relatif et n'a de signification qu'en relation avec une autre dimension qui est verticale, par laquelle Dieu réalisera son plan dans l'horizontalité du monde ». Bien entendu, je suis théologiquement d'accord ! Mais cela ne me paraît pas forcément ressortir de *ce* texte. Il se termine par : « Tout est vanité et poursuite du vent. » Alors, si ce texte visait le don de Dieu et la grâce que l'homme reçoit dans le fait de jouir... on ne comprendrait plus. Cela engage Lys dans une explication qui cherche à éviter que la vanité ne s'applique à la grâce ! Mais explication très, très détournée ! Le « Tout est vanité » s'appliquerait seulement à l'effort vain de l'homme pour trouver un sens et au paradoxe des versets 24-25. Je crois que ceci est insatisfaisant, et remet en question qu'il s'agisse dans ces versets de la grâce au sens théologique du terme. Il suffit bien de reconnaître qu'il s'agit d'un don de Dieu quand on vit une heure de bonheur.

Ainsi donc, avant toute chose, Dieu donne. Mais il juge aussi. Et avant d'examiner ce qu'en dit Qohelet, il me semble qu'il faille faire trois remarques préalables. La première c'est que, en face de plus de vingt textes au sujet de Dieu, il y en a trois (dont deux fois le même) qui désignent Dieu comme juge, et en face de plus de vingt textes sur le don, il y en a quatre sur le jugement. On ne peut donc pas dire (sans attacher une importance extrême à ces chiffres !) que le jugement de Dieu, le Dieu qui juge, soit au centre des préoccupations de notre sage. La seconde remarque est relative à la place que j'assigne à ce jugement, situé en rapport avec le don. Je dirai même plus, je le mettrai à l'intérieur du don. Je crois en effet qu'il y a une erreur unanime et traditionnelle concernant le jugement de Dieu, dont j'ai longuement parlé ailleurs [1]. Nous ne pouvons pas nous dégager de l'idée du procès criminel. Bien entendu, il est parfaitement exact que chez les prophètes, il y a déjà cette idée d'un Dieu juge, qui décide entre les bons et les méchants, les justes et les injustes, les peuples criminels et le peuple élu. Et certains exégètes que je connais ont majoré cette orientation en faisant remarquer le vocabulaire « processuel » employé dans certains textes, la détermination de Satan comme accusateur d'un procès, puis l'interprétation de Jésus comme *paracletos,* avocat, etc. Bien entendu, ce n'est pas faux, à condition de ne pas exagérer et de ne pas traduire tout (les paraboles en particulier) en termes de procès et de ne pas faire de ce procès *criminel* la pièce centrale d'une théologie.

En revanche, ce que je constate, c'est qu'à partir du IIIᵉ siècle, chez les Pères de l'Église, il y a invasion de la pensée romaine, qu'ils reflètent, et dans cette pensée, la part principale, c'est en effet le droit ; or, tout le droit romain est construit autour de la réalité du procès. Le procès est le noyau, le pôle de réflexion de tout le droit [2]. C'est *cette pensée-là*, totalement étrangère au christianisme, parfaitement imperméable à la réalité de la grâce, qui va orienter la théologie, et c'est cela qui va déterminer par exemple une théologie du salut par les œuvres aussi bien que la

---

1. Jacques Ellul, *L'Apocalypse* et *Sans feu ni lieu.*
2. Je pourrais sur ce thème renvoyer à une centaine d'auteurs ! Je me borne à citer O. Lenel, *Edictum perpetuum,* Paris, Sirey, 1903, et pour le surplus à renvoyer au tome I de mon *Histoire des institutions.*

théologie du rapport au pouvoir politique... Et c'est cela qui va encore provoquer l'image de Dieu qui sera tellement attaquée par les incroyants depuis deux cents ans, Dieu le juge implacable, qui trône en souverain terrible, qui foudroie l'indocile et incroyant, dont l'attribut principal est l'Enfer. Or, le Dieu, même celui de l'« Ancien Testament », n'est pas cela[1].

Il a bien été présenté ainsi, soit dans une mauvaise catéchèse médiévale, soit dans une mauvaise prédication calviniste ! Et bien sûr, il y a *aussi* dans l'ensemble de la Bible des textes qui permettent cela en les isolant du reste. Mais le jugement, d'abord ce n'est pas la condamnation (et nous allons le retrouver pour l'un de nos versets). Ensuite, le jugement peut porter sur un procès *civil*, où il n'y a pas forcément un condamné à une peine. D'ailleurs le « jugement » peut être tout autre chose : l'apparition, l'évaluation de ce qui est juste, la déclaration, la proclamation de la justice. Sans aucune idée de procès ou de condamnation. L'autorité, l'homme, le philosophe jugent, et, ce faisant, montrent le juste. Sans plus. Enfin, dernière remarque, le fait que Dieu juge, dans Qohelet, apparaît nécessairement comme la réciproque de la liberté de l'homme ou plus exactement de l'acceptation par Dieu de son indépendance. A l'homme autonome correspond évidemment un Dieu qui à la fois admet cette autonomie mais la juge ! Et, de la même façon, ce jugement est le complément indispensable de la mémoire de Dieu, si Dieu garde tout en mémoire, s'il retient toute chose, il faut bien qu'il fasse un tri. C'est indispensable pour l'œuvre même que ce Dieu veut accomplir, comme nous l'avons montré plus haut. Telles sont les trois remarques simples qui me paraissent nécessaires pour saisir le sens du jugement dans nos textes, et pourquoi je situe ce jugement dans le don de Dieu !

L'un de ces textes ne se rapporte d'ailleurs pas à Dieu. « Le cœur

---

1. Lys a très clairement exprimé la pensée de Qohelet en disant que c'est un préjugé de lier jugement et survie. Le problème de Qohelet est justement de ne pas croire à la survie et d'affirmer quand même le jugement eschatologique de Dieu. Lorsque l'homme objet de ce jugement ne pourra plus en bénéficier car l'existence est tout entière sous le soleil. D'où un *acte de foi* formidable et *gratuit :* faire des choix risqués dans l'espoir que Dieu insérera telle de nos œuvres dans son éternité, justifiant après coup mon existence. Le risque de ces choix n'est d'ailleurs pas calcul d'une théologie des mérites, mais confiance dans la grâce qui opère un jugement mystérieux.

du sage connaît le temps et le jugement. Pour toute chose en effet, il y a un temps et un jugement. Car le mal de l'homme est lourd sur lui » (VIII, 6). Ainsi, non seulement il y a un temps pour chaque chose, mais en outre un jugement. Ici, il ne semble pas que le jugement concerne Dieu, mais aussi bien la capacité du Sage à porter un jugement sur les choses. Beaucoup sont convaincus qu'il s'agit d'opportunité exactement comme lorsque, expliquant le « Il y a un temps pour tout... », on le ramène à une appréciation d'utilité ou d'efficacité. Il est bien de planter au moment voulu par la saison, et ensuite d'arracher quand il le faut. Mais on étend cet exemple simpliste à toutes les activités ! Or, nous avons essayé de montrer qu'il ne s'agit en rien de ce « temps » ! Par contre, ici, nous avons le second tableau du diptyque. Il est bien vrai que tout, le bien comme le mal, l'amour comme la haine trouvent leur place et leur temps sous le soleil. Et il n'y a pas d'éthique ! Oui, mais le Sage connaît le temps et le jugement, car pour tout il y a un temps, certes, mais alors il y a *aussi* un jugement, qui est le jugement non pas d'utilité mais ce qu'on pourra appeler jugement de valeur, ou jugement spirituel ou jugement éthique... Et ceci est fortement confirmé par le dernier vers : car le Mal de l'homme est lourd pour lui. Donc, il s'agit bien dans ce foisonnement des activités et des œuvres de discerner ce qui *est* mal, ou ce qui *fait* mal, et qui occasionne un lourd fardeau pour l'homme. Le lourd fardeau du mal qui lui est fait. Mais aussi celui du mal qu'il fait. Avec *soit* la dialectique du maître et de l'esclave, soit celle, chez Camus, du bourreau et de la victime, *soit* la question angoissante à laquelle je reviens toujours : qui nous pardonnera ? Et si c'est tellement lourd, c'est que justement l'homme, qui n'est pas un sage, ne sait pas que finalement il y a un jugement, une séparation du bien et du mal, et une déclaration de la justice. Et c'est bien ce que dit la suite du texte, immédiatement et sans séparation : « C'est que lui [l'homme accablé par le mal] ne sait pas ce qui sera. Car comment ce sera [ou : comment cela aura lieu], qui le lui révélera ? » (v. 7). Voilà donc l'amorce indispensable pour accepter que Dieu *aussi* juge ! Et il va apparaître que si je range le jugement parmi les dons que Dieu fait à l'homme, c'est qu'il *donne à ce moment la justice*. « Moi je me suis dit, Dieu les jugera, car il y a un temps pour toute chose, et concernant toute œuvre » (III, 17). Quand on bâcle le commentaire, on déclare tout simplement que l'auteur répète la doctrine la plus banale et traditionnelle : Dieu juge, entre le juste et le méchant, et c'est un jugement de rétribution. Or, nous avons déjà dit que ce n'est pas cette idée que l'on trouve dans ce livre[1].

Je crois que le texte est un peu plus fin que cela ! Il fait partie de ce grand ensemble : il y a un temps pour tout. Mais Qohelet n'a pas écrit, et c'est fort remarquable : « Il y a un temps pour l'injustice et un temps pour la justice. » Absence singulière. Et, forcément, il en vient à poser cette question-là. Mais quand il considère ce que font les hommes, voici qu'il n'y a que l'injustice (III, 16). Non seulement dans les relations courantes, c'est l'injustice qui règne, mais même à l'endroit où devrait être « rendue la justice » (c'est-à-dire à la fois proclamée, montrée et mise en application), il ne rencontre que l'injustice et la méchanceté. Voici que dans les affaires des hommes, politiques, économiques, juridiques, sociales, il n'y a *jamais* que l'injustice, et nous l'avons déjà rencontré plusieurs fois ! Alors il n'y a pas un temps pour la justice parmi les œuvres des hommes. Et, qui plus est, il n'y a rien de plus fondamentalement injuste que de vouloir établir *sa* justice. Et pourtant il faut bien que ce ne soit pas sans compensation, sans contrepartie. Il faut que cette injustice universelle n'ait qu'un temps, mais alors nous voici obligés de faire un saut dans le vide, dans l'irrationnel : si l'homme est incapable de justice, alors il faut bien que celle-ci vienne d'ailleurs. Je connais tous les arguments rationnels contre cette thèse. Mais si elle est fausse, alors que l'homme se contente de continuer à patauger dans son injustice universelle, qui est d'autant plus grande que des partis, des régimes ont *prétendu établir la justice* (voir tout le communisme). Ce n'est pas en vue de condamner le méchant que Qohelet évoque cette justice, mais pour qu'entre les deux soit affirmée et montrée la justice. Nous savons par ailleurs combien cette justice de Dieu est singulière ! Je n'insiste pas. Mais elle est la seule qui accomplisse la plénitude de la justice.

Si on lit ce texte ainsi, on dépasse largement les annonements concernant les rapports entre une justice spécifique de l'homme et

1. Lys le montre constamment, ainsi il écrira : Qohelet en reste résolument à une analyse pragmatique de la réalité et il constate qu'au moment suprême où l'homme pourrait espérer de Dieu un jugement redressant les injustices humaines, c'est la mort aveuglément égalisatrice qu'il rencontre ! (*op. cit.*, p. 394).

une justice de Dieu et les consolations sur l'avenir ! Mais en même temps, ceci implique une acceptation de la forte présence de ce jugement de Dieu. Il faut le savoir. « Réjouis-toi, jeune homme dans ta jeunesse, et que ton cœur te rende heureux aux jours de ton adolescence, marche dans les voies de ton cœur et selon la vision de tes yeux, et sache que pour tout cela Dieu te fera venir au jugement » (XI, 9). Présence du jugement. Il nous le faut pour savoir finalement ce qu'est la justice. Il ne s'agit pas encore ici de justification par la foi et je me garderai de faire dire à ce texte plus qu'il ne dit. Mais je ne peux pas empêcher le texte de proclamer : « Réjouis-toi, que ton cœur soit heureux et sache que tu viens au jugement » ; ceux qui veulent voir là une contradiction ne comprennent rien au mouvement de Qohelet : le jugement n'est pas ici pour couper les ailes de la joie, mais au contraire pour lui donner sens et profondeur. Durée. Ce n'est pas encore l'assurance de la Bonne Nouvelle que le jugement de Dieu, Dieu l'a pris sur lui en Jésus-Christ, ni que tout est consommé en Jésus-Christ, mais c'est déjà l'attestation que dans son jugement Dieu *donne* la justice. Et quand on sait cela, on prend au sérieux : « Heureux ceux qui ont faim et soif de justice car ils seront rassasiés. » Rassasiés, parce que la justice ne peut venir que de celui qui la donne. Et il la donne dans ce Jugement (dont le nôtre n'est qu'une petite image). Mais ils ne seront rassasiés que s'ils ont autant besoin de justice que de pain et d'eau, affamés, assoiffés, vraiment à l'ultime limite de la mort pour recevoir cette justice. Pas question ici de la foi nécessaire pour cette justice, mais de faim et soif d'une part, d'autre part la confiance complète qu'en effet celui qui juge est le Dieu qui donne. Mais ainsi, cela implique évidemment que cette mesure de justice nous soit aussi appliquée. D'ailleurs, le texte n'est pas menaçant, il ne dit pas : te fera venir en jugement, mais : te fera venir *au* jugement. Mais alors, il ne faut certes pas être paralysé par cette perspective, il ne faut pas vivre dans la terreur de ce jugement, il ne faut pas se replier. Au contraire, fais tout ce qui est possible et prends ton plaisir, cherche ta joie. Tu es jeune et c'est merveilleux. Marche selon les désirs de ton cœur et selon la vision de tes yeux [1]. Ne sois pas inhibé, ne vis ni dans une

---

1. Très justement, Lys (*op. cit.,* p. 405) écrit pour III, 22 une phrase qui convient parfaitement ici : « Les réalisations de l'homme sont considérées comme du vent. Mais

morale étroite ni une ascèse ! Ne refoule pas les désirs de ton cœur, mais plutôt transcende-les, sublime-les. Vois ce monde qui t'est offert, et agis dedans, et sur lui. Non pas du tout « il faut que jeunesse se passe », ce qui est une sottise, mais la jeunesse est le moment de la fraîcheur des émotions, des sensations, de la force des expériences, de la découverte des possibilités, tout cela, jeune homme, profites-en. Il n'y a ni morale (nous avons vu qu'au « lieu » de la justice, règne la méchanceté !) ni interdits. Ne sois pas bloqué, inhibé. C'est assez curieux, mais nous avons encore ici forcément l'évocation de la parabole des talents : nous voyons celui qui a été bloqué, inhibé, le dernier, qui avait reçu un talent, qui avait peur du maître, qui n'a rien voulu risquer, et qui a enfoui son talent dans la terre, et n'a rien fait, rien créé, rien développé. Et il remet scrupuleusement ce qu'on lui avait donné. « Je savais que tu es un maître dur... » et c'est lui qui est condamné. Et non pas ceux qui ont risqué la fortune prêtée, qui ont agi à leur guise. Ils ont réussi, mais s'ils avaient perdu ? Je suis certain que le maître ne les aurait pas condamnés ! Donc, pas de limite morale ou ascétique : une seule, « *sache* ». Pendant ta joie et ton action, *sache...* souviens-toi, garde-le dans ton cœur et ton intelligence. Et c'est là que tu dois prendre à la fois ta racine et ton inspiration. Tu viendras au jugement. Il y aura forcément des résultats et des conséquences, un lieu d'aboutissement « aux voies de ton cœur ». Ce jugement. Mais il te laisse toute ton autonomie, puisque tu ne sais pas d'avance ce qu'il sera. Nul ne te dicte ta conduite. Tu dois savoir, tout le temps, qu'il y a un jugement sur et pour ce que tu fais. Mais tu ne sais pas quel il est. Tout ce à quoi tu peux te référer, vers quoi tu peux remonter, c'est que celui qui va dire la justice, c'est le Dieu qui, avant toute chose, est qualifié par Qohelet comme « le Dieu qui donne ». Et que c'est lui déjà qui te donne cette jeunesse, cette force, et même cette jouissance. C'est cela que tu ne dois pas oublier. Le mal, le seul, serait précisément d'oublier que tout cela est donné par Dieu, et à cause de cela, que l'on viendra au

---

il ne s'agit plus de prétendre accumuler des réalisations pour donner un sens à la vie. L'œuvre n'a de valeur ni à cause de la mémoire des hommes [gloire] ni à cause des lendemains qui chantent [philosophie de l'histoire]. Les actes doivent être choisis dans le risque en faisant confiance à Dieu pour le sens du tout. On peut donc jouir de ce qu'on fait de façon tout à fait désintéressée. » Je dirais quant à moi : libre.

jugement ! C'est en ce rapport que consiste la seule Sagesse, et le mal consisterait à séparer ce bonheur du don de Dieu et de la possibilité du jugement, pour faire de *ma* jouissance, de *mon* désir, de *mon* plaisir ma chose à moi, que je ne dois à personne et sur laquelle je n'ai aucun jugement à porter, d'abord moi-même. Car c'est ce que nous avons rencontré déjà : c'est à partir de ce savoir que nous apprenons que tout n'est pas acceptable, et que nous ne pouvons pas nous livrer à la grande tentation de ce siècle, à savoir le « n'importe quoi » ! Quant à savoir si *ici* il est question du jugement « dernier », du « Jour du Seigneur », ceci est très possible, mais ne me semble pas le plus important. Ce qui l'est, c'est de savoir que sur *tout,* toute affaire, toute œuvre, il y a cette déclaration de la justice de Dieu. Et que, « en dernière instance », c'est cette justice qui « manifestera l'œuvre de chacun » ! Mais je crois qu'à trop vouloir qu'il s'agisse du jugement dernier, on risquerait d'attribuer au texte une dimension spirituelle qu'il n'a pas, celle de la vie éternelle, etc. Le jugement de Dieu peut être eschatologique sans qu'il y ait de survie individuelle... car ceci n'est pas le problème de Qohelet. En revanche, ce qui est important, c'est d'apprendre avec ce texte que ce jugement, qui est eschatologique, donc global, est aussi et en même temps un jugement individuel. Certains (Barucq) se sont étonnés à ce sujet : « Comment donc dans un milieu qui ne connaissait que le jugement eschatologique ce sage aurait-il pu entrevoir la possibilité d'un *tel* jugement sur le plan individuel ? » Comme si la Révélation de Dieu ne progressait pas [1] !

---

1. En achevant, je suis obligé de marquer mon désaccord avec la formule de Lys quand il écrit : « II, 23 a abouti aux deux problèmes de la mort de l'individu et du désordre de l'histoire. L'intégration de l'œuvre de l'homme dans le plan de Dieu est la solution au second (3, 1-15). Reste à résoudre le premier posé dans le cadre de la justice (III, 16 ; IV, 3) », avec indication de la justice eschatologique de Dieu et la conclusion que la non-existence vaut mieux que la mort qui vaut mieux que la vie. Je crois que ceci est formellement exact, et cependant douteux. En effet, Qohelet ne « pose pas des problèmes » et il ne cherche pas de « solution » ! Ce n'est pas un discours d'école ni la construction d'une théologie : c'est un combat avec soi et avec Dieu. C'est une expérience multiforme non formalisée. C'est l'interrogation que pose le vivant parce qu'il vit simplement, en étant conscient. En outre, je n'ai vu nulle part l'allusion à un « plan de Dieu », et c'est un glissement qui fait passer de l'idée de « temps favorable » à l'idée que l'homme a à mettre son œuvre en accord avec le plan de Dieu.

4. *L'approche de Dieu*

Mais peut-on en rester à l'affirmation abrupte, Dieu est dans le ciel et toi sur la terre ? Sommes-nous livrés à nos seules et incertaines sagesses, et devant un mur de silence et d'obscurité ? Pas de familiarités ni de facilités avec ce Dieu-là, mais sommes-nous dans une totale ignorance ? Tout Qohelet, ponctué par des déclarations de foi, se donne bien pour inspiré. Quoique nous soyons sans cesse avertis : moi j'ai pensé ; moi, je me suis dit ; Qohelet ne veut pas jouer au prophète, par crainte d'être un faux prophète. Ce n'est pas un livre de « révélation ». Dès lors, comme nous l'avons vu, il refuse la religion et les conceptions rassurantes de Dieu, de son action, etc. Il refuse les mythologies, les grands panoramas divins (qu'il connaît pourtant puisque nous avons constaté qu'il écrivait en ayant tout le temps présent Genèse I et III). Et il refuse de se servir de Dieu, aussi bien pour démontrer qu'il existe, que comme argument, ou comme « bouche-trou », ou pour justifier et expliquer ce qui se passe, etc. Il a un trop grand sérieux, un trop grand respect. Mais, ce faisant, ce qu'il révèle, ce n'est pas l'échec de Dieu, mais l'insuffisance, l'incompétence, l'incomplétude de la Sagesse, de la science, de la philosophie ! Il veut se tenir à ras de terre. Il pose la question centrale sur : qui est l'homme (bien plus que : qui est Dieu), et comment pouvoir vivre (bien plus que : quelle est la volonté de Dieu sur notre vie !). Il constate son incapacité à répondre, mais il affirme qu'il y a quand même un sens à tout cela, et que même s'il ne le connaît pas, il sait qu'il est là. Ce Dieu est alors, dans Qohelet aussi, une expérience de la communauté. Ce Dieu reste malgré son incompréhensibilité l'interlocuteur le plus proche du sage sceptique. Et il répond à ses questions sans réponse par d'autres questions plus introuvables encore. A Qohelet, comme à Job. Mais voici que le don incontrôlable au sein de l'inconnaissable provoque non pas la froideur mais l'adhésion. Et nous sommes ici à l'opposé du sommet de la pensée grecque : « Plotin oppose à l'être absolument personnel un concept de l'Un qui est exactement à l'antipode du Dieu biblique. L'Être

Un et la chose Une sont aussi distants que le ciel et la terre [1]. » Et ce qui caractérise l'homme, pour Qohelet, à ce point, c'est l'attente. Il attend la manifestation de cette justice, il attend que vienne et apparaisse celui qui comblera la vanité. Mais en attendant et sur cette terre, il est assez vain de prétendre mener sa vie selon et par la Sagesse. Finalement, pour la question dernière, la Sagesse, la science et la philosophie ne servent à rien. La seule relation possible avec ce Dieu qui donne à vivre, c'est une certaine approche, la crainte et la confiance. Une certaine approche... mais aussitôt est mise en question l'approche proprement religieuse : « Surveille tes pas quand tu vas au Temple : et s'approcher pour écouter vaut mieux que le sacrifice des fous (des imbéciles, des abrutis). Il est vrai que s'ils font mal, c'est parce qu'ils ne savent pas » (IV, 17). Ainsi, d'ailleurs dans la ligne des prophètes, Qohelet nous avertit de la vanité des sacrifices lorsqu'ils sont faits de façon purement mécanique, répétitive, non comme expression de la foi, lorsqu'ils sont « religieux » au sens sociologique. Si tu dois aller au Temple comme un imbécile qui le fait parce que les autres le font, ou comme un insensé, qui fera cela aussi bien qu'autre chose, ce n'est pas la peine. Donc, réfléchis avant d'approcher du lieu où Dieu est adoré et peut parler. Surveille tes pas. Essaie de savoir ce que tu fais. Bien sûr, cela ne veut pas dire que les imbéciles, les « chrétiens sociologiques » sont condamnés : ils ne le sont pas, dira Qohelet, parce qu'ils ne savent pas ce qu'ils font. Mais toi, tu es maintenant averti. Tu sais. Tu dois savoir que aller au Temple offrir un sacrifice ne signifie rien en soi. Tu iras pour *écouter*. Ceci est fondamental. Faire silence parce que c'est Dieu dont on attend une parole. C'est lui qui peut répondre à toutes les questions accumulées ici. Mais il n'y a de chance de l'entendre que si d'abord tu entres dans l'écoute. Et dès lors : « Ne fais pas se précipiter ta bouche. Que ton moi ne se dépêche pas d'exprimer une parole devant Dieu. Car Dieu est au ciel et toi sur la terre, c'est pourquoi, que tes paroles soient peu nombreuses » (V, 1). Étonnantes évocations du Sermon sur la Montagne encore, sur le sacrifice, etc. Donc, si tu te places devant Dieu, écouter avant de parler, c'est du haut de Dieu que peut descendre la

---

1. Gershom Sholem, *Le Nom et les Symboles de Dieu dans la mystique juive*, Paris, Éditions du Cerf, 1983.

Parole, ce n'est pas toi qui la diras. Nous sommes toujours pressés de parler à Dieu (pour demander...) mais le sage te dit : « Tais-toi d'abord », non pas indéfiniment, ni définitivement. Non pas le silence bouddhique infini. Mais laisse Dieu venir d'abord. Après tu répondras, et brièvement. Nous avons déjà dit pourquoi. Il y a un infini respect de la parole, notre seul lien avec Dieu. Et puis les recommandations pour cette approche de Dieu se poursuivent. « Lorsque tu fais une promesse à Dieu, ne tarde pas à la tenir. Car il n'y a pas de complaisance pour le fou [l'imbécile]. Ce que tu as promis, tiens-le. Mieux vaut ne pas faire de promesse que de promettre sans tenir » (V, 3-4). Et ceci évoque par exemple Ananias et Saphira : s'ils n'avaient rien promis, ils n'auraient commis aucune faute, mais... Et, comme le dit exactement Kierkegaard, citant ce texte, « dans le domaine religieux, on doit être prudent quand on fait des promesses dont la valeur profonde se reconnaît justement à la brièveté du délai d'accomplissement et à la défiance de soi-même. Non, toute l'intériorité de l'âme et le consentement que le cœur purifié de tout partage apporte à la promesse faite pour aujourd'hui, pour ce matin, donnent à ce vœu beaucoup plus de profondeur religieuse que ces discours d'esthéticiens [le prêtre !] fraternisant avec Dieu » (*Post-scriptum définitif, O.C.,* XI, 176). Pour la troisième fois, Qohelet nous dit : approcher de Dieu, entrer en relation avec lui, c'est infiniment sérieux. Si tu n'es pas capable d'écouter, de te taire, (de t'humilier), de tenir tes engagements : alors il vaut mieux ne pas t'approcher de ce Dieu plein d'indulgence pour les pauvres fous, mais d'exigence pour ceux qui prétendent entrer dans le cercle de ceux qui le servent, jurent par son Nom, et offrent des sacrifices. Aller au temple n'est ni un rite, ni une cérémonie, ni un comportement religieux, ni un devoir. C'est l'épreuve du sérieux de tes questions. Tout est vanité. Si tu vas au temple de cette façon « religieuse », tu fais entrer la relation avec Dieu dans la vanité, et c'est cela qui ne peut pas être pardonné. Et ceci débouche sur *toute* la condamnation par Jésus des hypocrites. Relisez simplement les « Malheur à vous, scribes et pharisiens hypocrites... » de Jésus (Luc) et vous y trouvez exactement l'explication, par l'homme qui avait autorité, de la parole du sage qui, lui, pouvait seulement avancer un avertissement. Ainsi, l'approche de Dieu peut nous permettre d'échapper à la vanité, mais il est aussi de notre pouvoir de l'y ramener, de faire envahir la révélation de Dieu par la vanité, le vent, la buée, la fumée, la sottise... Mais cela, Dieu ne le laisse pas passer comme si de rien n'était. Et devant lui, *à ce sujet, pour ce comportement,* il n'y a aucune excuse possible. « Tu ne peux pas déclarer ensuite devant le représentant [de Dieu ?] : " C'est une erreur. " » (V, 5). Pas d'erreur possible. La volonté de Dieu est extraordinairement claire, et c'est nous qui la rendons confuse. Et si ton comportement vient manifester aux yeux des hommes le peu de sérieux de cette « foi ». Et si ta parole énonce des sottises ou des banalités, au sujet de cette révélation, alors ce n'est pas sans effet : le positif devient négatif, le créateur devient destructeur. Choc en retour bien connu : « Pourquoi Dieu s'en prendrait-il à ta parole et détruirait-il ta propre réalisation ? » (V, 5). Dieu t'ouvre grande la carrière de ton activité. Mais ne te mêle pas de l'impliquer sottement dans tes histoires, ne le prends pas comme paravent, bonne à tout faire, bouche-trou... Alors ton œuvre sera nécessairement détruite. Dès lors, à partir de cela, crains Dieu [1] (ou bien : respecte Dieu). Faut-il redire, après tant d'autres, que cette crainte (que nous retrouverons pour le Final) n'est pas la peur ni la terreur. Lorsque les femmes virent Jésus ressuscité, elles furent saisies de crainte. Mais je crois que cela n'implique pas cette réaction psychique nerveuse et corporelle que nous qualifions : peur. C'est du domaine de la relation, c'est un certain type de relation à l'autre, sur le plan moral et psychologique, et la traduction « respect » est valable à condition de tenir les deux ensemble : crainte dans le sens de respect, et respect dans le sens de crainte. Car il ne s'agit pas du respect de politesse dû à un supérieur, ou à une « dame ». Respect à soi seul est aussi ambigu que crainte. « Mes respects, monsieur le Préfet. » Ce n'est pas ça ! C'est donc la conscience de l'infiniment sérieux, la reconnaissance du Tout Autre, et l'approche, car « crainte-respect » impliquent nécessairement une *approche,* de celui qui nous est infiniment lointain. Mais approche supposant un désir, une volonté, une espérance, une attente. La « crainte-respect » repose sur une confiance aussi, mais non une familiarité. Nous l'avons déjà vu dans le texte sur les rêves et l'excès des paroles (V, 6) — « Dans l'abondance de rêves sont les vanités, et les paroles en abondance,

---

1. Franz Delitzsch qualifie Qohelet comme étant « le cantique suprême de la crainte de Dieu ».

mais crains Dieu » (texte qui vient à la fin de ces recommandations sur l'approche de Dieu, V, 1-6) — qu'il y a une attaque contre les devins, les déchiffreurs de rêves mais aussi contre le parler en langues, les extatiques, les frénétiques religieux, les « prières d'abondance », etc., auxquels Qohelet oppose la maîtrise et la prudence qui provient de cette crainte de Dieu. Le faux prophète cache la fausseté de sa prophétie par une surabondance de paroles. Les faux spirituels cachent le démoniaque dans les extases et la glossolalie, les faux théologiens dans l'excès de leurs discours sur Dieu, etc. Mais toi, crains Dieu. Donc essaie de maîtriser aussi bien l'émotion que l'envie de proclamer ta connaissance de Dieu. Si tu le respectes... « Ne jette pas les perles aux cochons. » Décidément Jésus me semble avoir bien connu Qohelet ! Et voici que cette crainte de Dieu, commencement de la Sagesse, permet de résoudre la contradiction. Nous avons vu que Qohelet place constamment le oui et le non. Aussitôt affirmée la Sagesse, il en montre la faiblesse et... la folie. Et il y a un temps pour tous les contraires ! Mais voici qu'intervient la mise en perspective du Dieu qui donne. « Il est bon que tu t'attaches à ceci. Mais que tu ne laisses pas ta main lâcher cela. Et celui qui craint Dieu s'acquitte des deux (ou encore : résout les deux, évite les deux). » Autrement dit, ceci et cela étant les contraires, c'est la crainte de Dieu qui permet de s'en tirer. Car en Dieu il y a le non et le oui. Et les deux sont justes et doivent être sauvegardés. Le mal devient le bien (à l'extrême : la mort de Jésus-Christ assure le salut...). Le bien conduit au mal (à l'extrême, l'autojustification par la Loi). Seul le fait de garder les deux est juste, mais cela n'est possible que dans la crainte, le respect, l'amour du Dieu qui tient l'alpha et l'oméga ! Alors, cette crainte de Dieu, le sage nous atteste qu'il y aura du bonheur pour ceux qui l'éprouvent. Et je retiendrai la traduction qui est la plus saisissante : « Je sais, moi (et nous ne reviendrons pas sur cette déclaration de foi), qu'il y aura du bonheur pour ceux qui craignent Dieu, *parce qu'*ils éprouvent de la crainte devant lui » (VIII, 12). Ainsi, le fait même d'être empli de cette crainte donne déjà du bonheur. Je ne crois pas qu'il soit question d'une récompense. Ce n'est pas : « Si vous craignez Dieu, celui-ci vous rendra heureux. » Il me semble que Qohelet a suffisamment démontré le contraire ! Mais celui qui craint Dieu a le bonheur parce que cette crainte même *est* présence de Dieu, elle atteste pour celui qui l'éprouve la présence du Seigneur. Et c'est pourquoi la traduction de Chouraqui me paraît évocatrice lorsqu'au lieu de « crainte » ou « respect », il met « frémissement », ceux qui frémissent en face de Dieu. Ils *sont* en face de Dieu. Mais ce frémissement est aussi bien celui de la « crainte » que celui de l'émotion, de « l'enthousiasme », de l'éblouissement, de la plénitude. Frémissement de l'approche de Dieu. Voilà l'extrême de la joie et du bonheur, dans la reconnaissance de son impuissance et de son indignité. « Il s'est approché de moi, misérable servante... » Qui n'a pas éprouvé cela ignore le bonheur et reste dans sa disqualification. Mais quand on vit cela, alors on sait enfin où est, ce qui est la Sagesse ! « Tout cela, je l'ai soumis à mon cœur et j'ai éprouvé tout ceci : que les justes, les sages et leurs actions sont dans la main de Dieu. L'homme ne connaît ni amour ni haine ; tout est devant lui » (et ce texte, IX, 1, commence la longue série : tout est pareil pour tous [1]... et s'achève : « réjouis-toi, car déjà Dieu a agréé tes œuvres »). Ainsi, l'homme qui croit savoir et qui croit vivre ne sait rien, même pas ce qu'est en vérité l'amour et la haine. Seul Dieu sait, en vérité, absolument ce qu'est l'amour ! Comme seul il sait absolument ce que peut être la haine de l'homme pour lui. Crucifixion du juste. Tout est devant l'homme qui fait tout identiquement, et qui, lorsqu'il veut porter un jugement sur ce qui est sage et ce qui est fou en est finalement incapable.

Les justes, les sages et leurs œuvres sont dans la main de Dieu, voici le dernier mot de cette longue quête de la Sagesse ! Ce n'est

---

1. Il n'est pas inutile de marquer dans l'un de ces textes la progression que suit Qohelet (IX, 2) : « Tout est pareil pour tous, il y a un sort identique : pour le juste et le méchant/pour le bon et pour le mauvais/pour le pur et pour l'impur/pour qui sacrifie et pour qui ne sacrifie pas. » On passe du plan moral et du plan rituel au plan sacrificiel. Tous les niveaux de la « religion ». Et l'on comprend le scandale que peut représenter cette triple affirmation : rien de tout cela ne sert à rien, n'apporte de réponse ou de sens, et ne change le sort de l'homme. C'est-à-dire : ce n'est pas de cette façon que l'on peut changer la vie et pas davantage atteindre Dieu. Ainsi, même le sacrifice est inutile, mais Qohelet ne le refuse pas ! Il souligne simplement que celui qui fait un sacrifice n'échappe pas à sa condition. Et l'acmé de cette quête qu'il mène sera précisément d'effectuer sans le sacrifice ce que l'on a attribué à juste titre à celui-ci (P. Gisel) : « Décentrer la vie pour échapper à la secrète fascination de la mort. » Tel est bien le nœud et la fin de cette longue démarche. Voir la remarquable étude de P. Gisel : « Du Sacrifice », in *Foi et Vie*, juillet 1984.

pas par la Sagesse, par le moyen de la philosophie, de la science, de la connaissance que l'on accède à Dieu. Bien au contraire, le juste, le sage sont dans la main de Dieu, c'est-à-dire que la Sagesse vient de Dieu. Elle ne réside nulle part ailleurs, elle n'a aucune indépendance, elle ne débouche sur rien que sur fumée, buée, vent, vanité. Mais elle devient, peut-être la même, Sagesse à partir du moment où le sage a reconnu qu'elle était dans la main de Dieu, elle aussi don de Dieu. Mais cette Sagesse-là est forcément liée à l'attitude de l'homme : crainte, respect, frémissement. Cette Sagesse, elle n'est ni dans les sacrifices, les rites, les cultes, mais dans l'homme qui se tient courageusement et humblement devant Dieu. Car c'est, me semble-t-il, la leçon : Qohelet courageux, il a tout passé au crible sans réserve, sans crainte, sans « respect humain ». Il a osé s'attaquer à tout, aux croyances anciennes, à la morale et aux philosophies nouvelles. Il s'est mis en marge et a même ironisé sur le Roi des Rois, Salomon le Grand ! Mais en même temps, il est resté dans la totale humilité : il n'a pas jugé les autres sans se juger lui-même ! Au contraire, il s'est jugé lui-même, lui et son action, et c'est de son autocritique qu'il a tiré le reste ! Et il est resté humble devant Dieu, tellement humble qu'il ne l'a pas nommé, qu'il n'a rien osé en dire, sinon qu'il voyait partout des dons que Dieu fait aux hommes. Alors il termine par cette déclaration de confiance : La Sagesse, où donc est-elle ? exigeait Job, et Qohelet répond : les œuvres des sages sont dans la main de Dieu.

5. *Couronnement (XII)*

Les savants déclarent que ce chapitre XII est un épilogue. Ce qui, à mon avis, ne veut rien dire. Par ailleurs, cet épilogue serait le fait de un et probablement deux successeurs de l'auteur premier, de ses « élèves » si on veut à tout prix que Qohelet soit un professeur de morale dans une faculté de théologie de l'époque. Ce qui me paraît hautement curieux. Toujours est-il que ces « éditeurs » du livre y auraient ajouté... D'autres pensent que ce chapitre XII jusqu'au verset 8 est bien de l'auteur, et seulement les versets 9-13 sont de l' « éditeur ». Il n'est pas besoin d'être un savant exégète pour voir qu'en effet ces cinq versets ne peuvent pas être de Qohelet, puisqu'à première lecture on trouve une déclaration *sur* Qohelet en disant qu'il *fut* (n'est plus) un sage, qu'il a beaucoup travaillé, qu'il a tenté beaucoup, etc., donc c'est un autre qui parle (comme dans le Deutéronome celui qui décrit la mort de Moïse). Mais peut-être y a-t-il contradiction : la première fin, v. 8, reprend le début : vanité des vanités... La deuxième fin : « Crains Dieu. » Mais nous avons essayé de montrer qu'il n'y a justement pas contradiction. J'ai bien aimé la remarque de Kuenen (citée par Mgr Lusseau) qu'il est encore plus difficile de nier l'unité de l'œuvre (et d'en découvrir les nombreux auteurs hypothétiques!) que de la démontrer (ce que j'ai tenté de faire!). En tout cas, les savants exégètes admettent en général que c'est bien la même pensée, qu'il y a continuité de tout le texte avec cet épilogue, et même les versets de la fin sont exactement « dans la ligne » : c'est cela seul qui m'importe.

Alors, après avoir passé en revue toute la possibilité de la vie, Qohelet interpelle l'homme, mais dans son adolescence : « Souviens-toi de ton créateur aux jours de ton adolescence, avant que ne viennent les jours du malheur, et que n'arrivent les années dont tu diras : " Je n'y prends plus de plaisir. " » Il ne faut pas trop se débarrasser de cette interpellation par un simplisme. Souviens-toi de ton créateur, non pas « adore-le », « sers-le », « obéis-lui »... Non : Souviens-toi. D'abord simplement et de la part de Dieu, ce simple appel : Souviens-toi... Et déjà cela nous rappelle que ce Dieu ne s'impose pas. Il n'écrase pas l'humain par sa révélation. Il est toute discrétion. Souviens-toi. Tu peux l'oublier, le laisser de côté, ne pas t'en soucier. Il ne viendra pas, fulminant, pour t'obliger à tenir compte de lui, pour te faire plier les genoux, pour emplir ton horizon, pour te contraindre à lui obéir. Non. Il reste caché, patient. « Je me tiens à la porte et je frappe », sans plus. Souviens-toi. Tout ce qu'il te demande c'est justement de lui accorder dans ta mémoire présente son souvenir, ne pas le laisser dans un vieux coin inutilisé, ne pas le laisser, statue, idole, image inadéquate, se couvrir de poussière. Souviens-toi de lui. Il vaut la peine qu'on lui adresse son souvenir, que l'on se rappelle ce qu'il a fait pour nous, que l'on se rappelle qu'il est là, présent, dans l'ombre et la discrétion et dans un silence qui n'est interrompu que par l'interpellation de ceux qui parlent en son nom.

« Souviens-toi Israël... » combien de fois ce Dieu demandait à Israël ce souvenir de tant de grâces, de bienfaits, de délivrances, de révélations *passés*. Mais il ne les gaspille pas en vain. Alors il faut s'y référer, les retrouver dans sa mémoire, et c'est le premier acte, quand on est silencieux à écouter. Mais justement quand on ne s'est pas laissé envahir par tant et tant d'activités. Souviens-toi de ton créateur. C'est la seule fois que Qohelet le nomme ainsi[1], et ce n'est pas sans intention et sans raison ! Dans l'orgueil de ta jeunesse, rappelle-toi que tu es créature. Voilà une réalité décisive. Tu es créature et non pas créateur toi-même. Créature, c'est-à-dire que tu as une origine qui t'a donné un certain être. Tu n'es pas le commencement de tout. Il est essentiel que ceci soit rappelé au jeune qui croit toujours tout recommencer. Et pas davantage tu n'es venu au monde et à la conscience par un événement tout naturel, par un engendrement et une éducation ensuite qui s'expliquent d'eux-mêmes. Tu es apparu dans une création où tu es toi-même créature, ce qui signifie que tu n'es pas maître de tout et libre de faire n'importe quoi, de toi et de cette création. Et, tout particulièrement, tu n'es pas le créateur du monde ! Celui-ci existe indépendamment de toi, et dans la mesure où tu es créature comme lui, comme les animaux et tout le reste, tu ne peux pas le traiter n'importe comment, à ta guise, selon ton désir, ta puissance, ton orgueil. Pendant ta jeunesse, au sommet de ta force et de ta gloire, tu as un créateur et c'est cela qui est la vraie limite à ton audacieuse volonté d'être maître de tout ! Tu as une relation avec celui qui est origine de vie, **source de vie**.

Tu es créature, **alors** il y a un certain nombre de réalisations que l'on attend de toi, des chemins ouverts, mais d'autres qui sont fermés, tu as un avenir qui t'attend, mais où certains possibles sont interdits. Créature, il y a une référence à prendre auprès de ton créateur, une écoute et un regard à lui jeter pour savoir son intention. Tu es libre, mais ni indépendant ni autonome. Tu n'as pas « ta loi en toi-même », et malgré tes prétentions tu ne connais ni le bien ni le mal. Tu es incapable de discerner par toi-même ta

---

1. Ce qui conduit certains commentateurs (Barucq), à évacuer ce texte pour affirmer que Qohelet ne parle « jamais » du créateur !

droite de ta gauche (Jonas) et nous sommes en plein au cœur de l'Ecclésiaste : « Je me suis attaché à reconnaître ce qui est sagesse et ce qui est folie », et voici, cette activité est vanité, poursuite du vent. Tu es incapable, si tu te juges autonome, de savoir ce qui est à accomplir, et de savoir quelle est la sagesse.

Et, réciproquement, tu n'es pas créateur. Tout ce que tu as, joie, orgueil, à faire, c'est très bien, mais ce n'est en rien une création. Ici aussi nous sommes au cœur de l'Ecclésiaste : ce qui est, cela a déjà été. Tu t'imagines créer, mais non ! Tu aménages, tu utilises des richesses qui étaient mises à ta disposition. Tu ouvres des chemins qui étaient déjà ouverts. Tu ne crées rien. Tu n'es pas le créateur. Et tous les malheurs et j'insiste, *tous les malheurs du monde* viennent exactement non pas de ce que Candide n'est pas resté dans son jardin, mais de ce qu'un homme se prend pour le créateur. Qu'il soit le guerrier qui modifie la planète par ses conquêtes fulgurantes, ou le dictateur qui modèle une société, l'image est toujours la même : une main qui pétrit une glaise informe. Gloire du créateur d'un État, d'un ordre nouveau, d'un empire, mais aussi bien gloire du scientifique qui se prend pour le créateur, et qui débouche inéluctablement sur la bombe atomique, pas d'autre issue. Chaque fois que tu te prends pour un créateur (même en tant qu'artiste !), tu es un destructeur, un anéantisseur ; chaque œuvre de l'homme créée dans le silence, la discrétion, l'humilité (à l'image de son créateur incognito !) est positive, utile et fait vivre. Chaque œuvre de la puissance, où l'homme se prend pour créateur, est œuvre de néant et provocatrice de néant. Et nous retrouvons la nécessaire finitude que Qohelet a voulu nous enseigner.

Mais ce souvenir, ce double souvenir, qu'il y a mon créateur et que je suis une créature, l'important c'est qu'il faut l'évoquer pendant sa jeunesse. Aux jours de ton adolescence... combien ceci est important. Qohelet le redit ici après l'avoir déjà énoncé au XI, 9 ! Et j'y vois deux grandes lignes d'interpellation. D'abord, c'est pendant cette période d'épanouissement, de bonheur, de plaisir, de forces en plein développement que ce souvenir doit venir. Pendant cette heure de gloire de l'homme qu'est la jeunesse, c'est-à-dire que c'est pendant le bonheur, la joie, la santé, la force qu'il y a lieu de se souvenir, et ce souvenir va alors s'exprimer non pas dans la répression de cette force et de cette joie, mais dans la référence au Créateur. Il s'agit simplement de reconnaître que cela vient du don du Créateur. Tu es dans ta gloire, alors tourne ton visage de gloire vers celui qui t'a créé ! C'est de lui que vient tout ton bonheur. Et ce qui va monter à tes lèvres, c'est une louange, une action de grâces, un remerciement, un hymne à la joie de Dieu en toi. C'est cela et rien d'autre que le créateur attend de nous !

Après, ce sera trop tard. Quand tu seras atteint par la vieillesse et la maladie, quand l'ombre de la mort se profilera sur toi. Alors, hélas, nous choisissons ce moment pour nous souvenir de notre créateur ! Et qu'est-ce que nous avons à dire ? Nous nous lamentons sur notre sort, nous supplions parce que le passé est fini, l'avenir est sombre, nous prions parce que... nous avons peur. C'est avant le moment où nous disons « je n'y ai plus de plaisir » que nous avons à nous tourner vers Dieu ! Afin que notre visage vers lui soit resplendissant de joie et que notre prière soit une glorieuse action de grâces, et non pas un lamento stérile ! S'il n'y a plus de plaisir dans la vie, alors ce n'est pas vrai que nous nous tournons vers notre créateur, il n'y a plus référence à Dieu, mais seulement peur de la souffrance et de la mort, et ce Dieu devient un opium, une compensation, une prothèse, un « dernier espoir » (sans espérance)... il n'est pas le Dieu libre de la joie et de la plénitude qui était le Dieu d'Abraham, de Moïse et de Jésus-Christ.

Mais il ne faut surtout pas comprendre cette recommandation, « Souviens-toi de ton créateur pendant ta jeunesse », comme un avertissement menaçant concernant le salut ! Il ne faut pas entendre : « Adresse-toi à Dieu pendant qu'il est encore temps, parce que bientôt il sera " trop tard ", c'est-à-dire que tu vas vers la damnation. » Il n'est pas question de cela dans notre texte ! Il est parfaitement absurde de lire ceci : Tu vas passer en jugement et prends garde à la condamnation ! Si trop souvent on l'a entendu ainsi, c'est à cause de notre obsession du salut individuel, qui, comme dans bien d'autres cas, vient tout troubler dans la clarté de la Révélation.

Mais il y a encore un pas à faire : Souviens-toi de lui pendant ta jeunesse, c'est aussi pendant le temps où tous les possibles sont ouverts devant toi, pendant que tu as des forces intactes pour les mettre à son service. Ce n'est pas quand tu es gâteux et paralysé que tu as à te souvenir ! Ce n'est pas trop tard pour ton salut, mais trop tard pour le service de la Présence de Dieu au milieu de ce monde et de cette création. Il faut prendre parti avant. Lorsque tu peux effectivement exercer des choix, que de multiples voies s'ouvrent devant toi, que la pesanteur de la nécessité n'est pas devenue accablante. Et c'est bien toute la leçon de Qohelet que nous retrouvons ici. Il y a un moment où les choix sont possibles. Un moment où tu peux décider entre les temps favorables ! Ce qu'en d'autres études (sur la politique) j'appelais la « situation encore fluide ». Et puis vient le temps où se gèlent les situations, où le déterminisme devient total et rigoureux, où tu n'as plus de choix, où tu es obligé d'obéir à la nécessité.

Voilà pourquoi il faut se souvenir du créateur dans la jeunesse, et dans chaque jeunesse : celle des situations, des sociétés, des associations, des cultures, des relations politiques, des Églises ! Dans chaque commencement et quand les forces sont encore intactes pour les engager dans cette œuvre. Tu peux certes les engager dans beaucoup d'actions et d'œuvres, tu peux les gaspiller dans la guerre et la révolution et la sexualité, ou la dissipation, alors souviens-toi de cette possibilité de l'engagement au service du créateur pour sa création, et pour toi-même. Et tes forces intactes serviront en effet cette création, et tu feras ouvrir un lieu du royaume des cieux. Tu porteras un Nouveau Dieu là où tu es. Mais il y faut les forces de la jeunesse, avant qu'elles ne soient usées, dissipées par les jours du malheur, quand plus rien ne te fera plaisir ! Voilà ce que me dit ce verset premier du grand final.

Et commence alors l'admirable poème :

> Avant que ne s'obscurcisse le soleil,
> la lumière, la lune et les étoiles
> et que ne reviennent les nuages après la pluie,
>
> au jour où trembleront les gardiens de la maison,
> où se courberont les hommes vigoureux,
> où s'arrêteront les meunières,
> parce qu'elles sont trop peu nombreuses,
> où s'obscurciront celles qui regardent aux fenêtres,

où seront fermés les deux battants sur la rue,
au jour où diminuera le bruit du moulin,
où on se lèvera au cri du passereau
et où s'affaibliront tous les chants ;

et aussi d'en haut on aura peur.

On aura des terreurs sur les chemins ;
où l'amandier fleurit
la sauterelle deviendra pesante
et la câpre inefficace,
car l'homme s'en va vers sa maison d'éternité
et les pleureurs circulent dans les rues ;

avant que ne se détache le cordon d'argent,
que ne se brise le globe d'or,
que ne se casse la cruche à la fontaine
et que n'éclate la poulie de la citerne ;

avant que la poussière ne retourne à la terre,
selon ce qu'elle était,
et que le souffle ne retourne à Dieu
qui l'a donné.

Vanité des vanités, a dit le Qohelet.
Tout est vanité.

De toute évidence, il s'agit donc d'un poème sur la vieillesse et la
fin de la vie, vers la mort, qui complète : « Avant que n'arrivent les
années dont tu dirais : je n'y ai plus de plaisir. » Bien. Cette
évidence banale acquise, tout n'est pas dit. Je crois que le poète dit
toujours plus et au-delà de ce qu'il écrit, et que le poème nous parle
dans l'émotion de sa beauté. Les commentateurs toujours ingé-
nieux se sont évertués à trouver dans tout ceci des allégories, une
sorte de gongorisme avant la lettre.

Et l'explication qui a fini par rallier presque tout le monde, c'est
qu'il s'agit d'une description minutieuse du vieillard : l'obscurcisse-
ment, c'est qu'il devient aveugle. Les meunières, ce sont les dents
qu'il a perdues. Les gardiens ce sont peut-être les bras, le bruit qui

270

diminue c'est qu'il devient sourd, et, pour abréger, la câpre n'a plus d'effet parce qu'elle serait un aphrodisiaque, et que le vieillard ne peut plus avoir d'activité sexuelle… (Podechard, Steinmann). Mais il y a eu bien d'autres interprétations allégoriques ; tout ceci, selon les Midrach Rabba, concernerait le Temple de Jérusalem, la Torah, les serviteurs du Temple, le mobilier, les lampes sacrées, donc un ensemble religieux (cité par Barucq). Certains ont vu dans ce texte une description de l'orage, expression de la puissance du Créateur. D'autres simplement la tombée du jour et le commencement de la nuit. Et puis aussi la décadence et la ruine d'un État politique… Mais tous le lisent comme une énigme dont il faut terme à terme trouver le sens allégorique. J'ai le sentiment que c'est une fausse piste[1]. Que le poème est à la fois plus vaste et « polysémique » pour employer le mot savant à la mode. Et qu'il est *d'abord* un poème ! C'est-à-dire pas du tout l'énoncé d'un problème à résoudre ni une charade dont il faut transposer les termes. Il faut d'abord se laisser saisir par la beauté du texte, d'abord le recevoir dans l'émotion et l'écoute silencieuse comme une musique, et laisser sa sensibilité, son imagination parler avant de vouloir analyser et « comprendre ». Et surtout ne pas chercher à examiner chaque image et chaque évocation comme renvoyant à une réalité banale. Si je lis ce poème entre « les jours du malheur où tu n'auras plus de plaisir » et puis « vanité des vanités », il me semble que c'est l'évocation de tous les déclins, de toutes les ruptures, de toutes les fermetures, de toutes les fins. Pas seulement celle de l'homme individuel qui va vers la mort, pas seulement la destinée humaine. Tout : fin d'un travail, qui ne se fait plus, qui disparaît parce que plus personne n'est là pour le faire et l'assumer. Fin d'un village, ou d'une communauté, dont les participants s'en vont. Fin d'un projet qui ne s'accomplira jamais. Fin d'un amour remplacé par la peur. Fin d'un art, dont les œuvres se brisent, à moins qu'elles ne meurent dans nos musées, privées de leur lieu et de leur sens. Fin d'une nature qui n'aura plus de force. Fin d'une civilisation. C'est le chant de la Fin. Qui va bien au-delà du « *nevermore* » de Poe. Et, bien entendu, cette fin de tout entraîne

---

1. J'ai été heureux de rencontrer aussi cette idée chez Lauha, qui considère qu'il ne faut pas interpréter ce poème de façon allégorique et que l'allégorie ne fait pas partie du style de Qohelet (sauf, dit-il, pour les versets 3 et 4…).

celle de l'homme, centre de cette création. Mais une fin parmi toutes les autres.

Et cependant, au cœur de ce grand cri, il y a des notes d'espoir qui subsistent ! Glissées subrepticement (et qui ont fait transpirer les exégètes pour arriver à les inscrire dans la cohérence du texte. Mais justement, Qohelet nous a accoutumés à ces brèves contradictions !). Il y a quand même le passereau qui chante... et je ne puis m'empêcher de penser à la phrase de R. Gary en face de la bombe atomique : « Patron, ce n'est pas ça qui empêchera le rossignol de chanter. » Il y a l'amandier qui fleurit [1], et l'on sait que l'amandier est symbole d'espoir et de reconnaissance, de vigilance, d'activité. Amandier veut dire : le veilleur. Tout le monde l'a noté dans Jérémie (I, 11) à qui Dieu répond, quand il dit qu'il voit une branche d'amandier : « Tu as bien vu, car *je veille* sur ma parole pour l'exécuter. » Ainsi, au cœur de cette fin, de cette désolation, il y a la promesse par Dieu que c'est lui qui va poursuivre l'exécution de sa parole ! Il y a encore la sauterelle qui devient pesante. La sauterelle, dévastatrice, dévoreuse, fléau permanent, et voici qu'au milieu de toutes les images de la fin, il y a cette annonce : tous les fléaux ne seront pas déchaînés, la sauterelle ne va plus dévaster la terre. Et là encore, comment ne pas évoquer tous les textes où elle est envoyée comme un jugement de Dieu... Il faut admettre que Qohelet est un poète plus habile et que la révélation qu'il apporte est plus subtile que nous ! Il entrecroise toutes les images de la fin avec des fines pointes d'espoir, des flèches tournant le regard vers une autre fin ! Et, ici encore, j'évoquerai un moderne. On sait que dans la plupart des films de Fellini, dans cette noirceur, cette impitoyable dénonciation, qui rappelle en effet l'Écclésiaste, il y a *toujours* au milieu, exactement au milieu du film, une séquence attestant l'espérance, la vie, la foi, la présence de Dieu, l'ouverture, séquence brève, message décisif autour duquel en réalité s'organise tout le film ! Ainsi des métaphores d'espérance vont moduler ce grand chant de la fin.

Fin de l'homme, et non pas d'un homme. Car les exégètes sont en général d'accord pour penser que le jugement de Dieu dont il est question est eschatologique et non pas individuel. Pourquoi

---

1. A la vérité, c'est une étrange idée de prendre comme symbole de vieillesse ce qui est le signe éclatant du printemps et la promesse de fruits.

faudrait-il que la mort soit celle d'un individu ? L'interpellation :
« Souviens-toi de ton créateur pendant ta jeunesse » s'adresse à
chacun et à tous, à un corps comme à une institution... Alors on
peut conclure : Tout est vanité dans cet affrontement à cette mort
qui concerne le Tout, en effet. Mais ce qui est relatif à l'homme, et
l'homme seul, est bien la dernière déclaration : « Avant que la
poussière retourne à la poussière selon ce qu'elle était, et que le
souffle retourne à Dieu qui l'a donné. » Ceci évoque le texte de
Genèse II et III. Poussière. Au premier mouvement, ce mot
n'évoque rien d'autre que le fait de la dissolution de l'organisme, il
reste de la poussière, de la terre ordinaire, de la matière *sans
intérêt*. D'où, certes, les cérémonies funèbres, les tombes superbes,
les *funeral parlours*, les cimetières, les jours des morts, les
retournements de morts, les cultes des morts : tout cela est nul. Il
reste néanmoins gênant que le mot soit : retourne à la poussière,
car enfin concrètement Qohelet sait bien que la pourriture ne se
résout pas en « poussière ». Et l'on ne peut manquer d'évoquer
l'opposition que fait Nothomb, entre poussière (légèreté) et terre
(pesanteur). Mais notre texte dit bien que « la poussière retourne à
la terre selon ce qu'elle était ». Et cela gêne forcément Nothomb,
qui déclare alors simplement qu'à l'époque de Qohelet on ne
comprenait plus le sens premier et profond du texte de Genèse, et
que l'on avait déjà confondu poussière et terre. Cela me semble un
peu rapide. Mais Nothomb, dans le texte de Genèse, dit que
l'homme a été poussière (légèreté) *hors de* la terre *(adama)* : c'est-
à-dire quand même que la poussière en a été tirée, donc cette
poussière était bien participante de la terre : comme il n'y a de
légèreté qu'en fonction, à partir de la pesanteur ! Et cela ne me
paraît pas extraordinaire que la poussière revienne à la terre, selon
ce qu'elle était. La vie finie, finie la légèreté : reste la pesanteur de
la mort et de la terre[1]. Seul le Souffle de Dieu qui avait fait de
l'homme une âme vivante subsiste. Et l'essentiel n'est pas ce qui

---

1. Et ici je m'oppose tout à fait à Nothomb qui fait de cette poussière originelle
une promesse d'immortalité : si la poussière est légèreté première, appartenant
à l'humain seul, le « retour à la poussière » ne serait pas la fin dans un néant, mais
une promesse d'immortalité. Il n'en reste pas moins que le souffle de Dieu n'y est
plus... et en tant que chrétien on doit se demander quel est alors le sens de la résurrection !

compose l'homme mais ce qui vient de Dieu en cet homme. Mais il n'est pas question d'âme, et ceci n'annonce ni l'immortalité de l'âme ni la résurrection.

Et nous entrons dans l'ambiguïté du mot *ruach*, vent, souffle, souffle vital, esprit. Tous les exégètes sont d'accord pour rejeter le mot « esprit », il s'agit au mieux de souffle vital. Mais je ne comprends pas exactement l'âpreté de la controverse, sinon par exprit de parti. En effet, il est très bien et conforme à Genèse II[1] que ce soit un souffle vital que Dieu a soufflé en l'homme et que ce souffle vital retourne à Dieu[2]. Or, ce souffle a changé de Genèse II *(nishmat)* à Ecclésiaste XII *(ruach :* « esprit »!). Mais au fond, quelle différence y a-t-il avec l'esprit? Car enfin, il faut essayer d'être sérieux! Ce souffle est celui-là même du Créateur, puisqu'il rend l'homme vivant. Et ce Créateur, Dieu, est bien qualifié lui-même comme étant : le Vivant. Comment se pourrait-il que cette vie qu'il transmet à l'homme ne soit pas la vie qui vient de lui (et c'est cela, nous l'avons vu, qui donne au problème de la vie de l'animal toute son acuité!)? Mais si c'est la vie qui vient du vivant, quelle différence y a-t-il entre le souffle vital et l'esprit?

1. Nous avons dit que Qohelet s'inspire de Genèse II, 7. Mais le mot traduit par « souffle de vie » n'est pas le même : ici *ruach,* souffle et esprit. Dans Genèse : *nishmat hayim.* Or, ce dernier mot gêne Nothomb (si la poussière est gage de l'immortalité... que vient faire ce souffle de vie?). Par une habile exégèse de *nishmat/néshama,* il arrive à la conclusion que cela veut dire : conscience. Ce serait alors la « conscience d'exister ». Je ne suis pas convaincu, car, sauf pour un texte, rien n'impose ce sens pour les neuf autres citations bibliques. Mais surtout parce que, me semble-t-il, c'est à la suite du don du *nishmat...* que l'homme devient un être vivant. Ce n'est pas la seule « conscience » qui le rend vivant, c'est vraiment ce souffle. Et Qohelet sans aucun doute a forcé la note en passant de *nishmat* à *ruach,* mais je crois qu'il ne l'a en rien dénaturé. La « légèreté » du vivant humain disparaît à sa mort et le tout de ce qui fut sa vie est porté à Dieu par l'esprit. Ce n'est pas seulement la conscience d'être qui retourne à Dieu... qu'est-ce que cela voudrait dire?

2. Le fait de l'identité entre souffle vital et esprit exclut la question de la rétribution, et assimile l'homme à l'animal en niant la survie *d'une partie de l'être,* au niveau ontologique. Lys a raison d'ajouter que « parce qu'il parle de souffle et non d'âme on a pu penser que, s'il visait la doctrine grecque de l'immortalité, il l'avait mal comprise. Je croirais au contraire qu'il sait fort bien de quoi il parle, mais en joue ironiquement réduisant *nephesch* (âme) à l' " appétit ", au " désir " et utilisant *ruach* (esprit), terme commun à l'homme et à Dieu pour montrer la similitude de l'homme et de l'animal »! (*op. cit.,* p. 403).

L'esprit n'est pas une vague évanescence « spiritualiste ». L'esprit c'est ce qui fait vivre, d'une vie totale. Ce qui fait que l'homme a une possibilité de création et d'histoire. L'esprit, c'est la possibilité d'une relation (c'est pourquoi le corps mort dont l'esprit s'est retiré n'a plus aucune relation). Et cela dépend exactement du souffle de vie, pas d'un vague supplément. Ceci est d'ailleurs indirectement confirmé par les exégètes qui insistent aujourd'hui sur le fait que l'homme n'est pas composite, n'est pas un ensemble hétérogène de corps/âme/esprit, mais qu'il est une unité parfaite et que l'esprit est corps. Le corps est esprit, pas de rupture. Alors s'il en est ainsi, si la rupture c'est la fin de l'homme, donc esprit ou bien souffle de vie, c'est exactement ne rien dire sauf à avoir recours à un spiritualisme philosophique. Esprit ne prend un sens que s'il est vu dans le concret. C'est-à-dire : esprit, ce qui donne la vie, et la maintient. Et qui retourne, au moment de la mort, à l'éternellement vivant[1]. Mais, et c'est ici ce qui me semble le plus important : cet esprit qui égale la vie n'est pas une abstraction. Précisément, toute la Bible très concrète parle de la vie comme d'une réalité historique (et non métaphysique ou seulement biologique). L'esprit change au cours de la vie d'un homme. Ce qui implique que ce qui retourne à Dieu n'est pas l'identique de ce qui avait été donné : cet « esprit » s'est chargé en cours de vie de toute une histoire, de toutes les aventures, sentiments, peurs, souffrances, espérances, foi ou absence de foi, et que ce qui revient à Dieu c'est un esprit garni de l'histoire entière, connue ou secrète d'un homme[2]. Alors ce qui reste dans la poussière n'est plus rien, mais ce qui a été vécu par l'homme n'est jamais perdu. Certes, cette vie, cette histoire, ne sont que vanité, poursuite du vent, et *presque* rien (seulement : *presque*). Mais voilà ! Ce presque rien, Dieu l'assume, le prend en

---

1. On peut noter une fois de plus à quel point une haute technicité en hébreu ne suffit pas à expliciter un texte. Ainsi, pour Lauha, cette phrase signifie seulement la fin de la personnalité de l'homme...

2. Et voilà enfin ce qui différencie l'homme et l'animal ! Ils ont le même souffle ontologiquement, ils sont identiques. La seule différence, comme l'a noté Qohelet, tient à ce que l'un le sait, sait qu'il est mortel, l'autre ne le sait pas. Mais cette différence fait que l'un a une histoire, est une histoire. L'autre, non. L'un charge son souffle vital d'une œuvre et d'une élaboration, l'autre, non. Si bien que le souffle vital des deux revient à Dieu. Mais le premier est différent de ce qui avait été donné par Dieu. Et Dieu est « enrichi » de cette œuvre de l'homme !

charge lorsqu'il recueille l'esprit de cet homme à qui il l'avait donné. L'esprit, le souffle, un presque rien aussi. Mais un presque rien qui est à Dieu. Et là est la grâce.

Et Jésus le confirme lors de l'entretien avec Nicodème ou quand il parle d' « Esprit et Vie ». Lorsqu'il a parlé à ses disciples de la seule possibilité de vivre et qui est la communion avec Christ, et que les disciples déclarent : « Cette parole est dure, qui peut l'écouter ? » Il leur répond : « Les paroles que je vous ai dites sont Esprit et Vie. » L'un et l'autre indissolublement liés. Enfin, surtout au moment où il se soumet pleinement à la finitude de la condition humaine : « Père, je remets *mon esprit* entre tes mains. » Il ne fait aucune différence entre l'esprit souffle vital et l'esprit saint qui l'a animé. Ainsi, le débat me semble futile. En réalité, Qohelet nous dit bien que ce qui a été la force vitale de l'homme retourne à Dieu, le Vivant. C'est-à-dire entre dans la plénitude de vie, avec tout ce qui a été la vie, de cet homme-là. Le souffle porte en lui toute l'histoire de cet homme singulier, unique, qui a mené sa vie devant Dieu.

Mais voici : Qohelet s'interdit d'aller au-delà, et tout se conclut sur la vanité. Non pas qu'il dise que le fait que le souffle revient à Dieu soit vanité ! Mais rappelons-nous qu'il se situe très fermement et constamment « sous le soleil ». Eh bien, sous le soleil, le souffle vital est parti. L'œuvre est brisée. L'histoire est finie. Tu ne peux plus rien ni y ajouter, ni changer, ni conserver. Ce qui reste *sous le soleil*, c'est la poussière qui est retournée à la poussière. Si bien que le solde, le profit est zéro, vanité. Alors, jeune homme, toi qui es dans les commencements, pense à ce Créateur vers lequel tu reviendras, avant que tout de toi ne soit devenu vanité.

Ainsi, le discours de l'Ecclésiaste acquiert toute sa profondeur en nous montrant « coincés » entre la vanité de ce passé que le vieillard contemple et la vie que la jeunesse a devant soi. Et, pour la dernière fois, revenons à Kierkegaard : « L'humour est toujours révocation, rappel [...], il est la vue que l'on découvre en se retournant. Le christianisme est le courant qui porte en avant, à *devenir* chrétien, et à le devenir *en continuant* à l'être. Sans arrêt sur place, pas d'humour ! [...] Le christianisme n'a pas de place pour la mélancolie [...]. Salut ou perdition : le salut est en avant, la perdition en arrière de quiconque se retourne, quoi qu'il voie [...]. Pour le christianisme regarder autour de soi, même pour contempler les sites enchantés et charmants de l'enfance, c'est la perdition » (*Post-scriptum définitif, OC,* XI, p. 281).

« Fin du discours. Tout étant entendu, crains Dieu, et observe son commandement, car c'est là tout l'homme (le tout de l'homme). Car Dieu fera venir en jugement toute œuvre, concernant tout ce qui est caché. Que ce soit bon ou mauvais[1]. » Petit appendice souvent méprisé par des exégètes classiques, œuvre de l'éditeur (du second ?), qui dit, paraît-il, des banalités, et à laquelle beaucoup ont prêté peu d'attention. J'en suis surpris. Car il me semble que cette finale est d'une force terrible. Fin du discours,

---

1. J'ai été très heureux de trouver chez Chopineau, avec une étude exégétique solide, les remarques que j'avais faites par intuition sur ce chapitre XII. Il montre que ce chapitre est vraiment une « reprise thématique » de tout le livre et non une conclusion pieuse. Sur le plan formel, il y a reprise des expressions caractéristiques de l'ouvrage, et sur le plan du contenu des oppositions volontaires qui ne sont pas des contradictions, mais sont tout à fait dans la ligne même de la démarche de Qohelet. Mais j'ai trouvé ici deux explications essentielles que je n'avais pas vues. Tout est entendu, c'est l'exacte réplique à ce qui est constamment répété : Tout est oublié. Tout est oublié par l'homme mais a été entendu ! L'autre remarque est encore plus importante : elle concerne un verset que je n'ai pas commenté : verset 11. « Les paroles des sages sont comme des aiguillons : *elles sont données par un pasteur [ou un berger] unique.* » Je dois dire que j'avais eu spontanément envie de comprendre ce terme comme renvoyant à Dieu, et dès lors il s'agit ici de la Révélation par Dieu ! C'est Dieu qui a révélé à Qohelet... mais je n'avais pas osé me risquer dans cette interprétation que je jugeais un peu incertaine. Voici que Chopineau montre nettement que le mot ici employé, *Ro"ééhad,* ne peut désigner que Dieu, et que c'était déjà l'interprétation midrashique (en relation avec Ps 80 : « Berger d'Israël écoute »...). Un berger unique. Un Dieu Un dont l'existence seule interdit le néant universel. Par ailleurs, un lien subtil lie l'ensemble : ce berger renvoie à Abel *(hevel)* qui était lui aussi berger. Mais à ce berger-là, de vanité, on oppose le vrai Berger dont le Nom est : Un. Et ce terme de « Berger unique » est bien l'opposé du *hevel.* Le mot de berger était aussi appliqué au roi, et pourrait l'être à Salomon. Ainsi, de même que le livre est construit autour du thème du *hevel,* de même la Réponse de l'Épilogue culmine dans cette expression du *Ro"é-éhad.* Et c'est en tant que Berger qu'il donne les commandements qu'il faut observer parce que c'est le Tout de l'homme.
Voir aussi : de Robert, « Le berger d'Israël », *Cahiers théologiques,* 1968, n° 57.

tout est entendu. Or, ce « tout est entendu » peut avoir deux sens. Le premier, c'est que tout a été entendu par Dieu... Tout ce que nous avons dit (c'est sur vos paroles que vous serez jugés !) est entendu, recueilli. Tout était vanité, mais voici quand même tout est entendu[1]. Mais aussi, on continue, en même temps, le jugement lucide négatif. Ce qui signifie qu'on ne peut pas humainement aller au-delà de Qohelet. Il a tout dit. Les dissertations sur la vie humaine, sur la confiance que l'on doit mettre dans l'homme (nos innombrables proclamations sur la foi en l'homme !) sont passées au laminoir ici et il n'en reste rien. Fin du discours, non pas parce que le sage estime avoir achevé son livre, mais parce qu'il n'y a plus rien, parce que du grandiose humain, il ne reste rien. Dès lors, on est au *Finis Terrae*[2]. Tout est entendu, le reste ce sont des paroles creuses et inutiles. Il vient de nous avertir que l'on doit se méfier de l'excès des livres.

Et, juste auparavant, nous avons rencontré une fois de plus cet humour terrible, avec la déclaration sur l'œuvre de l'Ecclésiaste, qu'après avoir écouté et examiné, il s'est appliqué à trouver des « paroles plaisantes » (ou : agréables). Plaisanterie énorme, pour qualifier l'œuvre la plus déconcertante, décapante, rude, déplaisante, qui soit. L'Ecclésiaste transformé en poète de cour ou philosophe mondain !

Tout est entendu. « La cause est entendue. » Le procès (dans les deux sens) est achevé. Et *s'il n'y a pas de profit humain qui reste de surplus, tout ce que l'on peut garder d'assuré, c'est la crainte de Dieu et l'observation de son commandement.* Nous avons déjà donné une première approche de *cette crainte de Dieu.* Il faut maintenant aller plus loin : *cette crainte* de Dieu d'abord *implique la rencontre avec ce Dieu. Celui-ci est une présence et non une absence. Un Dieu étonnant puisque de lui il est dit à la fois qu'il est tout-puissant et terrible (alors la crainte va de soi !) et à la fois celui qui pardonne et*

---

1. Cette idée a été remarquablement développée par Neher. Ce qui a été entendu, c'est la voix du sang d'Abel. Caïn = Abel, mais Seth remplace Abel. Nous sommes tous descendants de Seth, et cette humanité existe uniquement parce que Dieu a entendu. Quand Qohelet demandait : quel reste ?, pas de reste pour Abel et Caïn mais « notre humanité constitue un seul et même reste, et constitue justement cela : les hommes sont tous des rescapés. L'histoire de l'humanité est un reliquat ».

2. Allusion à un très beau livre de Bernard Charbonneau, *Finis Terrae, vue d'un Finistère*, non édité.

fait grâce « afin que l'on te craigne » (Ps 130, 4). *Remarquable, c'est le pardon qui provoque la crainte.* Comme nous le retrouvons dans les Évangiles : les Gadaréniens effrayés parce que Jésus a guéri un fou. Les disciples pleins de crainte parce qu'il a pardonné les péchés ! Et ici nous avons cette ambivalence : *d'un côté crainte de Dieu parce que ce Dieu accomplit tout, à perpétuité, que l'on ne peut rien modifier à son œuvre* (III, 14). Et *de l'autre parce que ce Dieu recueille l'esprit de vie de l'homme, sa vie, et qu'il n'a pas laissé l'homme désemparé, sans aucune orientation mais qu'il lui a donné son commandement,* sa parole ! Mais il ne s'agit pas d'observance minutieuse et abstraite ! *Craindre Dieu c'est vivre dans sa présence,* en ignorant certes l'ultime de ce Dieu, en sachant qu'il y a là un mystère sans éclaircissement, mais en même temps, en sachant que c'est un mystère heureux, *parce que la crainte de Dieu exclut toute autre crainte* et devient donc source de confiance et de joie nouvelle. En effet, dit merveilleusement Lacan, « cette fameuse crainte de Dieu accomplit le tour de passe-passe de transformer d'une minute à l'autre toutes les craintes en un parfait courage. Toutes les craintes (je n'ai point d'autre que d'offenser le Seigneur) sont échangées contre ce qui s'appelle la crainte de Dieu, qui, si contraignante soit-elle, est le contraire d'une crainte[1] » !

Dès lors, *cette* crainte est le point de départ d'une autre relation à Dieu : Jean L'Hour[2] montre que cette crainte est la réponse à l'initiative première, fondamentale de Dieu. Dieu crée l'Alliance, et la crainte consiste à reconnaître que Dieu est bien le suzerain absolu. Le champ de la crainte englobe toute l'existence et le « cœur » est son lieu propre : craindre Yahvé, c'est accepter sa souveraineté, c'est la *vouloir* de manière concrète. Et cette crainte s'associe immanquablement à l'amour. L'amour dans la crainte et la crainte dans l'amour : inséparables. En effet, la crainte de Dieu reconnaît ce Dieu pour le « Tu » absolu, la possibilité d'un vrai dialogue. Elle fonde l'éthique qui sera immédiatement religieuse. « Crains Dieu *et* observe ses commandements : mais il n'y a pas là *deux* dispositions différentes ! Car craindre Dieu, *c'est* observer

---

1. Séminaire de J. Lacan sur *Les Psychoses,* cité par le Dr Leclerc dans *L'Interdit,* n° 12, 1985.

2. Jean L'Hour, *La Morale de l'Alliance,* Paris, Éditions du Cerf, 1985.

tous ses commandements ! » (Deut V, 29). Que te demande Yahvé ton Dieu ? C'est craindre Yahvé ton Dieu *en marchant* dans toutes ses voies... *en gardant* les commandements. Cette crainte n'est donc pas un simple sentiment, elle n'est pas terreur : elle est source de la joie de reconnaître que la volonté de Dieu pour notre vie est bonne et vraie !

Une note finale. Ces simples mots, crains Dieu, observe ses commandements, viennent confirmer l'hypothèse selon laquelle Qohelet aurait écrit une anti-philosophie grecque. En effet, lorsqu'il affirme qu'ici se trouve le Tout de l'homme, il proclame le contraire de la philosophie. Celle-ci progresse sans tenir compte des attitudes subjectives du sujet, de l'auteur, et elle trace son chemin dans une *terra incognita*. Elle a pour seuls guides l'intelligence, la raison, l'expérience, la méthode, l'observation. Et ce qui compte c'est la cohérence du discours, son adéquation à la réalité, sa marche sans rupture vers la vérité, son identification des hypothèses. La philosophie ne peut pas commencer par se donner des préceptes intangibles et non fondés. Et voici justement ce que fait Qohelet : d'une part, si tu veux vivre hors de la vanité, il faut avoir une *certaine attitude vitale*, la crainte et le respect. Mais le philosophe ne peut pas avoir un respect préalable. Il n'a pas à obéir à une crainte ! D'autre part, si tu veux être un tout, une cohérence, une plénitude, alors obéis aux commandements de l'Éternel. C'est à partir d'eux que tu peux à la fois être libre et intelligent. Que tu cesses d'être fou et de poser de vaines questions. Les *commandements sont le préalable absolu* de toute démarche vraiment humaine. Il n'y a pas de proclamation plus anti-philosophique que celle-là ! Observer le commandement devient en même temps ce qui permet de vivre et ce qui permet de comprendre.

Observer le commandement, écouter la parole, ce n'est pas entrer dans le cadre d'une loi rigide. C'est nous rappeler que Dieu donne et libère, et ce qu'il donne est une possibilité de vivre. Le commandement, pour répéter une fois de plus ce que dit K. Barth, c'est exactement la ligne tracée entre la vie et la mort. La transgression de cette parole là n'est pas la bienheureuse libération d'un code de morale étroit et mesquin, c'est l'entrée dans le territoire de la Mort.

Et c'est pourquoi Qohelet déclare tranquillement : c'est là tout l'homme et aussi bien : le tout de l'homme. Homme, ici Adam, est alors opposé à vanité ! tout est vanité, et on conclut : tout l'homme. Une fois achevé le tour des œuvres ramenées à la vanité. Quand nous pensons qu'il ne reste rien, voici le reste : « Tout l'homme tient dans cette crainte et cette écoute. » Or, ceci va à l'encontre de notre certitude la plus complète ! Chrétiens ou juifs, nous sommes tous convaincus que c'est très bien d'observer les commandements, mais que c'est un homme qui existe par lui-même qui le fait. Nous acceptons que l'homme recherche la volonté de Dieu, aime Dieu, ait la foi, etc., mais cela est une évidence qui va sans dire que c'est cet homme-là qui existe, qui vit de soi-même, et serait autonome s'il le voulait, qui, en plus, a certes à obéir à la volonté de Dieu. Autrement dit, même s'il n'obéit pas à cette volonté, cet homme existe. Il a une réalité, une vie. Alors la loi, le commandement, l'amour de Dieu soit un petit supplément. Cela ajoute quelque chose à la vie. Et très rapidement nous passons de là au facultatif. Finalement, observer les préceptes, ou bien adorer Dieu devient un petit ornement supplémentaire dans notre vie bien garnie, bien employée, comme de la musique ou des arts d' « agrément ». Et voici la radicalité sans faille de Qohelet : *Il ne reste rien. Vanité, fumée, buée, nuage. Et dans cette évanescence ou dans ce sable mouvant qu'est notre vie, reste : « Crains Dieu, écoute sa parole. » Seul point fixe, stable.* Tout l'homme se ramène à cela. Tout, c'est-à-dire qu'*en dehors de cela, l'homme n'est rien.* Lui aussi en lui-même est un souffle. Il est Abel. Il n'y a pas ici de plus et de moins, pas de compromis. Ce qui fait exister cet homme, ce qui lui donne en même temps une vérité et une réalité, ce qui le crée brusquement, c'est sa relation avec Dieu. C'est tout l'homme, car une fois dépouillé tout ce que nous avons rencontré comme étant vanité, il ne reste rien d'autre [1].

---

1. Je terminais ce livre lorsque, y cherchant tout autre chose, je suis tombé par hasard, dans le livre de J. Monod, sur la phrase suivante : « L'homme sait enfin qu'il est seul dans l'immensité indifférente de l'Univers. Non plus que son destin, son devoir n'est écrit nulle part. » Et c'était saisissant de prendre conscience de la naïveté outrecuidante de la « philosophie » présentée par de nombreux scientifiques ! Car enfin J. Monod, s'il avait lu, s'il avait réfléchi sur Qohelet aurait pu s'épargner ce lieu commun romantique. Que le destin ni le devoir a priori ne soient inscrits nulle part, on n'avait pas besoin de la démonstration pseudoscientifique de

Mais cette relation est *double, il y a la crainte-respect de Dieu, et puis il y a l'obéissance (libre!) à sa Parole* [1].

J. Monod pour le savoir. Qohelet en est un bon témoin, mais il n'est pas le seul! Et les arguments tirés de la physique ou de la biologie n'ajoutent pas une once de certitude à ce savoir profond. En réalité, J. Monod prend position, sans rien régler, dans un débat de trois mille ans. La Bible, entre autres, exclut la possibilité qu'il y ait un « devoir » écrit d'avance quelque part! Mais avec l'orgueil de la science, il proclame que c'est seulement maintenant qu'on le sait. Il manifeste ainsi sa propre ignorance. Et il s'attaque et pourfend une théologie, une philosophie qui eurent leur heure de gloire et de certitude mais qui sont depuis longtemps dépassées.

Quant à affirmer que « l'on sait *maintenant* que l'homme est seul au monde », il aurait pu recevoir une certaine leçon d'humilité de notre livre qui précisément montre que c'est un tout petit peu moins simplet! Si cela veut dire que nulle part dans les galaxies, il n'existe d'autres hommes, et que E.T. est une farce, soit, et nul besoin de science pour le savoir. Si cela veut dire que, dans le règne vivant, l'homme est unique, Qohelet me paraît plus profond quand il établit la relation de l'homme à l'animal. Mais si ça veut dire (ce qui est le plus probable) que Dieu n'existe pas, alors J. Monod tombe dans le piège inextricable de la « preuve » de l'existence ou inexistence de Dieu qui est la fausse question par excellence. S'il avait lu Qohelet, il aurait pu y apprendre que c'est précisément la présence de Dieu qui atteste à l'homme son unicité, sa singularité, sa solitude. Et si Dieu n'est pas, l'homme ne peut que chercher à sortir de cette solitude en se créant des interlocuteurs imaginaires, comme le fait d'ailleurs exactement Monod en hypostasiant le hasard! Mais si enfin cette phrase doit être lue en insistant sur le « sait maintenant », elle est encore une banalité signifiant que tout cela est question d'opinion. Autrefois, l'homme était convaincu que l'univers était plein de dieux, maintenant il est convaincu qu'il n'y a plus personne que lui. L'un vaut l'autre. Et Qohelet nous dit : recherche du vent! Il faut accepter de passer à ce crible pour éviter des phrases romantiques de ce genre, qui sonnent bien et peuvent émouvoir, mais qui n'ont aucun sens.

1. L'obéissance n'est pas contradictoire à la liberté. Et nous avons ici un facteur à ne pas négliger qui caractérise Qohelet. Il a montré sans cesse une totale indépendance d'esprit, il a évacué tous les tabous, il a critiqué toutes les morales et doctrines traditionnelles, il a transgressé tout l'ordre établi autour de lui, et voici qu'il en revient à ce qui paraît le plus traditionnel, le plus archaïque, l'obéissance aux commandements. Or, nous sommes par lui placés au cœur de toute la Révélation biblique, c'est l'identification de l'obéissance et de la liberté. Prenons deux modèles. Le livre fondateur du peuple hébreu, c'est l'Exode. Dieu est avant tout le Dieu qui libère. Ce peuple libéré va éprouver l'exercice de sa liberté au désert, il va connaître les difficultés (faim, soif, pillards) de cette vie et, après cet exercice, il arrive au Sinaï, où Dieu donne sa loi et ses commandements : y a-t-il contradiction ? Ce Dieu qui libère est-il devenu un Dieu qui asservit ? Loin de là ! Le commandement est une confirmation de la liberté. Le commandement est la limite, la frontière en deçà de laquelle la vie et la liberté sont possibles. Au-delà, il y a la mort et par conséquent le déterminisme absolu. Et ceci est aussi vrai théologique-

Cette recommandation de l'obéissance, bien plus, ouvre un dernier aspect sur Qohelet : il a tout critiqué, mais voici que quand il renvoie ainsi son lecteur aux préceptes de Dieu, c'est à toute la lecture de toute la Bible qu'il renvoie, et au Pentateuque en premier. En effet, il n'y a pas de « commandements » dans Qohelet lui-même. Il ne dit pas : « Suis *mes* préceptes. » Il y a une méditation sur l'homme et Dieu : mais quand il renvoie aux commandements, il veut manifestement se resituer dans la piété et la foi juives. Et il place lui-même son livre en retrait par rapport à ceux qui formulent les commandements.

Et c'est cela qui peut faire que l'homme ne soit pas un vain souffle... ! Et tout l'homme se situe entre ces deux pôles ; car il s'agit de deux pôles et non pas d'une même et simple attitude d'expression de vie dans le prolongement l'une de l'autre. « Crainte-respect » et « écoute-obéissance » sont deux pôles entre lesquels jaillit la vérité de l'homme, l'être de l'homme. Et c'est ainsi constitutif du Tout de l'homme. Celui-ci n'est pas un tout dans cette situation-là. Il est un bouchon flottant sur un courant agité. Il est une succession incohérente de moments. Il y a ceci et puis il y a cela. Et rien n'ordonne un Tout. Il est victime de ce dont il se fait gloire, ses sincérités successives, ses engagements contradictoires, ses affirmations péremptoires démenties le lendemain, et il prend

---

ment qu'expérimentalement. Mais pour qu'il en soit ainsi, il faut que ce commandement soit reçu par un homme, un peuple *libérés,* et que l'obéissance soit le fruit de la liberté. L'obéissance n'est ni soumission, ni absurdité, ni veulerie, ni lassitude : elle est libre adhésion dans la joie que ce commandement donne la vie.

L'autre modèle : Jésus, qui est l'exemple même de l'obéissance, serviteur souffrant par obéissance. Obéissant à la Torah, et au projet que le Père a formé pour son Fils, et aux injonctions *hic et nunc* que Dieu peut lui donner. Obéissant en tout jusqu'à la mort. Et pourtant Jésus apparaît bien comme l'homme libre par excellence, libre envers les lois, la tradition, les autorités, les interdits, les relations humaines, la bienséance, l'argent, l'évidence, les limites physiques, libre en toute chose. Et quand il obéit, c'est l'expression suprême de cette liberté. Il choisit sans cesse d'obéir. Il aurait sans cesse pu désobéir, il aurait pu céder à l'une des tentations, il aurait pu prendre pour lui la gloire du Père, il aurait pu échapper à la mort, il aurait pu devenir leader politique... il choisit, en pleine conscience de sa liberté, d'obéir à tout ce que comportait l'incarnation. Ainsi, pour Qohelet, l'esprit libre n'est en rien contradictoire avec la pensée biblique lorsqu'il nous redit que le Tout de l'homme (donc sa liberté !) se ramène à observer les commandements de Dieu.

ce qui est sottise ou folie, pour parler comme Qohelet, pour liberté, indépendance et affirmation de soi. Un soi qui simplement n'existe pas. *Il commence à avoir consistance et vérité quand il se situe entre les deux pôles. Celui qui le met en rapport avec le Vivant, le seul, et celui qui lui fait écouter cette Parole,* qui à la fois fait vivre et apprend la possibilité de vivre. C'est ainsi en même temps Tout l'homme, et le Tout de l'homme. Tout le reste, nous l'avons vu, a été passé au crible, et rien ne sépare cette vanité de la mort et de l'inexistence. Et Qohelet, en tant que témoin de cette parole, a été l'aiguillon qui a fait avancer le lecteur jusqu'à ce point-là, où il va reconnaître qu'il en est ainsi. Pas autrement. Et qu'il n'y a pas d'autre voie que ce dépouillement de l'illusion. Car tant qu'il y a cette illusion, l'homme ne peut pas reconnaître que son tout, c'est cette « crainte-respect / cette « Écoute-Obéissance » de la Parole.

Mais il faut peut-être noter alors l'opposition entre un hindouisme où tout le réel est illusion (*maya*) et où le bien est précisément ce détachement en lui-même, et puis l'objectif de Qohelet pour qui ce décapage, ce désillusionnement n'est ni le dernier mot ni la situation spirituelle vraie. Mais seulement le préalable à la possibilité d'être situés dans ce rapport à Dieu. Et de même, ce Vanité, tout est vanité, peut évoquer la profonde parole de Goethe : « *Alles Vergängliche ist nur ein Gleichnis.* » « Tout ce qui arrive (mais aussi dans le sens de l'Ecclésiaste : Tout le périssable, passager, éphémère) est seulement une allégorie, une parabole, une semblance, une comparaison. » Et ceci jette en effet aussi une lumière sur la vanité des vanités... Tout ce périssable est allégorie de ce qui ne l'est pas et renvoie à ce qui sert de modèle pour la comparaison, pour la ressemblance. Et alors nous voyons se nouer un autre nœud : cette immense vanité, allégorie du Vivant, et de sa Parole. Nous voici au bout du chemin.

Mais le dernier mot reste au jugement. Dieu fera venir en jugement toute œuvre, le bon et le mauvais, tout ce qui est caché. Or, cette petite phrase mérite qu'on s'y arrête une dernière fois, et que l'on ne conclue pas trop vite. « Bon ! nous savons ! c'est le jugement de l'homme qui est annoncé, une fois de plus après toute cette méditation on débouche seulement sur le Dieu Juge. » Et pourtant ! Ici ce ne sont pas des hommes qui sont jugés, Dieu fait venir *toute œuvre* en jugement. Ce sont les œuvres, les hommes sont en quelque sorte hors de ce jugement[1]. C'est l'histoire, c'est l'invention, c'est la science, c'est l'activité politique ou économique, c'est la culture, ce sont les pyramides ou les cathédrales, ce sont les camps de concentration et les hôpitaux, ce sont les œuvres, toutes, intellectuelles, morales, spirituelles, matérielles, voilà ce qui passe au jugement.

Et ceci me paraît tout simple et évident ; *si* la vie de l'homme est toute dans la crainte de Dieu et l'écoute de la Parole, cette vie ne vient évidemment pas en jugement. L'homme n'est pas jugé. Seulement ce qui n'est pas sa vie, ces œuvres auxquelles il s'est livré, donné, et qu'il a cru être sa vie ! Et nous avons déjà parlé de la visée de ce jugement. Mais il ne s'agit nullement d'une répartition de ceux qui vont au ciel et de ceux qui vont en enfer. L'homme n'est ici jugé qu'indirectement au travers de ses œuvres. Ce n'est pas lui qui est au premier plan, ce n'est pas de son salut qu'il s'agit. Mais de ce reste, une fois la vie achevée, ce reste que sont les œuvres accomplies au cours de sa vie. Vanité, bien sûr, mais vanité qu'il y a lieu de « faire », nous l'avons vu, comme j'ai, dans *Sans feu ni lieu,* montré la visée de cette « répartition des œuvres ». Mais ensuite, ce n'est pas « le bien et le mal » (le bon ou le mauvais) qui sont importants, cela n'est que l'explication du jugement lui-même. L'important, ici, c'est *ce qui est caché*. Lecture simple, évidente, dans la ligne de ce que nous savons tous : ce jugement de Dieu fait apparaître tout ce qui était caché, nulle surprise. Mais ce n'est pas tout. D'abord il faut le mettre en relation avec cette déclaration centrale que Dieu ne se laisse pas piéger par les activités et les déclarations (ce qui est apparent), mais il regarde au cœur de l'homme. Le caché, ce n'est pas ce qui est hypocritement dissimulé aux yeux des autres, c'est ce qui réside dans le cœur même et qui donne sens aux œuvres. L'œuvre, ce n'est pas seulement ces grandes œuvres qui marquent l'histoire de l'humanité, l'œuvre c'est aussi ce qui est enfoui au plus profond de notre conscient/inconscient. Notre œuvre, c'est notre haine et

---

1. Nothomb a sans doute raison de souligner que les termes « soit bien, soit mal » ou « le bon et le mauvais » ne désignent pas des valeurs morales, mais la totalité. C'est un renforcement, une répétition des deux « tout » qui précèdent dans la phrase, et qui doit s'entendre : Dieu amène en jugement toutes les actions, tout ce qui est caché : *absolument tout.* Le cumul « bien et mal » désigne la totalité.

notre amour, notre orgueil et notre obéissance, notre esprit de puissance ou de domination, nos complexes et le plus profond qu'aucun psychanalyste ne dévoilera, et ce peut être l'amour, notre esprit de service ou d'accompagnement... Voilà le caché qui non seulement sera dévoilé mais jugé. Or, nous avons ici une constante : Paul, comme Jésus, et Jésus comme les prophètes nous répètent continûment que Dieu regarde au cœur et que toutes les œuvres cachées sont manifestées. « C'est ce qui apparaîtra au jour où, selon mon Évangile, Dieu jugera par Jésus-Christ les actions les plus secrètes des hommes » (Rom II, 16). « Mes yeux sont attentifs à tous leurs chemins, aucun n'est caché devant moi » (Jér XVI, 17). « Quelqu'un serait-il dans un lieu si caché que je ne le voie pas ? » (Jér XXIII, 24). « Il n'y a ni ténèbres ni ombre de la mort où puissent se cacher... » (Job XXXIV, 22). Et bien entendu le grand Psaume 139 : « Où irais-je loin de ton esprit, où fuirais-je loin de ta face... » Le jugement, c'est d'abord, avant tout, et peut-être seulement cela : tout ce qui est caché apparaît... C'est le dévoilement, c'est la Révélation de chacun, et de tous, la présence de la Révélation immédiate du Seigneur...

Mais le mot hébreu qui dit ce *caché,* et qui évoque l'idée d'obscurité, a la même racine que celui qui a été employé au chapitre III pour nous parler du *désir d'éternité.* Et ici je vais m'avancer très aventureusement, car ce mot évoque pour moi justement ce que l'homme a voulu éterniser, pérenniser, faire durer de façon indéfinie, illimitée, ce qui est « éternisé ». Je sais tout ce que de savants hébraïsants pourront objecter. Pourtant cela me paraît si bien correspondre avec ce verset où l'homme a dans le cœur le désir de l'éternité sans pouvoir cependant comprendre l'œuvre de Dieu, que je ne puis m'empêcher de m'arrêter là-dessus. Simple évocation. Voici donc cet homme qui a reçu, comme don de Dieu en lui, ce désir d'éternité. Mais au lieu que ce désir le renvoie à l'Éternel pour écouter sa parole et pour le craindre en l'aimant, l'homme veut satisfaire son désir d'éternité par lui-même, et il crée des œuvres qui sont destinées à le rendre immortel. Il veut son éternité par ses propres moyens. Il dresse ses monuments, ses techniques, son art, sa pensée. Ce qui est caché et ce qui est éternisé se rejoignent. Alors on comprend l'importance décisive de ce jugement de Dieu, du Dieu qui donne, qui donne à l'homme tout ce qui est nécessaire pour se réjouir dans sa temporalité, illustrée de la promesse. Cependant que dans le même mouvement le Sage de l'Éternel annonce à cet homme que tout ce qui cherche à s'immortaliser est exactement fumée, poursuite du vent. Et n'y aurait-il pas mieux à faire que de s'obstiner à être éternisé ? La borne de notre finitude est indéplaçable. Revenir au tout de l'homme, crainte de l'Éternel qui est le commencement de la Sagesse. Cela, Qohelet ne le dit pas. Mais, bien entendu, il connaît le Psaume 111. « La crainte de l'Éternel est le commencement de la Sagesse. Tous ceux qui l'observent ont une raison saine. » Voilà donc la réponse à la question : qui discernera folie/Sagesse ? D'où viendra cette Sagesse ? Qohelet sait qu'elle ne peut suivre qu'un premier pas, celui de la relation vraie avec Dieu. Il faudrait presque faire une lecture récessive de cette œuvre ! Car, manifestement, tout commence avec cette crainte de l'Éternel et c'est de là que tout le reste découle, la vanité, comme aussi le plaisir fugitif, et la reconnaissance du Dieu qui donne, et les comportements fous de l'homme. Il nous a conduits par la main à cette dernière porte, qui est la première de la vie.

L'Ecclésiaste

Traduction de l'hébreu et présentée par l'École d'Avignon
Ouvrage publié dans la Bibliothèque [...] Pléiade
© Éditions Gallimard et [...] (Genève, Suisse), 1987

CHAPITRE PREMIER

1 Paroles de Qôhéléth, fils de David, roi à Jérusalem.

2 Vanité des vanités, a dit Qôhéléth.
Vanité des vanités. Tout est vanité.

3 Quel profit y a-t-il pour l'homme en tout son travail
auquel il travaille sous le soleil ?

4 Une génération s'en va, une génération vient
et la terre à perpétuité subsiste.

5 Le soleil s'est levé,
le soleil s'est couché
et vers son lieu il halète ;
il se lève là.

6 Le vent va vers le midi,
tourne vers le nord,
il tourne, tourne, va
et le vent reprend ses tours.

7 Tous les torrents vont à la mer
et la mer n'est pas comblée ;
au lieu où vont les torrents,
de là ils reprennent leur cours.

8 Toutes les paroles se lasseront ;
on ne pourra plus parler :

l'œil ne se rassasiera pas de voir
et l'oreille ne sera pas comblée à force d'entendre.

9 Ce qui a été est ce qui sera
et ce qui s'est fait est ce qui se fera :
il n'y a rien de nouveau sous le soleil.

10 Qu'il y ait quelque chose dont on dise :
vois ceci, c'est nouveau !
Cela a déjà été aux siècles qui furent avant nous.

11 Il n'y a pas de souvenir des anciens.
Et non plus de la postérité qui sera
il n'y aura pas de souvenir
chez ceux qui seront après.

12 Moi, Qôhéléth, j'ai été roi sur Israël, à Jérusalem. 13 Et j'ai mis mon cœur à étudier et à examiner par Sagesse tout ce qui se fait sous les cieux : c'est *une occupation mauvaise* (1)* que Dieu a donnée aux fils d'homme pour qu'ils *s'y occupent* (2). 14 J'ai vu toutes les œuvres qui se font sous le soleil et voici : tout est vanité et poursuite de vent.

15 Ce qui est courbé ne peut être redressé
et ce qui fait défaut ne peut être compté.

16 J'ai parlé avec mon cœur en disant : voici que j'ai fait grandir et fait progresser la sagesse plus que quiconque fut avant moi sur Jérusalem et mon cœur a goûté abondamment Sagesse et science. 17 J'ai mis mon cœur à connaître la sagesse et à connaître la folie et la sottise et j'ai connu que cela aussi est recherche de vent. 18 Car

Dans abondance de Sagesse est abondance de chagrin et ajoute-t-on à la science, on ajoute à la douleur.

---

(1) un souci mauvais
* Pour chacun des mots ou passages soulignés dans le texte on donne, en note, une traduction différente, préférée par J. Ellul et qui est utilisée dans les citations faites tout au long de cet ouvrage *(NdE)*.
(2) s'en soucient

CHAPITRE II

[1] J'ai dit en mon cœur : viens donc, que je t'éprouve par la joie ! goûte au bonheur ! Et voici, cela aussi est vanité. [2] Du rire j'ai dit : fou ! et de la joie : qu'est-ce que cela fait ? [3] J'ai délibéré en mon cœur de traîner dans le vin ma chair, mon cœur s'appliquant à la sagesse, et de m'attacher à la sottise, jusqu'à ce que je voie ce qu'il est bon pour les fils d'homme de faire sous les cieux pendant le nombre des jours de leur vie.

[4] J'ai fait grandes mes œuvres : je me suis bâti des maisons, je me suis planté des vignes ; [5] je me suis fait des jardins et des parcs et j'y ai planté des arbres de tous fruits ; [6] je me suis fait des bassins d'eau pour en arroser une pépinière produisant des arbres ; [7] j'ai acheté des esclaves et des servantes ; j'ai eu des domestiques ; j'ai eu aussi du gros et du petit bétail en abondance, plus que quiconque fut avant moi à Jérusalem. [8] Je me suis amassé aussi de l'argent et de l'or et une fortune de rois et de provinces ; je me suis procuré des chanteurs et des chanteuses et, les délices des fils d'homme, un échanson et des sommelières. [9] Je devins grand et je surpassai quiconque fut avant moi à Jérusalem. Et ma sagesse me resta. [10] Tout ce que mes yeux ont demandé, je ne le leur ai pas refusé ; je n'ai privé mon cœur d'aucune joie, car mon cœur jouissait de tout mon travail, et cela était ma part de tout mon travail.

[11] Je me suis tourné vers toutes les œuvres qu'avaient faites mes mains et vers le travail auquel j'avais travaillé pour les faire et voici : tout est vanité et poursuite de vent et il n'y a pas de profit sous le soleil.

[12] Je me suis tourné pour voir la Sagesse, la folie et la sottise, car que [fera] l'homme qui viendra après le roi ? Ce que déjà l'on a fait. [13] Et j'ai vu qu'il y a plus de profit pour la sagesse que pour la sottise, comme la lumière est plus profitable que l'obscurité.

[14] Le sage a ses yeux à sa tête
et l'insensé marche dans l'obscurité.

Et je sais, moi aussi, qu'un sort identique écherra à tous deux.
¹⁵ Et j'ai dit en mon cœur : un sort pareil à celui de l'insensé écherra à moi aussi : pourquoi ai-je été sage alors davantage ? Et j'ai déclaré en mon cœur que cela aussi est vanité. ¹⁶ Car il n'y a pas de souvenir du sage, pas plus que de l'insensé, à perpétuité, parce que déjà dans les jours qui viennent tout est oublié : comment le sage meurt-il aussi bien que l'insensé ?

¹⁷ Et j'ai haï la vie, car mauvaise pour moi est l'œuvre qui se fait sous le soleil, parce que tout est vanité et poursuite de vent. ¹⁸ J'ai haï tout mon travail, auquel j'avais travaillé sous le soleil et que j'abandonnerai à l'homme qui sera après moi. ¹⁹ Qui sait s'il sera sage ou *sot* ⁽¹⁾. Il sera maître de tout mon travail auquel j'ai travaillé en me comportant avec sagesse sous le soleil : cela aussi est vanité.

²⁰ Et je me suis mis à désespérer mon cœur au sujet de tout le travail auquel j'avais travaillé sous le soleil. ²¹ Car voici un homme qui [a fait] son travail avec Sagesse, avec science et avec succès, et à un homme qui n'y a pas travaillé il donnera sa part ! Cela aussi est vanité et grand mal. ²² Car que revient-il à l'homme de tout son travail et de la recherche de son cœur auxquels il travaille sous le soleil ? ²³ Tous ses jours en effet sont douleurs et son occupation est chagrin ; même pendant la nuit son cœur ne repose pas : cela aussi est vanité.

²⁴ Il n'y a rien de mieux pour l'homme que de manger et de boire et de faire goûter à son âme le bonheur par son travail ; j'ai vu que cela aussi vient de la main de Dieu. ²⁵ Car

« Qui mangera et qui jouira en dehors de moi ? »

²⁶ A l'homme en effet qui est bon devant lui il a donné Sagesse, science et joie, et au pécheur il a donné comme occupation de rassembler et d'amasser pour donner à celui qui est bon devant Dieu : cela aussi est vanité et poursuite de vent.

(1) fou ?

CHAPITRE III

¹ Il y a pour tout un moment
et un temps pour toute chose sous les cieux :

² *temps* [1] pour enfanter et *temps* pour mourir ;
temps pour planter et *temps* pour arracher le plant ;

³ *temps* pour tuer et *temps* pour guérir ;
temps pour abattre et *temps* pour bâtir ;

⁴ *temps* pour pleurer et *temps* pour rire ;
temps de se lamenter et *temps* de danser ;

⁵ *temps* pour jeter des pierres et *temps* d'amasser des pierres ;
temps pour embrasser et *temps* pour s'abstenir d'embrasser ;

⁶ *temps* pour chercher et *temps* pour perdre ;
temps pour garder et *temps* pour jeter ;

⁷ *temps* pour déchirer et temps *pour* coudre ;
temps pour se taire et *temps* pour parler ;

⁸ *temps* pour aimer et *temps* pour haïr ;
temps de guerre et *temps* de paix.

⁹ Quel profit celui qui fait quelque chose a-t-il à travailler ?
¹⁰ J'ai vu *l'occupation* [2] que Dieu a donnée aux fils d'homme pour qu'ils *s'y occupent* [3].   ¹¹ Il a fait toute chose *convenable* [4] en son temps ; il a mis aussi *la durée en leurs cœurs* [5], malgré quoi

---

(1) un temps
(2) le travail ou le souci
(3) s'en soucient ou s'en chargent
(4) belle
(5) dans leurs cœurs le désir de l'éternité

l'homme ne découvre pas l'œuvre que Dieu a faite du commencement à la fin. ¹² J'ai connu qu'il n'y a rien de bon pour eux, si ce n'est de jouir et d'avoir du bien-être en leur vie. ¹³ Et même tout homme qui mange, boit et goûte le bonheur par tout son travail, cela est un don de Dieu. ¹⁴ J'ai connu que tout ce que Dieu fait sera à perpétuité : il n'y a rien à y ajouter ni rien à en retrancher et Dieu a fait en sorte que l'on éprouve de la crainte devant lui.

¹⁵ Ce qui déjà fut est
et ce qui doit être a déjà été
et Dieu recherche ce qui fuit.

¹⁶ J'ai vu encore sous le soleil le lieu du jugement : là est la méchanceté, et le lieu de la justice : là est la méchanceté. ¹⁷ Et j'ai dit en mon cœur : le juste et le méchant, Dieu les jugera, car il y a là un temps pour toute chose et concernant toute œuvre. ¹⁸ J'ai dit en mon cœur à propos des fils d'homme : c'est pour que Dieu les éprouve et pour qu'ils voient qu'ils sont eux-mêmes des bêtes. ¹⁹ Car le sort des fils d'homme et le sort des bêtes, c'est un sort identique qu'ils ont : telle la mort de celles-ci, telle la mort de ceux-là et un souffle identique est à tous deux ; la supériorité de l'homme sur la bête est nulle, car tout est vanité.

²⁰ Tout va vers un lieu identique :
tout vient de la poussière
et tout retourne à la poussière.

²¹ Qui sait si le souffle des fils d'homme monte vers le haut et si le souffle des bêtes descend en bas vers la terre ? ²² Et j'ai vu que le mieux est que l'homme jouisse de ses œuvres, car c'est sa part. Qui en effet le ramènera voir ce qui sera après lui ?

CHAPITRE IV

¹ J'ai vu d'autre part toutes les oppressions qui se font sous le soleil :

voici les larmes des opprimés,
et ils n'ont pas de consolateur ;
de la part de leurs oppresseurs c'est la violence,
et ils n'ont pas de consolateur.

2 Et moi de louer les morts qui sont déjà morts
plus que les vivants qui sont encore vivants ;

3 et plus heureux que tous deux
[je dis] celui qui n'a pas encore été,
parce qu'il n'a pas vu l'œuvre mauvaise
qui se fait sous le soleil.

4 J'ai vu que tout le travail
et tout le succès d'une œuvre,
c'est jalousie de l'un envers l'autre :
cela aussi est vanité et poursuite de vent.

5 L'insensé se croise les bras
et il dévore sa chair.

6 Mieux vaut du repos plein le creux de la main
que de pleines poignées de travail et de poursuite de vent.

7 J'ai vu d'autre part une vanité sous le soleil :   8 il y a quelqu'un
de seul, sans second ; il n'a ni fils ni frère et il n'y a pas de fin à tout
son travail ; pourtant ses yeux ne sont pas rassasiés de richesse :
« Pour qui travaillé-je et privé-je mon âme de bonheur ? » Cela
aussi est vanité et occupation mauvaise.

9 Plus heureux ceux qui sont deux
que celui qui est seul,
parce qu'il y a pour eux bon salaire en leur travail.

10 Car s'ils tombent, l'un relève l'autre ;
mais malheur à celui qui est seul et qui tombe
et qui n'a pas de second pour le relever.

[11] De plus s'ils couchent à deux,
ils ont chaud ;
mais celui qui est seul, comment se *réchauffera*[(1)]-t-il ?

[12] Et si quelqu'un l'emporte sur celui qui est seul,
les deux résisteront devant lui :
le fil triple ne se rompt pas rapidement.

[13] Mieux vaut un enfant pauvre et sage
qu'un roi vieux et insensé,
qui ne sait plus s'éclairer.

[14] Car il est sorti de prison pour régner,
encore qu'il soit né indigent en son royaume.

[15] J'ai vu tous les vivants
qui vont sous le soleil
auprès de l'enfant, le second,
qui se dressait à sa place.

[16] Il n'y avait pas de fin à tout le peuple,
à tous ceux devant qui il était ;
pourtant la postérité ne se réjouira pas de lui.
Car cela aussi est vanité, et recherche de vent.

[17] Prends garde à ton pied
quand tu vas à la maison de Dieu,
et s'approcher pour écouter vaut mieux
que le sacrifice offert par les insensés,
car ils ne savent pas qu'ils font mal.

CHAPITRE V

[1] Ne fais pas se précipiter ta bouche
et que ton cœur ne se hâte pas

(1) réchauffe

de proférer une parole devant Dieu ;
car Dieu est dans les cieux
et toi tu es sur la terre :
pour cela que tes paroles soient peu nombreuses.

2 Car
le rêve vient de l'abondance *de*[(1)] préoccupations
et le mot insensé de l'abondance de paroles.

3 Lorsque tu fais un vœu à Dieu
ne tarde pas à l'accomplir ;
car il n'y a pas de complaisance pour les insensés ;
le vœu que tu feras, accomplis-le.

4 Mieux vaut ne pas faire de vœu
que de faire un vœu et ne pas l'accomplir.

5 Ne permets pas à ta bouche de faire pécher ta chair
et ne dis pas devant le représentant [de Dieu] :
« C'est une erreur. »
Pourquoi Dieu s'en prendrait-il à ton mot
et détruirait-il l'œuvre de tes mains ?

6 Car dans l'abondance de rêves
sont les vanités et les paroles en abondance.
Mais crains Dieu.

7 Si tu vois l'oppression de l'indigent
et la violation de l'équité et de la justice dans la province,
ne t'étonne pas de la chose, car
au-dessus d'un haut placé un plus haut placé veille,
et de plus haut placés au-dessus d'eux.

8 Et le profit d'une terre est en tout ;
un roi est asservi à un champ.

9 Qui aime l'argent
ne se rassasiera pas d'argent

(1) des

299

et celui qui aime l'opulence
n'a pas de revenu :
cela aussi est vanité.

10 Avec l'abondance du bien
abondent ceux qui le mangent
et quel bénéfice y a-t-il pour son possesseur,
sinon que c'est un spectacle pour ses yeux ?

11 Doux est le sommeil du travailleur,
qu'il mange peu ou prou ;
mais la satiété pour un riche
ne le laisse pas dormir.

12 Il y a un mal douloureux
que j'ai vu sous le soleil :
la richesse gardée par son possesseur pour son malheur.

13 Et cette richesse a péri dans une mauvaise affaire ;
il a engendré un fils
et il n'a rien du tout dans sa main.

14 Comme il est sorti du sein de sa mère,
nu il s'en retournera, tel qu'il est venu
et il ne retire rien du tout de son travail
qu'il puisse emporter dans sa main.

15 Et cela aussi est un mal douloureux :
tout comme il est venu, ainsi il s'en ira.
Et quel profit y a-t-il pour lui
de ce qu'il travaille pour du vent ?

16 De plus, durant tous ces jours
il mange dans l'obscurité,
dans de nombreux chagrins,
dans la souffrance et dans l'irritation.

17 Voici ce que j'ai vu : ce qui convient le mieux à l'homme, c'est
de manger et de boire et de goûter le bonheur par tout son travail

auquel il travaille sous le soleil pendant le nombre des jours de sa vie que Dieu lui a donnés, car c'est là sa part. [18] De plus tout homme à qui Dieu a donné richesse et ressources et à qui il a laissé le pouvoir d'en manger, d'en prendre sa part et de jouir de son travail, cela est un don de Dieu. [19] Car il ne songe guère aux jours de sa vie, parce que Dieu l'occupe à la joie de son cœur.

CHAPITRE VI

[1] Il y a un mal que j'ai vu sous le soleil et il est grand pour l'homme : [2] voici quelqu'un à qui Dieu donne richesse, ressources et gloire, à qui rien ne manque pour lui-même de tout ce qu'il désire, mais à qui Dieu ne laisse pas le pouvoir d'en manger, car quelqu'un d'étranger le mange : cela est vanité et souffrance mauvaise. [3] Si un homme a engendré cent fils et qu'il vive de nombreuses années, mais que, si nombreux que soient les jours de ses années, son âme ne soit pas rassasiée de bonheur et que même il n'ait pas de sépulture, je dis : mieux que lui vaut l'avorton,

[4] car dans la vanité il est venu
et dans l'obscurité il s'en va
et dans l'obscurité son nom sera caché.

[5] Il n'a même pas vu le soleil
et ne l'a pas connu.
Celui-ci a eu plus de repos que celui-là.

[6] Et même s'il avait vécu deux fois mille ans
et qu'il n'eût pas goûté le bonheur...
N'est-ce pas en un lieu identique que tout va ?

[7] Tout le travail de l'homme est pour sa bouche
et pourtant l'âme n'est pas comblée.

[8] Car qu'a de plus le sage que l'insensé ?
Qu'a de plus le misérable
qui sait marcher devant les vivants ?

⁹ Mieux vaut voir de ses yeux
qu'avoir l'âme en mouvement.
Cela aussi est vanité et poursuite de vent.

¹⁰ De ce qui est le nom a déjà été appelé ;
on sait ce qu'est un homme
et qu'il ne peut pas entrer en jugement
avec Celui qui est plus fort que lui.

¹¹ Quand il y a des paroles en abondance,
elles font abonder la vanité :
quoi de plus pour l'homme ?

¹² Car qui sait ce qui est bon pour l'homme pendant la vie,
durant le nombre des jours de sa vie de vanité
qu'il passe comme une ombre,
parce que qui fera connaître à l'homme
ce qui sera après lui sous le soleil ?

CHAPITRE VII

¹ Mieux vaut renom qu'huile parfumée
et le jour de la mort que le jour de sa naissance.

² Mieux vaut aller à une maison de deuil
qu'aller à une maison de festin,
parce que c'est la fin de tout homme,
et le vivant le soumettra à son cœur.

³ Mieux vaut le chagrin que le rire,
car mauvaise figure fait du bien au cœur.

⁴ Le cœur des sages est dans la maison de deuil
et le cœur des insensés dans la maison de joie.

⁵ Mieux vaut écouter une réprimande de sage
qu'être homme à écouter un dithyrambe d'insensés.

⁶ Car tel le bruit des épines sous la marmite,
tel est le rire de l'insensé.
Et cela aussi est vanité.

⁷ Car l'oppression rend fou un sage
et un présent perd le cœur.

⁸ Mieux vaut la fin d'une chose que son commencement ;
mieux vaut longanimité qu'esprit hautain.

⁹ Ne te hâte pas en ton esprit d'être chagrin,
car le chagrin repose dans le sein d'insensés.

¹⁰ Ne dis pas : « Comment se fait-il
que les jours anciens ont été meilleurs que ceux-ci ? »
Ce n'est pas en effet par Sagesse
que tu as interrogé sur cela.

¹¹ Bonne est la Sagesse aussi bien qu'un héritage
et elle profite à ceux qui voient le soleil.

¹² Car être à l'ombre de la Sagesse,
c'est être à l'ombre de l'argent ;
et le profit de la science
est que la Sagesse fait vivre son possesseur.

¹³ Vois l'œuvre de Dieu :
qui pourra redresser ce qu'il a courbé ?

¹⁴ Au jour du bonheur sois heureux
et au jour du malheur vois⁽¹⁾ ;
celui-ci de même que celui-là,
Dieu l'a fait,

_____
(1) réfléchis

303

si bien que l'homme ne peut rien découvrir
de ce qui sera après lui.

15 J'ai tout vu dans mes jours de vanité :
il y a un juste qui périt avec sa justice
et il y a un méchant qui prolonge [ses jours] avec sa malice.

16 Ne deviens pas juste à l'extrême
et ne te rends pas sage excessivement :
pourquoi te détruirais-tu ?

17 Ne sois pas méchant à l'extrême
et ne deviens pas sot :
pourquoi mourrais-tu avant ton temps ?

18 Il est bon que tu t'attaches à ceci
et que tu ne laisses pas ta main lâcher cela,
car celui qui craint Dieu s'acquittera de tous deux.

19 La Sagesse rend le sage plus fort
que dix autorités qui sont dans la ville,
20 car il n'est homme juste sur la terre
qui fasse le bien et qui ne pèche pas.

21 De plus, à toutes les paroles que l'on dit
ne prête pas ton cœur,
afin que tu n'entendes pas ton serviteur te dénigrer,

22 car bien des fois aussi ton cœur a su
que toi aussi tu avais dénigré les autres.

23 J'ai expérimenté tout cela par Sagesse.
J'ai dit : « Je serai sage ! »
Et cela est loin de moi

24 Loin est ce qui a été
et profond, profond ·
qui le découvrira ?

25 Je me suis remis, avec mon cœur,
à connaître, à examiner
et à poursuivre la Sagesse et la raison
et à savoir que la méchanceté est démence
et la sottise folie.

26 Et je trouve plus amère que la mort la femme,
parce qu'elle est [1] un traquenard,
que [2] son cœur est un piège
et que ses bras sont des liens.
Celui qui est bon devant Dieu lui échappera,
mais le pécheur sera agrippé par elle.

27 Vois ce que j'ai trouvé, a dit le Qôhéléth,
en les considérant une à une pour trouver une raison,

28 que mon âme a cherchée jusqu'à présent
et que je n'ai pas trouvée :
un homme entre mille j'ai trouvé,
mais une femme parmi elles toutes,
je ne l'ai pas trouvée.

29 Vois seulement ce que j'ai trouvé :
c'est que Dieu a fait l'homme droit,
mais eux ont cherché à raisonner beaucoup.

CHAPITRE VIII

1 Qui est comme le sage
et qui connaît l'explication d'une chose ?
La sagesse d'un homme fait briller son visage
et la sévérité de son visage est changée.

(1) quand elle devient
(2) quand

² Observe l'ordre du roi
et, à cause du serment fait devant Dieu,
³ ne te hâte pas d'aller loin de son visage.
Ne t'obstine pas dans une mauvaise cause,
car il fera tout ce qui lui plaît.

⁴ Parce que la parole du roi fait autorité,
qui lui dira : « Que fais-tu ! » ?

⁵ Celui qui observe le précepte
ne connaît rien de mal
et le cœur du sage
connaît temps et jugement.

⁶ Pour toute chose, en effet,
il y a un temps et un jugement,
car le mal de l'homme est *grave pour lui* [1].

⁷ C'est que lui ne sait pas ce qui sera :
car comment ce sera, qui le lui fera connaître ?

⁸ Il n'y a pas d'homme qui ait pouvoir sur le vent
au point de contenir le vent
et personne n'a pouvoir sur le jour de la mort.
Il n'y a pas de relâche dans le combat
et la méchanceté ne sauve pas son possesseur.

⁹ Tout cela, je l'ai vu et j'ai appliqué mon cœur
à toute l'œuvre qui se fait sous le soleil,
au temps où l'homme a pouvoir sur un homme
pour lui faire du mal.

¹⁰ Et ainsi j'ai vu des méchants conduits au tombeau ;
hors du lieu saint ils vont
et on oublie dans la ville qu'ils ont agi ainsi.
Cela aussi est vanité.

(1) lourd sur lui

¹¹ C'est parce que la sentence contre l'œuvre du mal n'est pas exécutée rapidement que le cœur des fils d'homme s'emplit en eux du dessein de mal faire, ¹² parce que le pécheur fait le mal cent fois et prolonge [ses jours], bien que je sache, moi,

qu'il y aura du bonheur pour ceux qui craignent Dieu,
parce qu'ils éprouvent de la crainte devant lui,
¹³ et qu'il n'y aura pas de bonheur pour le méchant,
et que, comme l'ombre, il ne prolongera pas ses jours,
parce qu'il n'a pas éprouvé de crainte devant Dieu.

¹⁴ Il y a une vanité qui est faite sur la terre : c'est qu'il y a des justes qui sont traités selon l'œuvre des méchants et il y a des méchants qui sont traités selon l'œuvre des justes ; j'ai dit : cela aussi est vanité. ¹⁵ Et j'ai loué la joie, car il n'y a rien de bon pour l'homme sous le soleil, si ce n'est de manger, de boire et de se réjouir, et cela l'accompagne dans son travail durant les jours de sa vie que Dieu lui a donnés sous le soleil. ¹⁶ Lorsque j'ai mis mon cœur à connaître la Sagesse et à voir l'occupation qui se fait sur la terre — aussi bien ni le jour ni la nuit il ne voit de ses yeux le sommeil —, ¹⁷ alors j'ai vu, concernant toute l'œuvre de Dieu, que l'homme ne peut pas découvrir l'œuvre qui se fait sous le soleil, puisque l'homme se fatigue à chercher et qu'il ne trouve pas. Et même si le sage dit savoir, il ne peut pas trouver.

CHAPITRE IX

¹ Car tout cela, je l'ai soumis à mon cœur et j'ai éprouvé tout ceci : que les justes, les sages et leurs actions sont dans la main de Dieu. L'homme ne connaît ni amour ni haine : tout est devant lui. ² Tout est pareil pour tous : il y a un sort identique pour le juste et pour le méchant, pour le bon [et pour le mauvais], pour le pur et pour l'impur, pour qui sacrifie et pour qui ne sacrifie pas. Tel le bon, tel le pécheur ; celui qui jure est comme celui qui redoute le serment. ³ C'est un mal en tout ce qui se fait sous le soleil qu'il y ait un sort identique pour tous ; aussi le cœur des fils d'homme est-il

plein de malice et la folie est dans leurs cœurs durant leur vie, et leur fin est chez les morts. [4] Pour celui, en effet, qui est uni à tous les vivants il y a de l'espoir, car

chien vivant vaut mieux que lion mort.

[5] Les vivants, en effet, savent qu'ils mourront,
   mais les morts ne savent rien du tout
   et il n'y a plus pour eux de salaire,
   car leur souvenir est oublié.
[6] Leur amour, leur haine et leur jalousie ont déjà péri
   et ils n'ont plus à perpétuité de part
   à tout ce qui se fait sous le soleil.

[7] Va, mange avec joie ton pain
   et bois de bon cœur ton vin,
   car déjà Dieu a agréé tes œuvres.

[8] Qu'en tout temps tes vêtements soient blancs
   et que l'huile sur ta tête ne manque pas.

[9] Goûte la vie avec la femme que tu aimes
   durant tous les jours de ta vie de vanité,
   qu'Il t'a donnés sous le soleil,
   durant tous tes jours de vanité,
   car c'est ta part dans la vie et dans ton travail
   auquel tu travailles sous le soleil.

[10] Tout ce que ta main *a trouvé* [1] à faire,
   fais-le en ta force [2],
   car il n'y a ni œuvre ni raison ni science ni Sagesse
   dans le Sheol où tu vas.

[11] J'ai vu, d'autre part, sous le soleil
   que ce n'est pas aux agiles qu'appartient la course,

_____
(1) trouve
(2) avec la force que tu as, fais-le,

ni aux héros le combat,
et non plus aux sages le pain,
ni aux intelligents la richesse,
ni aux savants la faveur,
car temps et contretemps leur arrivent à tous.

[12] Car l'homme ne connaît pas non plus son temps :
comme les poissons qui sont pris dans le filet mauvais,
et comme les passereaux pris dans le lacet,
comme eux, les fils d'homme sont attrapés au temps mauvais,
quand il tombe sur eux à l'improviste.

[13] J'ai vu aussi ceci en fait de sagesse sous le soleil et c'est quelque chose de grave pour moi : [14] il y avait une petite ville et en elle peu d'hommes ; contre elle est venu un grand roi, il l'a investie, il a fait contre elle de grands terrassements. [15] Et il y a trouvé un homme pauvre et sage et celui-ci a sauvé la ville par sa Sagesse et personne ne s'est souvenu de cet homme pauvre. [16] Et j'ai dit :
mieux vaut la sagesse que l'héroïsme,
mais la Sagesse du pauvre est méprisée
et ses paroles ne sont pas écoutées.

[17] Les paroles des sages dites avec calme sont plus écoutées qu'une clameur de chef au milieu des insensés.

[18] Mieux vaut la Sagesse que des instruments de guerre,
mais un seul pécheur perd beaucoup de bonheur.

CHAPITRE X

[1] Des mouches mortes gâtent et infectent un onguent de
parfumeur ;
un peu de sottise pèse plus que Sagesse et gloire.

2 Le cœur du sage est à sa droite
et le cœur de l'insensé à sa gauche.

3 De plus, quand le sot marche sur la route, son cœur fait défaut,
et il dit de chacun : « C'est un sot ! »

4 Si la colère du chef s'élève contre toi
ne quitte pas ta place,
car le calme évite de grands péchés.

5 Il y a un mal que j'ai vu sous le soleil,
comme une erreur qui proviendrait du Souverain :
6 la sottise a été placée aux plus hauts sommets
et des riches restent dans la bassesse.

7 J'ai vu des esclaves sur des chevaux
et des princes marchant à terre comme des esclaves.

8 Qui creuse une fosse y tombera
et qui abat un mur, un serpent le mordra ;
9 qui extrait des pierres s'y fera mal ;
qui fend du bois y courra un danger.
10 Si le fer est émoussé et que celui-ci n'aiguise pas le tranchant,
il fortifiera ses forces,
mais le profit qu'il y a à l'affûter est Sagesse.

11 Si le serpent mord pour n'être pas charmé,
il n'y a pas de profit pour le charmeur.

12 Les paroles de la bouche d'un sage sont faveur [pour lui],
mais les lèvres d'un insensé le perdent.
13 Le début des paroles de sa bouche est sottise
et la fin de son discours est folie mauvaise.
14 Et le sot multiplie les paroles ;
l'homme ne sait pas ce qui sera,
et qui lui fera connaître
ce qui sera après lui ?

¹⁵ Le travail de l'insensé le fatigue,
parce qu'il ne sait pas aller en ville.

¹⁶ Malheur à toi, terre dont le roi est un jeune homme
et dont les princes mangent au matin.

¹⁷ Heureuse es-tu, terre dont le roi est fils d'hommes libres
et dont les princes mangent au temps [convenable],
de façon virile et sans faire d'orgie.

¹⁸ Avec deux paresseuses le plancher s'affaisse,
et quand les mains se relâchent la maison a des gouttières.

¹⁹ Pour se divertir ils font un repas :
le vin égaie la vie
et l'argent permet tout.

²⁰ Même en ta conscience ne dénigre pas le roi
et dans ta chambre à coucher ne dénigre pas le riche,
car les oiseaux du ciel rapporteront le mot
et les porteurs d'ailes feront connaître la chose.

CHAPITRE XI

¹ Envoie ton pain sur la face des eaux,
car dans nombre de jours tu le retrouveras.

² Donne une part à sept et même à huit,
car tu ne sais pas quel malheur peut arriver sur la terre.

³ Quand les nuages sont pleins, ils répandent l'averse sur la
terre,
et qu'un arbre tombe au midi ou au nord,
à l'endroit où l'arbre tombe, là il sera.

⁴ Qui observe le vent ne sèmera pas
et qui regarde les nuages ne moissonnera pas.

311

⁵ De même que tu ne sais pas quel est le cheminement du
      souffle
    selon les os dans le sein de la femme enceinte,
    de même tu ne connaîtras pas l'œuvre de Dieu qui fait tout.

⁶ Au matin sème ta semence
    et jusqu'au soir ne laisse pas reposer ta main,
    car tu ne sais pas ce qui réussira, ceci ou cela,
    ou si les deux ensemble sont bons.

⁷ Douce est la lumière
    et il est bon pour les yeux de voir le soleil.

⁸ Si l'homme vit des années nombreuses,
    qu'il se réjouisse en toutes et qu'il songe
    que les jours de ténèbres seront nombreux :
    tout ce qui vient est vanité.

⁹ Réjouis-toi, adolescent, dans ta jeunesse,
    et que ton cœur te rende heureux aux jours de ton adoles-
      cence ;
    marche dans les voies de ton cœur et selon la vision de tes
      yeux,
    et sache que pour tout cela Dieu te fera venir au jugement.

¹⁰ Écarte le chagrin de ton cœur
    et fais passer le malheur loin de ta chair,
    car la jeunesse et l'âge des cheveux noirs sont vanité.

CHAPITRE XII

¹ Souviens-toi de ton créateur
    aux jours de ton adolescence,
    avant que ne viennent les jours du malheur,
    et que n'arrivent les années dont tu diras :
    « Je n'y ai aucun plaisir ! » ;

2 avant que ne s'obscurcissent le soleil,
la lumière, la lune et les étoiles
et que ne reviennent les nuages après l'averse,

3 au jour où trembleront les gardiens de la maison,
où se courberont les hommes vigoureux,
où cesseront *celles qui moulent* [1],
parce qu'elles seront trop peu nombreuses,
où s'obscurciront celles qui regardent aux fenêtres,

4 où seront fermés les deux battants sur la rue,
au jour où baissera le bruit du moulin,
où on se lèvera à la voix du passereau
et [2] où s'atténueront tous les chants ;

5 et aussi d'en haut on aura peur
et ce seront des terreurs sur le chemin ;
l'amande sera dédaignée [3],
la sauterelle deviendra pesante
et la câpre inefficace,
car l'homme s'en va vers sa maison d'éternité
et les pleureurs circulent dans la rue ;

6 avant que ne se détache le câble d'argent,
que ne se brise le globe d'or,
que ne se casse la cruche à la fontaine
et que ne se brise *la roue* [4] à la citerne ;

7 avant que la poussière ne retourne à la terre,
selon ce qu'elle était,
et que le souffle ne retourne à Dieu
qui l'a donné.

8 Vanité des vanités, a dit le Qôhéléth.
Tout est vanité.

(1) les meunières
(2) mais
(3) où l'amandier fleurit,
(4) poulie

[9] Outre que Qôhéléth fut un sage, il a encore enseigné la science au peuple ; il a écouté et examiné, il a mis en ordre un grand nombre de proverbes. [10] Qôhéléth s'est appliqué à trouver des paroles plaisantes et à écrire avec rectitude des paroles de vérité. [11] Les paroles des sages sont comme des aiguillons, et comme des clous plantés les auteurs de recueils ; ils sont donnés par un pasteur unique. [12] Quant à faire plus que cela, mon fils, garde-t'en : faire des livres en grand nombre serait sans fin et beaucoup d'étude est une fatigue pour la chair. [13] Fin du discours : *le tout entendu* [1], crains Dieu et observe ses préceptes, car c'est là tout l'homme. [14] Car Dieu fera venir toute œuvre en jugement, concernant tout ce qui est caché [2] que ce soit bon ou mauvais.

(1) tout est entendu
(2) (tout ce qui cherche à être éternisé).

Table

Du même auteur

I. HISTOIRE

Étude sur l'évolution et la nature juridique du Mancipium (thèse), Bordeaux, Delmas, 1936.

Essai sur le recrutement de l'armée française aux XVIe et XVIIe siècles, Mémoires de l'Académie des sciences morales, 1941, prix d'Histoire de l'Académie française.

Introduction à l'histoire de la discipline des Églises réformées de France, chez l'auteur, 1943.

Histoire des institutions, Paris, PUF, t. I et II, *Antiquité,* 1951, revu et corrigé 1972 ; t. III, *Le Moyen Âge,* 1953, revu et corrigé 1975 et 1980 ; t. IV, *XVIe-XVIIIe siècles,* 1956, revu et corrigé 1976 ; t. V, *XIXe siècle,* 1957, revu et corrigé 1979.

Histoire de la propagande, Paris, PUF, 1967, revu et corrigé 1976.

II. SOCIOLOGIE

La Technique ou l'Enjeu du siècle, Paris, Armand Colin, 1954.

Propagandes, Paris, Armand Colin, 1962.

L'Illusion politique, Paris, Robert Laffont, 1965.

Exégèse des nouveaux lieux communs, Paris, Calmann-Lévy, 1966.

Métamorphose du bourgeois, Paris, Calmann-Lévy, 1967.

Autopsie de la Révolution, Paris, Calmann-Lévy, 1969.

Jeunesse délinquante (en collaboration avec Yves Charrier), Paris, Mercure de France, 1971.

De la Révolution aux révoltes, Paris, Calmann-Lévy, 1972.

Les Nouveaux Possédés, Paris, Fayard, 1973.

Trahison de l'Occident, Paris, Calmann-Lévy, 1975.

Le Système technicien, Paris, Calmann-Lévy, 1977.

L'Idéologie marxiste chrétienne, Paris, Centurion, 1979.

L'Empire du non-sens, Paris, PUF, 1980.

La Parole humiliée, Paris, Éditions du Seuil, 1981.

Changer de révolution, Paris, Éditions du Seuil, 1982.

III. THÉOLOGIE

Le Fondement théologique du droit, Paris, Delachaux, 1946.

Présence au monde moderne, Genève, Roulet, 1948.

Le Livre de Jonas, Paris, Foi et Vie, 1952.

L'Homme et l'Argent, Paris, Delachaux, 1953, réédition complétée en 1979.

Le Vouloir et le Faire (introduction de l'éthique chrétienne), Genève, Labor et Fides, 1964.

Fausse Présence au monde moderne, Paris, Éditions de l'ERF, 1964.

Politique de Dieu, politique des hommes, Paris, Éditions universitaires, 1966.

Contre les violents, Paris, Le Centurion, 1972.

L'Impossible Prière, Paris, Le Centurion, 1972.

Sans feu ni lieu (théologie de la ville), Paris, Gallimard, 1975.

L'Espérance oubliée, Paris, Gallimard, 1977.

L'Éthique de la liberté, Genève, Labor et Fides (t. I, 1973, t. II, 1975, t. III, *à paraître*).

L'Apocalypse : architecture en mouvement, Desclée de Brouwer, 1976.

La Foi au prix du doute, Paris, Hachette, 1980.

La Subversion du christianisme, Paris, Éditions du Seuil, 1984.

IV. NUMÉROS SPÉCIAUX DE REVUES, ÉQUIVALENTS À UN LIVRE

« Sociologie des relations publiques », *Revue française de sociologie,* 1964 (80 p.).

« Voyage en Israël », *Foi et Vie,* 1977 (80 p.).

« Théologie du travail et monde moderne », *Foi et Vie,* 1980 (80 p.).

IMPRIMERIE SEPC À SAINT-AMAND
DÉPÔT LÉGAL JANVIER 1987. Nº 9445 (2646-1730)

Dans la même collection